KB101350

의사국가고시 | 레지던트시험 | 전문의시험 | 준비를 위한

HANDBOOK

POWER Internal Medicine

Nephrology

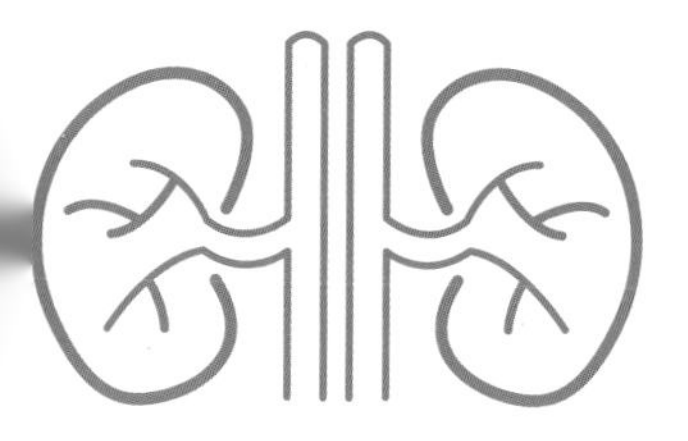

POWER MANUAL SERIES

신장내과

Power 내과 핸드북 05 3rd edition

첫째판 1쇄 발행 | 2009년 9월 25일
셋째판 1쇄 발행 | 2020년 9월 21일
셋째판 2쇄 발행 | 2024년 4월 17일

지 은 이 신규성
발 행 인 장주연
출 판 기 획 김도성
표지디자인 김재욱
발 행 처 군자출판사(주)
등록 제4-139호(1991. 6. 24)
본사 (10881) **파주출판단지** 경기도 파주시 회동길 338(서패동 474-1)
전화 (031) 943-1888 팩스 (031) 955-9545
홈페이지 | www.koonja.co.kr

* 파본은 교환하여 드립니다.
* 검인은 저자와의 합의 하에 생략합니다.

ISBN 979-11-5955-603-6
979-11-5955-490-2(세트)

정가 10,000원
세트 95,000원

머리말

7년 만에 파워내과–핸드북의 세 번째 개정판이 나오게 되었습니다. 그동안 많은 분야에서 진단과 치료에 큰 변화가 있었고, 그에 따라 파워내과 본책은 상당히 두꺼워졌습니다. 핸드북은 휴대가 목적이기 때문에 본책 내용의 일부가 빠지기는 했지만, 각종 시험 준비에는 충분하리라 생각합니다.

최근 의료계는 많은 변화를 겪고 있습니다. 각종 인증 제도를 통해 의료의 질은 점점 향상되고 있고, 전공의법을 통해 인턴/레지던트들의 삶의 질도 많이 향상되었습니다. 다만 사회의 변화에 따라 새로운 문젯거리들도 생겨나는데, 선(善)과 정의를 짓밟는 극우 패륜 사이트에 물든 일부 사람들도 그중 하나일 것입니다. 중요한 의료정책관련 문제가 닥쳤을 때, 그런 일부의 행적들은 오히려 협상력을 약화시키고, 국민들의 지지도 잃게 만들어버렸습니다. 의학은 스펙트럼이 매우 넓기 때문에 전공과, 직종, 병원별로 다양한 이해관계들이 얽혀있고 모두를 만족시키기란 매우 어렵습니다. 의사들끼리도 서로 이해하기 힘든데 어떤 정책을 결정하고 국민들도 이해시키려면 깊은 고민과 성찰, 신중한 접근이 필요할 것입니다. 항상 의사들의 뒤통수만 쳐왔던 복지부는 COVID-19 사태를 틈타 (국민이 아닌) 자신들만을 위한 정책을 획책했습니다. 하지만 기본적인 한계와 일부의 과오들로 인해 또다시 의사만 공공의 적 신세가 됩니다.

가장 유능한 인재로 의대에 들어온 만큼 그에 걸맞은 도덕성과 사회역사적 소양도 갖추어야 올바른 목소리를 강하게 낼 수 있습니다. 패륜 사이비 세력에 동화된 의사의 말은 누구도 귀담아 들어 주지 않을 것입니다. 시험공부만 열심히 하고 이익만 추구하는 삶은 그런 괴물이 될 위험이 있습니다. 파워내과 및 핸드북의 취지는 시험공부의 부담을 조금이라도 덜자는 것이므로, 의학 이외에 다른 인문사회적 학습과 경험에도 더 많은 시간을 투자할 수 있기를 바랍니다.

끝으로 이번 개정판이 나오기까지 애써주신 군자출판사의 장주연 사장님과 김도성 차장님을 비롯한 직원 여러분들 모두에게 감사를 드립니다.

2020년 9월 1일

신 규 성

■ **파워내과 핸드북의 특징**

1. 내과학의 중요 내용을 간략하게 정리하여 학습의 방향을 제시
2. 파워내과의 80-90% 정도 분량으로 충실하고 업데이트된 내용
3. 의사국가고시를 포함한 각종 시험의 마지막 정리용
4. 항상 가볍게 휴대하면서 참고할 수 있도록 과목별로 분책

■ **안내**

1. 여러 시험에 출제가 되었거나 출제 가능성이 높은 부분들은 ★, !, **굵은 글자**, 밑줄 등으로 중요 표시를 하였으니 학습할 때 꼭 확인을 하시기 바랍니다.
2. 각종 약자는 군자출판사 홈페이지의 약자풀이를 참고하시기 바랍니다. 약자나 용어는 대한의협 및 각 학회에서 사용되는 것과 실제 임상에서 통용되는 것을 함께 사용하여 학습의 편의를 도모하였습니다.

■ 파워내과 핸드북의 본문에는 네이버(NHN)의 나눔글꼴이 사용되었습니다.

목차
contents

신장내과
POWER Internal Medicine

신장 내과

1
서론

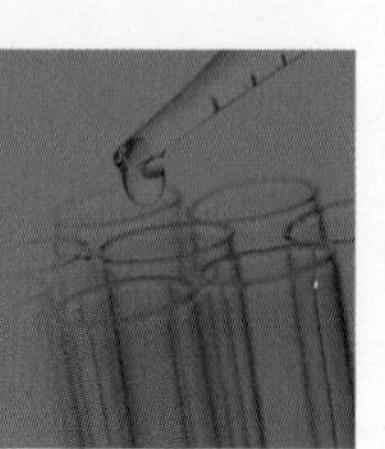

신장의 구조

- 무게 : 120~150 g
- 크기 : 11×6×2.5 cm (한국-길이 : 9~12 cm), 대개 왼쪽이 조금 더 큼
- 위치 : T12~L3, 후복벽, 대개 왼쪽이 더 위에 위치
- 구성
  - 피질(cortex) ; 바깥쪽, 약 1 cm 두께
  - 수질(medulla) ; 안쪽, 8~18개의 pyramids로 구성 (pyramids의 base는 corticomedullary junction에 위치하고, apex는 renal pelvis로 뻗어서 papilla를 형성)
- nephron (생리학적 기본단위) : 80~120만개
  - glomerulus (renal corpuscle) → 제 7장 참조
  - tubules
  - juxtaglomerular apparatus

  * juxtaglomerular cell (JG cell) : afferent arteriole의 세포가 분화된 것, renin 합성 & 분비
- renal vasculature ; renal artery → segmental A. → interlobar A.
  → arcuate A. (pyramids의 base를 따라 주행) → interlobular A. → afferent arterioles
  → glomerular capillary → efferent arterioles → peritubular capillary networks
  ⋯→ 이중 juxtamedullary glomeruli에서 나온 혈관은 vasa recta를 형성
  (countercurrent multiplication system에서 중요한 기능을 함)

생리학

1. 신장의 기능

(1) urine formation : 수분·전해질 균형, 노폐물 분비

(2) blood formation : erythropoietin 합성

(3) 혈압 조절
- 혈압↓ → Na^+ retention, renin-angiotensin-aldosterone activation
- 혈압↑ → Na^+ excretion, prostaglandin 분비

(4) skeletal formation : vitamin D 합성

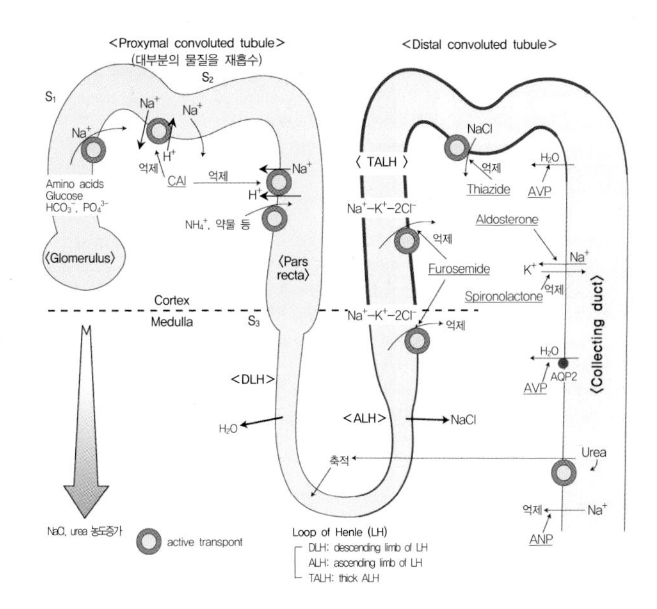

2. Urine formation

- ultrafiltration : glomerulus에서 150~180 L/day
- reabsorption : 99% 재흡수, 1%만 체외로 배설 (약 1.8 L/day)

(1) 근위세관 (proximal tubule, PT)

- 3부분으로 구성
  - PCT (proximal convoluted tubule) : S_1, S_2 → 대부분의 재흡수 담당
  - pars recta : S_3 → 유기산/염기 분비(배설) ; 이뇨제, 약물, 독소 등
- glomerular filtrate의 60~70%가 bulk reabsorption 됨 (압력 및 삼투압차에 의해)
- Na^+ 재흡수에 따른 삼투압 경사로 water도 재흡수됨 … aquaporin 1 [AQP-1] channels을 통해
- Na^+-H^+ exchanger type 3 (NHE-3) (→ CAI에 의해 억제됨)
  - Na^+ 재흡수
  - H^+ 배설 → bicarbonate (HCO_3^-)의 90% 재흡수 ; lumen에서 H^+와 HCO_3^-가 결합하여 H_2CO_3 형성 → carbonic anhydrase에 의해 H_2O와 CO_2로 분리 → CO_2는 세관세포내로 확산됨 → 세포내에서 다시 HCO_3^-로 되어 혈액으로 재흡수됨

- glucose, amino acid, citrate, lactate, acetate, phosphate 등 중요 영양소의 대부분도 재흡수됨
  … Na^+-coupled active transport (Na^+-dependent co-transporters)에 의해
- 용질 재흡수의 주요 추진력은 basolateral membrane에 위치한 Na^+,K^+-ATPase임
  (→ 세관세포내 Na^+ 농도를 낮게 유지 → luminal membrane을 통해 Na^+ 및 fluid 재흡수)
- NH_3 생산 : H^+와 함께 NH_4^+를 형성하여 배설됨 → H^+의 배출
  (특히 metabolic acidosis, hypokalemia 시에 증가)

(2) 헨레고리 (Henle's loop)

- 여과된 NaCl의 25%, water의 15%를 재흡수 (→ 소변이 hypotonic 해짐)
- countercurrent multiplication system
  ① thick ascending limb (TAL)에서 medulla 내로 Na^+의 능동적 재흡수
  : Na^+-K^+-$2Cl^-$ co-transporter-2 (NKCC2)에 의해 (→ loop diuretics에 의해 억제됨)
  ② descending & ascending limb에서의 permeability 차이
  - descending limb : water에 대하여 permeable (∵ AQP-1 풍부)
  - ascending limb : Na^+에 대하여 permeable

  ③ collecting duct에서 재흡수된 urea가 medulla에 축적
  ⇨ medullary interstitium을 높은 삼투압으로 유지★
  (→ collecting duct에서 요농축이 일어나는 환경 제공)
- Tamm-Horsfall protein 분비

(3) 원위곡세관 (distal convoluted tubule, DCT)

- 소량(5%)의 NaCl 재흡수 : Na^+-Cl^- co-transporter (NCC) (→ thiazide에 의해 억제됨)
  → 소변 희석됨 (DCT 말단부를 제외하고는 water에 impermeable)
- Ca^{2+}도 능동적으로 재흡수됨 - PTH에 의해 조절
- 여러 hormone의 영향으로 수분 및 전해질의 미세한 조절

(4) 집합(세)관 (collecting tubule & duct, CD)

- 소변의 최종 Na^+ 농도 및 농축 정도를 결정하는 부위
- AVP의 영향으로 뇨의 농축 정도가 결정됨 (DCT 말단부 ~ collecting duct)
  - AVP↑ → water permeability 증가 → water 재흡수↑ → 요농축
  - aquaporin (AQP) 2 : AVP (vasopressin)에 의해 조절되는 water channel
    (→ mutation시 nephrogenic DI 발생)
- Na^+ 재흡수 (Na^+ channel) & K^+ 배설 (K^+ channel)
  - aldosterone에 의해 촉진됨 (→ aldosterone antagonist에 의해 억제됨)
  - epithelial Na^+ channel (ENaC) (→ amiloride와 triamterene에 의해 억제됨)
- H^+ 배설 및 HCO_3^- 재생산 : 뇨로 H^+를 배설하기 위해서는 완충제가 필요 (e.g., HPO_4^{2-}, NH_3)
- urea 재흡수 → medullary interstitium의 높은 삼투압 유지에 기여

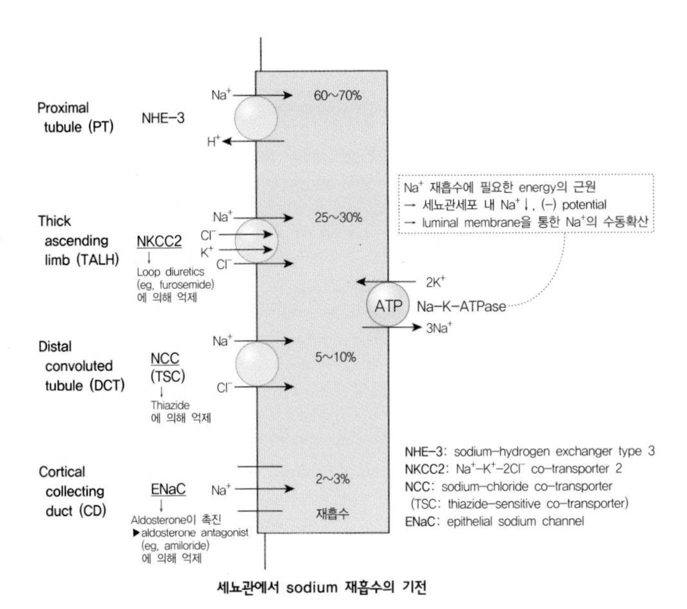

세뇨관에서 sodium 재흡수의 기전

3. Renal blood flow (신혈류)

- 신장은 심박출량(CO)의 약 20~25%를 받음
  → 매분 약 1.0~1.2 L의 blood (약 600 mL의 plasma)가 신장을 통과함
  - 75~85% ⇨ cortex
  - 15~25% ⇨ medulla

  (renal papilla [pelvis신우]로 가는 혈액은 1%에 불과함)
- 사구체를 통과하면서 plasma의
  약 20% (120 mL/min)가 여과됨 ··· GFR
- filtration fraction (FF, 여과율)
  = GFR/RPF (renal plasma flow) = 120/600 = 0.2

* nephron (신장의 기능적 단위)
; glomerulus → PT → Henle's loop
→ DCT → CD (··· calyx → pelvis)
(Henle's loop는 medulla까지 내려갔다가 올라옴)

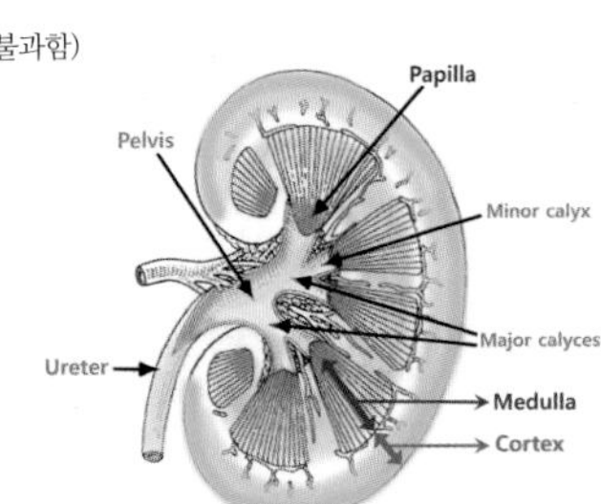

■ Renal blood flow (RBF) 및 glomerular filtration (GFR)의 자동조절(autoregulation)

(1) 근육조절기전(myogenic mechanism)

- afferent arteriole수입세동맥의 autonomous vasoreactive (myogenic) reflex
- 전신 혈압의 갑작스런 변화로부터 사구체 보호!
  - 혈압(renal perfusion pr.)이 상승하면 afferent arteriole 수축 → RBF & glomerular pr.↓
  - 혈압(renal perfusion pr.)이 떨어지면 afferent arteriole 이완 → RBF & glomerular pr.↑
    신장에서 혈관확장물질 합성 & 분비↑ ↗
    ; PGE_2 (prostacyclin), kallikrein, kinins, nitric oxide (NO) 등
- 전체 자동조절 반응의 약 50% 담당, 반응속도 매우 빠름(3~10초 이내)

(2) 세뇨관사구체되먹임(tubuloglomerular feedback, TGF)

- macular densa치밀반점 (TALH~DCT 사이에 존재) : tubular NaCl 및 flow rate를 감지
  - distal tubule의 NaCl or flow rate↑ → afferent arteriole의 수축 유도 → GFR↓
  - distal tubule의 NaCl or flow rate↓ → afferent arteriole의 이완 유도 → GFR↑
- 근육조절기전과 함께 자동조절 반응의 대부분을 담당, 반응속도는 약간 느림(~30-60초)
- angiotensin Ⅱ와 reactive oxygen은 TGF를 강화 / NO는 억제 / furosemide는 차단시킴
  (∵ macular densa는 NKCC2를 통해 tubular NaCl을 감지) NKCC2 억제 ↲

(3) efferent arteriole수출세동맥의 angiotensin Ⅱ-mediated vasoconstriction

: 신혈류 감소시 afferent arteriole의 renin-secreting granular cells에서 renin 분비
→ angiotensin Ⅱ↑　　　　↳ macular densa 근처에 위치 : juxtaglomerular apparatus
→ efferent arteriole 수축 → glomerular hydrostatic pr.↑ (→ GFR↑), RBF↓

* volume 변화가 심한 병적인 경우에는 자동조절만으로는 부족해 다른 신경호르몬도 관여함
- volume⬇ → 교감신경↑, renin↑ → RAAS 활성화 → 혈관 수축, 수분과 염분 재흡수↑
  ↳ ADH (vasopressin)↑ → volume & 혈압 상승 ↲
- volume⬆ (e.g., 심부전) → ANP↑ (교감신경 및 RAAS와 반대 작용) → 염분 배설↑

신장관련 검사

1. 소변검사(urinalysis, U/A)

(1) 검체 및 검사방법

- 아침 첫 소변 ; 특히 nitrate, protein, 현미경검사, 세균배양검사 등에 좋다 (∵ 농축뇨)
- 물리학적 성상검사 ; 색 및 혼탁도, 냄새, 요량(정상 성인 1200~1500 mL/day), 삼투압, SG 등
- 요화학적 선별검사 ; **요시험지봉**(dipstick, reagent strip) 검사
- 요침사 현미경검사(**요검경**) ; RBC, WBC, epithelial cells, 세균, 원주, 결정 등을 관찰
- **자동요분석기**(automated urinalysis) ; 요화학검사 and/or 현미경검사를 자동화한 장비로
  현미경검사는 flow cytometry and/or 세포 영상분석 방법을 이용하여 분석함

(2) 단백뇨(proteinuria)

- 정의 : 대개 urinary protein >150 mg/day (albumin >30 mg/day)
- 정상 소변내 protein의 종류
  ① albumin (20~60%) → 사구체 질환의 marker (정상일 때는 소변 단백의 약 20% 차지)

  - 정상 사구체는 작은 구멍과 음전하로 인해 large proteins의 대부분과 세포들을 여과시키지 않음
  - Albumin에 대해 사구체는 불완전한 장벽임 (∵ albumin 3.6 nm, 사구체 구멍 4 nm)
    ⇨ 다양한 양의 albumin이 사구체 여과장벽(filtration barrier, GBM)을 통과한 뒤,
    근위 세뇨관에서 megalin & cubilin receptors에 의해 세뇨관세포 내로 재흡수되어 분해됨
    ⇨ 정상적으로 평균 8~10 mg/day의 albumin만 소변으로 배설됨
  - 이 과정은 주로 cationic proteins을 위한 것이라, albumin에 대해서는 제한적임
    → 사구체 질환으로 albumin의 GBM 통과가 조금만 증가해도 albuminuria가 발생함

  ② 면역단백질 (15%)　　↱ 모든 urinary casts의 matrix를 형성함 (정상일 때 약 50% 차지)
  ③ 세뇨관에서 분비 (40~50%) ; Tamm-Horsfall protein, glycoprotein, IgA, urokinase 등
- dipstick test : 반정량적 검사, 주로 albumin을 검출 (대개 10~15 mg/dL까지 검출 가능)
  * 단점
    ① 낮은 농도의 albumin (microalbuminuria)은 잘 검출 못함!
    ② albumin 이외의 protein (e.g., globulins, BJ protein)은 잘 검출 못함
    ③ 소변의 농축 정도에 따라 변화
    ④ false (+) or (−)가 많음
    ┌ false (−) ; 희석뇨, globulin, Bence Jones protein, mucoprotein
    └ false (+) ; 농축뇨, alkaline urine (pH>8), gross hematuria, pyuria, 정액/질분비물,
    ammonium 화합물(e.g., penicillin, sulfonamides, tolbutamide), 방부제, 세정제 ...
- sulfosalicylic acid (SSA) test ; 모든 protein을 검출할 수 있음, 반정량적이라 역시 한계는 있음
  예) dipstick (−) & SSA (+) → light chain (BJ protein)일 가능성이 높음

Quantification of proteinuria (KDIGO, 2012)

Albuminuria	Dipstick	단백농도 (mg/dL)	24시간 albumin (mg/day)	ACR* (mg/g = mg/g Cr)	24시간 단백 (g/day)	PCR* (mg/g = mg/g Cr)
Normal ~mildly increased	(−) ~ trace	<10 10~19	<10 10~29	<10 10~29	<0.15	<150
Moderately increased (Microalbuminuria)	trace ~ 1+	10~20 ≥30	30~300[(a)]	30~300[(b)] (3~30 mg/mmol)	0.15~0.5	150~500 (15~50 mg/mmol)
Severely increased** (Clinically significant)	2+	≥100	300~2200	300~2200 (30~220 mg/mmol)	0.5~3.0	500~3000 (50~300 mg/mmol)
Nephrotic-range	3~4+	≥300 ~1000	>2200	>2200	>3.0	>3000

* spot urine Protein/Creatinine Ratio (PCR) : 24시간 요단백과 상관관계 좋음 ┐ CKD 환자의 평가에 이용됨
Albumin/Creatinine Ratio (ACR) : 특히 dipstick 음성인 DM 환자에서 권장 ┘ (ACR이 더 예민해서 선호됨)

** clinically significant proteinuria → CKD 환자에서 progressive renal failure를 시사함

(a) 보통의 dipstick test는 낮은 농도의 albumin을 잘 검출 못하기 때문에 microalbuminuria는 대개 음성으로 나옴!

(b) 정확히는 남자 20~200 mg/g (2.5~25 mg/mmol), 여자 30~300 mg/g (3.5~35 mg/mmol)

- Dipstick test는 반정량이라 각 단계의 구분이 명확하지는 않고, 제조사별로도 차이가 있음
- Protein과 albumin의 상관성은 부족함 ; 보통 proteinuria가 심해질수록 albumin 비율이 높아짐 (20~40% → 60~90%)

- 과거의 microalbuminuria는 (30~300 mg/24h, spot 20~200 mg/L) moderately increased albuminuria로, 과거의 macroalbuminuria는 (>300 mg/24h, >200 mg/L) severely increased albuminuria로 불림

* moderately increased albuminuria (과거 microalbuminuria)
  - 정상보다 증가했지만 일반적 dipstick test로는 검출되지 않는 소량의 albumin만 배설되는 경우
  - 검사는 24hr 소변보다는, 간편하고 상관성이 좋은 spot urine ACR (uACR) 방법이 선호됨
    → 면역학적 방법(e.g., immunoturbidimetry[권장], ELISA)으로 정량측정
    (대개 자동화학분석기를 사용함, ACR 검사용 dipstick test도 screening용으로 나오지만 정확도는 떨어짐)
  - 원인 ; diabetic nephropathy 초기, HTN 초기, GN 초기(특히 혈뇨 or RBC cast 동반시)
    → 조기의 사구체 손상의 지표로 사용

- functional (transient) proteinuria : 신장질환 없이 일시적으로 proteinuria가 발생한 것
  - 성인 남자의 약 4%, 여자의 약 7%에서 발견, 대개 <1 g/day
  - 예 ; 흥분, 고열, 운동, 몹시 덥거나/추운 곳에 노출, CHF, norepinephrine IV 등

- postural (orthostatic) proteinuria : 기립시에만 단백뇨가 나타나는 것
  - 진단 : 시간대별 요단백 정량 분석
    - 낮에 서서 활동하는 12시간 동안의 urine protein >150 mg/dL
    - 밤에 누워있는 12시간 동안의 urine protein <75 mg/dL → 정상이어야 됨!
  - 청소년기에 흔함 (약 2~5%에서), 80%는 일시적, 30세 이상은 드묾
  - proteinuria : 대개 <1 g/day (일부는 훨씬 높을 수도 있음), selective, glomerular
  - 치료 : observation (예후 매우 좋음)

단백뇨(dipstick) 양성시의 evaluation

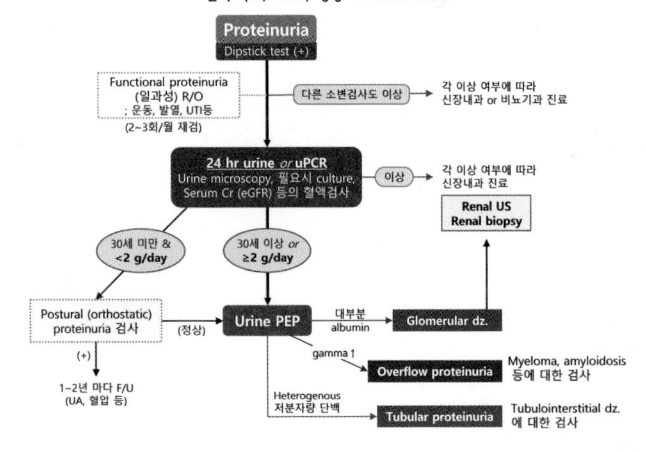

- 2 g/day 이상의 심한 proteinuria or 소변검사에서 hematuria나 사구체 질환이 의심되는 소견이 동반된 경우는 renal biopsy도 고려!
- nephrotic-range proteinuria (>3.0 g/day, protein/Cr >3.0 g/g)
  → primary glomerular dz. or plasma cell dyscrasia (multiple myeloma)

단백뇨의 분류 ★

종류	기전	양(g/day)	분자량 (kDa)	예
1. Overflow (Abnormal proteins)	재흡수 능력을 초과해서 과다 생산된 비정상 단백의 filtration 증가	다양 (>0.2~10)	Low (<40)	Bence Jones proteinuria (multiple myeloma), Myoglobinuria, Hemoglobinuria
2. Glomerular Selective	정상 혈장 단백의 retention의 장애 (GBM 손상)	>3	65 (albumin)	Minimal-change nephrotic syndrome
Nonselective		>3~5	High (>68)	Glomerulonephritis, Diabetic nephropathy
3. Tubular	정상적으로 여과된 작은 단백을 재흡수하지 못해 (α, β-globulins)	<2	Low (<40)	Interstitial nephritis, Drugs (e.g., TC), Heavy metals
4. Hemodynamic	Filtration 증가 & 재흡수 감소	<1~2	다양 (20~68)	Transient proteinuria, CHF, Fever, Seizures, Exercise

- selective proteinuria : 주로 albumin의 배설이 증가 (→ steroid에 잘 반응)
  (∵ GBM의 (-) charge의 소실로 인해) 예) MCD (minimal change dz.)

* Selectivity index = $\frac{\text{IgG clearance}}{\text{transferrin clearance}}$ or $\frac{\text{IgG clearance}}{\text{albumin clearance}}$

- highly selective (<0.1)
- non-selective (>0.2)

→ index 낮은 게 high selective임

- nonselective proteinuria : glomerular capillary wall의 심한 손상으로 발생 (거의 모든 plasma proteins의 배설이 증가), tubulointerstitial damage 동반 위험↑ (→ steroid에 반응↓)
  예) diabetic nephropathy, FSGS
- overflow proteinuria (abnormal low-MW proteins↑)
  - 세뇨관의 재흡수 능력 이상으로 저분자량 단백질의 배설이 증가되어 발생
  - 예 ; plasma cell dyscrasia (κ or λ light chain → dipstick test에서는 음성일 수 있음) (Bence Jones protein ; free light chain), amyloidosis, hemoglobinuria (e.g., PNH), myoglobinuria (e.g., rhabdomyolysis), pancreatitis (amylase), leukemia (lysozyme) ...

(3) 혈뇨(hematuria)

- microscopic hematuria의 기준 : RBC ≥3개/HPF (HPF : 현미경 400배)
- dipstick blood test : sensitivity는 좋으나, specificity가 낮다
  - false (+) ; myoglobinuria (e.g., rhabdomyolysis), hemoglobinuria, bacterial peroxidase (UTI)
  - false (−) ; ascorbic acid (소변내), captopril

• 간헐적 혈뇨
- 젊은층 : 생리, 발열, 감염, 알레르기, 외상, 운동 등이 원인
- 노인층 : 약 2.5~8%에서 요로계 암 발견

Dipstick blood	Microscopic RBC/HPF
Negative	0
Trace	1~10
Small (1+)	3~30
Moderate (2+)	10~50
Large (3+)	20~200 (many*)

시험지봉검사의 blood와 요검경검사의 RBC는 시험지봉 제조사별, 요침사(sediment) 제작과정, 검사자별 차이 등으로 인해 상관성은 떨어짐. 또한 위양성/위음성도 많으므로 옆의 표는 참고로만..

*Many의 기준: ≥30~50/HPF

Red or Brown urine을 보이는 환자의 평가

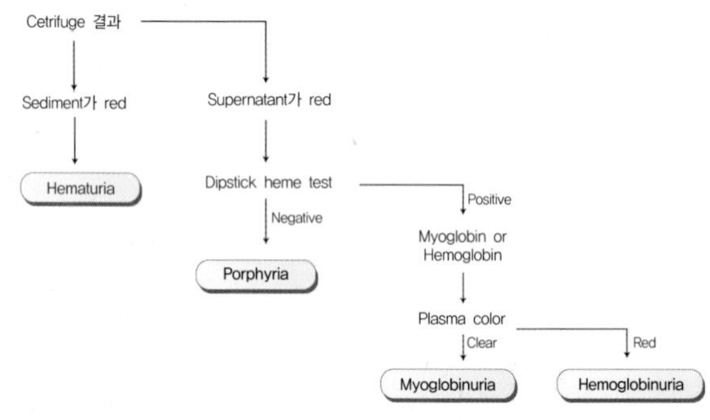

	단백뇨	Heat & acetic acid test	소변현미경 검사	원심분리한 소변의 색	원심분리한 혈청의 색	혈청 CK
Hematuria	0~4+	0~4+	RBC (+)	Clear	Clear	N
Hemoglobinuria	0~1+	0	Negative	Red-brown	Pink	N
Myoglobinuria	0~1+	0	Negative	Orange-red	Clear	↑

* hematuria 이외에 소변이 붉게 나올 수 있는 경우
① myoglobinuria (e.g., rhabdomyolysis) or hemoglobinuria (e.g., PNH)
② drugs ; rifampin, sulfamethoxazole, phenazopyridine, ibuprofen, phenytoin, levodopa, nitrofurantoin, quinine ...
③ 음식 ; 사탕무우, 다양한 식용색소 등
④ acute intermittent porphyria
⑤ severe obstructive jaundice (bile pigment), urate ...

배뇨 초기의 혈뇨 → 방광 이하(요도)에서의 출혈을 의미
배뇨 말기의 혈뇨 → 방광 삼각부/경부, 전립선에서의 출혈을 의미
배뇨 내내 일정한 혈뇨 → 신장 (사구체성 혈뇨)

• 우선은 glomerular origin 인지 아닌지를 밝혀야 됨! ★

	Glomerular	Non-glomerular
Gross urine color	Dark red, brown	Bright red
Three tube test	계속 같은 색	색 서로 다를 수 있음
Clot 형성	−	+
RBC 원주(cast)	+ (specificity 97%)	−
RBC 형태	Dysmorphic	Isomorphic
RBC 크기	크기 다양	크기 일정
단백뇨 동반	+	−

– distal tubule의 pH, osmolality 변화에 의해서도 dysmorphic RBC가 나타날 수 있음

• 현미경하 RBC 형태 검사 ; dysmorphism, cast 봄 (가장 우선!)

dysmorphic RBC : 형태가 불규칙하거나 크기가 작아진 것 (정상적으로 나올 수도 있음)
isomorphic RBC : 정상적인 모양 & 크기의 RBC (정상인에서는 보이지 않아야 됨
→ 적은 수라도 보이면 stone, tumor 등에 대한 검사 필요)

⇨ 사구체성 혈뇨를 의심하는 dysmorphic RBC % 기준 : $20\%_{(specificity\downarrow)}\sim40\%_{(sensitivity\downarrow)}$

Hematuria의 흔한 원인

	<40세	>40세
Renal	Glomerular ; **IgA Nephropathy, TBM**, Alport syndrome, 기타 GN Interstitial ; Intersitial nephritis Infection (PN) ; **세균, virus, 진균**, TB Physical ; **결석, 외상**, Hypercalciuria/nephrocalcinosis Structural ; Cysts (PKD), Medullary sponge kidney Vascular/ischamic ; Papillary necrosis, Sickle cell disease/trait, Infarction, AV fistula/malformation	**Malignancy** Infarction (RVT, RAE) 결석
Ureter	**결석, 협착**, Malignancy	Malignancy
Bladder	**Cystitis** (주로 여성), Urethritis, Prostatitis, TB, Schistomiasis, Malignancy, 결석, 협착, Radiation	**Malignancy** UTI, BPH
기타	**운동, 기립성, 항응고제, 출혈성질환**	

• hematuria + pyuria + bacteriuria ⇨ UTI → culture
• hematuria + dysmorphic RBC or RBC cast + proteinuria (>500 mg/day) ⇨ 거의 GN
• isolated hematuria : cells, casts, proteinuria 등을 동반하지 않는 단독 hematuria
  – 흔한 예 ; stone, neoplasm, TB, trauma, prostatitis, hypercalciuria
  – isolated glomerular hematuria ; IgA nephropathy, hereditary nephritis, thin basement membrane dz. (→ 모두 renal biopsy 필요)

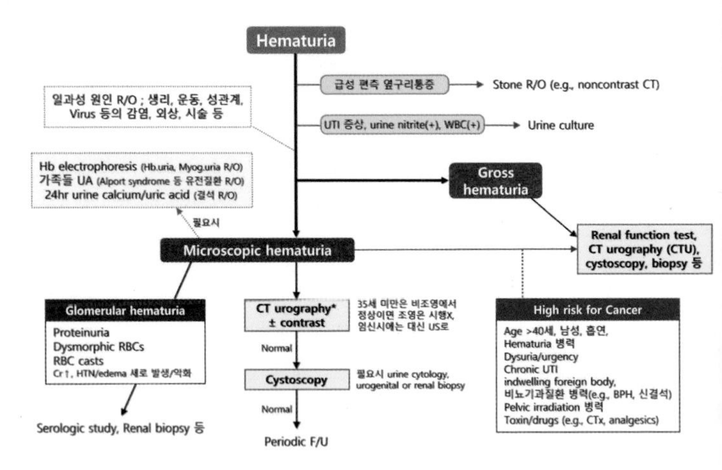

- Gross hematuria (macrohematuria)는 좀 더 적극적인 검사가 필요함
- IVP보다 **CT urography (CTU)**가 작은 종양과 결석 발견 정확도가 훨씬 높아 초기 영상검사로 선호됨*
- US : 상부 요로 검사에서 CTU와 IVP의 중간 정도 정확도를 보임
- Retrograde pyelography : 대개 전신/수면 마취하에 시행, CT 조영제가 금기인 경우 고려
- Urine cytology : 50세 이상에서 CT or US & cystoscopy가 정상이면 시행
- Virtual cystoscopy (VC) : CT or MR, noninvasive, 정확도는 US와 cystoscopy의 중간 정도

(4) 요당(glucose)

- 여러 당중 glucose에 대한 specificity가 높음
- 위음성 ; 요중 과량의 vitamin C or ketone 존재, levodopa, phenothiazines ...
- 소변 glucose만 양성인 경우의 원인 (혈당은 정상이면서)
  ① 요당 검사의 false (+) : 여러 다양한 약물에 의해 가능하지만, 드묾
  ② benign glycosuria : 대부분 self-limited, 치료할 필요 없음
  ③ tubular dysfunction (e.g., Fanconi syndrome, cystinosis, Wilson disease)

(5) 케논(ketone)

- 체내에서 지방 분해가 증가하면 ketone 생성↑ (e.g., insulin이나 탄수화물 섭취 부족시)
- ketone ; 대략 acetone 2%, acetoacetate 20%, β-hydroxybutyric acid (βHBA) 78%로 구성
- (+) ; DKA, AKA (alcoholic ketoacidosis), N/V/D, 탈수, 운동, 발열성 질환, 금식, 고지방식, 저탄수화물식이, 급성 췌장염, hyperthyroidism, 선천성 대사이상 등
  (c.f., 생리적으로 성인보다 소아에서 ketosis 발생하기 더 쉬움)
  - false (-) ; 공기에 노출, 검사 지연(→ 즉시 검사 권장, 최소한 2시간 이내), 산성 뇨
  - false (+) ; 심한 착색, levodopa, cephem계 약물, sulfhydryl (-SH) 함유 약물
    (e.g., cystine, zzathioprine, mercaptopurine)
- 혈액에서 βHBA를 검출하는 POCT는 있지만, 소변은 아직 없고 DKA 진단에는 혈액이 유용함

(6) pH

- 정상 범위 : 4.5~8 (아침 pH <5.0)
- 증가 (알칼리성뇨) ; 신질환, alkalosis, 구토, 요소분해 세균의 요로감염, 야채등 알칼리성 음식 섭취
- 감소 (산성뇨) ; acidosis, 심한 설사, 고열, 탈수증, 육류등의 산성식 섭취

(7) 아질산염(nitrite)

- 요로감염을 (간접적으로) screening하는 빠르고 효과적인 검사 (sensitivity < specificity)
- 세균에 의해 nitrate → nitrite ; *E. coli, Klebsiella, Proteus, Staphylococcus, Pseudomonas*
- 아침 첫 소변으로 검사해야 (4시간 이상 저류되어야 나타남)
- 양성 반응 : 30초 내 분홍색으로 변함 (bacteria $>10^5$/mL일 때)
- PPV는 낮고 NPV는 높음 (but, 음성이라고 해도 세균감염을 배제할 수는 없음)
- 위음성 ; nitrate를 환원 못하는 세균 (e.g., Enterococcus), nitrate 부족 식이,
  방광에서 소변이 4시간 이상 충분히 저류×, 요비중 증가

(8) bilirubin & urobilinogen

- 요 bilirubin ; 혈중 conjugated bilirubin의 농도를 반영 → (+)면 간 질환 evaluation
  - false (+) ; 일부 약물의 대사물(e.g., rifampin, high-dose chloropromzine)
  - false (-) ; 빛에 오래 노출(∵ biliverdin으로 변환), 다량의 vitamin C or nitrite
- 요 urobilinogen ; 담즙으로 배설된 conjugated bilirubin을 장내 세균이 분해하여 만들어짐
  → 10~20%는 장에서 재흡수되고, 일부가 소변으로 배설됨 (참고치: negative ~ trace)
  - false (+) ; sulfonamides, azo계 약물(e.g., phenazopyridine)
  - false (-) ; 빛에 오래 노출(∵ urobilin으로 변환)

	Urine bilirubin	Urobilinogen	기전	예
Prehepatic	-	+	Heme 파괴, 장에서 재흡수↑	용혈, hematoma의 흡수, 급성 간염, 변비, bacterial overgrowth
Hepatic	+	+/-	간실질의 질환	간경변, 간염 (심하면 장내로 배설×)
Posthepatic	+	-	담도폐쇄	담석, 담낭암, 췌장암

→ 1권 II-2장 참조

(9) leukocyte esterase (LE)

- nitrite처럼 요로감염의 screening으로 이용 (역시 PPV는 낮고 NPV는 높음)
- neutrophil과 monocyte의 azurophil granules에 있는 esterase를 검출 (WBC가 파괴되도 검출됨)
- WBC 10개/μL 이상이면 (+), 발색 정도가 WBC count와 비례하지는 않음
  - false (+) ; 농축뇨, 질염, 결핵, virus 감염, steroid 사용
  - false (-) ; 요 비중/당/단백이 높은 경우, vitamin C, cephalexin, TC, GM, nitrofurantoin

(10) 고름뇨/농뇨(pyuria)

- 정의 : WBC >2개/HPF (남성) , >5개/HPF (여성)
  (leukocyte esterase dipstick test는 sensitivity & specificity 떨어짐)
- 무균성 농뇨(sterile pyruia)의 원인 (소변배양 음성)
  - *C. trachomatis, U. urealyticum, M. hominis, M. tuberculosis,* fungus
  - 항생제 치료 중인 최근 발생한 세균성 요로감염

- glucocorticoid, cyclophosphamide, 신이식후 거부반응, 급성 열성 질환, 임신, 외상, 요로결석, 신결석, anatomic defects (e.g., ureteral stricture), VUR, prostatitis
- interstitial nephritis, lupus nephritis, polycystic dz., perinephric abscess, contamination

(11) 기타 세포

- 상피세포(epithelial cells)
  - 정상 : <2개/HPF (남성), <10개/HPF (여성)
  - squamous epithelial cells : 주로 질과 요도에서 유래, 여성에서 흔함
  - transitional epithelial cells : 방광, 하부요로에서 유래
    (→ 많이 나오고 핵의 불균형이 있으면 종양을 의심)
  - renal epithelial cells : viral infection (e.g., CMV), ATN
- eosinophiluria : urine WBC의 5% 이상
  ⇨ 원인 ; drug-induced allergic interstitial nephritis, atheroembolic AKI, prostatitis, RPGN, bladder ca. ...

(12) 원주(casts)

- 신세뇨관에서 protein으로부터 형성된 translucent, colorless gels
- 정상에서는 매우 적게 존재 (신질환시 또는 심한 운동 후에 증가할 수)
- 소변내 단백질이 증가하거나 pH가 낮아지면 casts 형성 증가
- cast matrix (다른 casts의 matrix가 되는 것)
  - hyaline casts (유리원주 = bland, benign, inactive urine sediment) : LM에서는 투명 (위상차현미경에서 잘 보임), 소변이 농축되었을 때 형성됨 (주로 Tamm-Horsfall protein)
    → 농축뇨(prerenal AKI), 운동, fever, CHF, diuretic therapy
  - waxy casts (납양원주) : nephron의 obstruction과 oliguria를 의미, tubular inflammation & degeneration과 관련
    → CKD, renal allograft rejection (broad 해지면 renal failure casts라고도 불림 ; ESRD)
- inclusion casts
  - granular casts (과립원주) : glomerular & tubular dz. 때 보임
    → pyelonephritis, viral infections, lead poisoning, renal allograft rejection
    (coarsely granular casts → renal papillary necrosis)
  - fatty casts (지방원주) : 황갈색의 globular lipid 포함
    → heavy proteinuria 때 흔히 보임 (nephrotic syndrome)
- pigmented casts
  - Hb (blood) casts : yellow~red → 흔히 glomerular dz. 때 RBC casts와 동반되어 나타남
  - myoglobin casts : red brown, myoglobinuria와 동반 → acute muscle damage, AKI
- cellular casts (세포원주)
  - erythrocyte (RBC) casts → acute GN, IgA nephropathy, lupus nephritis, subacute bacterial endocarditis, renal infarction, tubulointerstitial dz.
  - leukocyte (WBC) casts → pyelonephritis, interstitial nephritis, lupus nephritis, NS, TID
  - renal tubular epithelial cell casts (상피원주) → ATN, viral dz. drugs, heavy metal poisoning, ethylene glycol, salicylate intoxication

- mixed cellular casts : 한 cast 내에 둘 이상의 cell types 존재시
- broad casts : 정상 casts보다 직경이 2~6배 큰 casts, distal collecting duct 내의 tubular dilatation or stasis를 시사 → CKD의 특징 (poor Px.)
- bacterial casts (세균원주) : pyelonephritis 때 보임

(13) 결정(crystals)

- 임상적으로 중요한 의미는 없음
- 정상 acid urine에서 보이는 crystals
  - urates (sodium, potassium, ammonium) crystals : small brown spheres
  - uric acid crystals : 매우 다양한 모양, 노란색(무색~적갈색)
    → 많이 보이면 nucleoprotein turnover의 증가를 의미 (e.g., leukemia나 lymphoma의 CTx.)
  - calcium oxalate crystals : small, colorless, 정8면체 (편지봉투 모양)
    → 많이 보이면 severe chronic renal dz., ethylene glycol or methoxyflurane toxicity를 시사, 요로결석의 원인도 가능
- 정상 alkaline urine에서 보이는 crystals
  - triple phosphate crystals : 다양한 크기, 무색, 프리즘 모양
  - calcium phosphate crystals : 쐐기 모양의 프리즘, 얼음 조각면 비슷
  - calcium carbonate crystals : 아주 작고, 무색, 과립상 or 아령 모양
  - ammonium urates : 황갈색, 타원형/구형에 바늘이 나있는 모양
- 비정상 crystals
  - 항상 환자의 약물 복용을 확인해봐야
  - cystine crystals : 무색, 6각형, refractile
    (uric acid crystals과 감별 해야 : cystine은 polarize 안하고 uric acid는 함)
  - tyrosine crystals : 무색~황갈색, 바늘모양의 깨끗한 silky 모양 → 조직변성, 괴사시 나타남
  - leucine crystals : 황갈색, 구형, 농축된 줄무늬, tyrosine과 흔히 동반 → 심한 간질환
  - cholesterol cyrstals : 투명, 4각형 판 모양, 한 개 이상의 모서리가 잘려 나간 것 같거나 베어낸 것 같은 모양 → renal dz., NS, 기타 신장에 지방형성이나 침착시 보임
  - bilirubin crystals : 황갈색 과립이나 바늘뭉치 모양
  - hemosiderin crystals : 선명한 적갈색 과립, iron 염색(+) → 용혈, 수혈부작용, gas gangrene
  - sulfonamide (solfadiazine) crystals : 모양/색 다양 → 신장결석 유발 가능, 신세뇨관에 손상

2. 신기능검사(renal function test)

(1) 사구체여과율(GFR, glomerular filtration ratio)

- 정의 : 어떤 물질이 1분간 소변으로 배설되는 정도를 그 물질을 포함한 혈장의 부피로 표시한 것
- 정상치 : 150~180 L/day (100~120 mL/min)
- 연령에 따른 변화 : 1~2세까지 증가, 이후 일정, 40대부터 서서히 감소
  (매년 약 1 mL/min/1.73m^3 씩 감소, 70세면 평균 70 정도)
- GFR 측정에 이용되는 물질 ; inulin, creatinine, urea, mannitol, thiosulfate, ^{125}I-iothalamate, ^{99m}Tc-DTPA, ^{51}Cr-EDTA, cystatin C ...

- inulin : 가장 정확하지만, 환자에서 계속 주사해야하고 고비용으로 실제 사용에는 곤란
- creatinine clearance : 24시간 소변수집이 필요하므로 번거롭고 자주 시행 곤란, 오차 많음

$$C_{Cr} = \frac{U_{Cr} \times UV}{P_{Cr}}$$

- C_{Cr} : creatinine clearance (mL/min) ≒ GFR
- U_{Cr} : urine creatinine 농도 (mg/dL)
- UV : urine volume (mL/min) ⇠ mL/day를 1440으로 나눔
- P_{Cr} : plasma creatinine 농도 (mg/dL) (단위들을 정확히 일치시키는 것이 중요!)

• C_{urea} : GFR을 과소평가(underestimation) 함 (∵ 세뇨관에서 재흡수)

• **C_{Cr} = glomerular filtration (GFR) + tubular secretion (약 10%)**
  ⇨ GFR을 과대평가(overestimation) 함 (GFR이 10 mL/min이 될 때까지)
  - 연령이 증가함에 따라 GFR은 조금씩 감소되지만 근육량 감소(Cr 생산↓)로 P_{Cr}은 거의 일정하게 유지됨 (즉, 노인은 실제 GFR보다 C_{Cr}이 높게 나타남 → eGFR 필요)
  - 근육량 감소(e.g., 영양실조, 만성질환, 장기간 steroid 투여) → GFR의 변화와 무관하게 C_{Cr}을 감소시킴
  - cimetidine, trimethoprim, pyrimethamine, dapsone → creatinine의 세뇨관 분비를 억제하여 C_{Cr}을 감소시킴
  - 상온에서 소변 방치 → creatine이 creatinine으로 변환되어 U_{Cr}이 증가하여 C_{Cr}이 overestimation 됨

• 혈중 creatinine level만 이용한 추정 사구체여과율(estimated GFR, eGFR) 계산 … 선호

① CG (Cockcroft-Gault) Cr equation (1976년)

$$: C_{Cr} = \frac{(140 - \text{나이}) \times \text{체중(lean body weight: kg)}}{72 \times P_{Cr}\ (\text{mg/dL})} \quad (\times 0.85 : \text{여성})$$

② MDRD (Modification of Diet in Renal Disease) Cr equation (1999년)

$: eGFR\ (mL/min/1.73m^2) = 186 \times (P_{Cr})^{-1.154} \times (\text{나이})^{-0.203}$ (×0.742 :여성) (×1.21 :흑인)

③ CKD-EPI (CKD Epidemiology Collaboration) Cr equation (2009년)

$: eGFR\ (mL/min/1.73m^2) = 141 \times \min(S_{Cr}/\kappa, 1)^{\alpha} \times \max(S_{Cr}/\kappa, 1)^{-1.209} \times 0.993^{Age}$
(×1.018 : 여성) (×1.159 :흑인)

* min = The minimum of S_{Cr}/k or 1, max = The maximum of S_{Cr}/k or 1
κ = 남성 0.9 / 여성 0.7, α = 남성 -0.411 / 여성 -0.329

- CG 공식보다 MDRD 공식이 더 정확하여 널리 이용되었으나, 최신의 CKD-EPI가 더 정확함
- MDRD ; GFR이 거의 정상인 환자에서 underestimation하여 CKD로 overdiagnosis 가능
- CKD-EPI ; GFR이 정상 or 경미하게 감소되었을 때 실제 GFR을 보다 정확히 반영함
- GFR 60 이상일 때는 MDRD의 정확성이 떨어지고, 60 미만일 때는 CKD-EPI와 거의 비슷함

c.f.) serum/plasma Cr (P_{Cr}) 이용의 단점 : 실제보다 GFR을 과대평가할 수 있음
(1) 조기 신기능의 이상을 반영 못할 수 있음
(2) 체격(근육량)에 따라 정상 범위가 다름
(3) 음식, 약물, 운동, 검체보관 등의 영향을 받을 수 있음
(4) 안정된 상태에서만 신기능을 반영 (GFR이 급격히 변할 때에는 제대로 반영 못함)

• GFR이 감소되는 경우
① glomerular capillary 내 압력 (P_{GC})의 감소 예) 저혈압, shock
② Bowman space's (tubule) 내 압력 (P_{BS})의 증가 예) 요로 폐쇄

③ glomerular capillary 내 (plasma) oncotic pressure의 증가
예) severe volume depletion, multiple myeloma
④ renal (glomerular) blood flow의 감소 예) hypovolemia, heart failure
⑤ 한외여과계수(K_f)의 감소 : permeability and/or total filtering surface (nephron)의 감소
예) glomerulonephritis, renal failure
⑥ 폐쇄성 질환 예) 전립선 비대증

- GFR의 감소에 따라 체내에 축적되는 물질의 차이
  ① type A : urea, creatinine … 주로 사구체 여과에 의해서만 배설됨
  - GFR이 감소함에 따라 혈중 농도가 비례해서 증가
  - 보통 GFR이 50% 감소할 때까지는 정상 범위 유지

  ② type B : phosphate, urate, K^+, H^+, Mg^{2+}
  - GFR의 감소에 따라 세뇨관 분비 증가 or 재흡수 감소로 배설
  - GFR이 25% 이하로 감소할 때까지도 정상 혈중 농도 유지

  ③ type C : Na^+, Cl^-, water
  - GFR 감소에 반비례하여 분획 배설이 증가
  - GFR이 10% 이하로 감소될 때까지도 정상 혈중 농도 유지

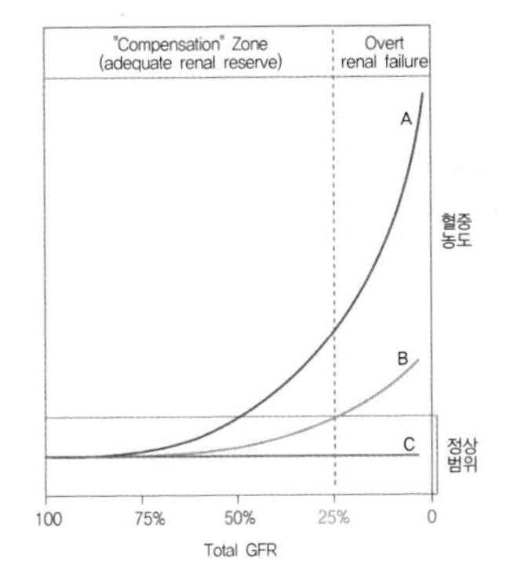

- cystatin C
  - 체내 유핵세포에서 일정하게 분비됨
  (but, 나이, 성별, 흡연, 근육량, 흡연, DM, 염증 등의 영향은 받음)
  - 사구체에서 자유롭게 여과된 뒤 근위세관에서 모두 재흡수됨
  (소변에서는 정상적으로는 검출 안 되며, 근위세관 손상 시에는 나타날 수 있음)
  - 혈중 cystatin C 농도는 GFR의 영향만 받으므로 혈중 Cr 농도보다 신기능을 더 잘 반영함
  → 경도의 신기능 감소, 24시간 소변 채집이 어려울 때, 신이식후 경과관찰 등에 유용
  - 신질환이 없는 고령에서 심혈관질환 및 신질환의 예후 인자로도 유용함

(2) RPF (renal plasma flow)

- PAH (para-aminohippuric acid)를 이용 : 사구체에서 여과되고, 이때 여과되지 않은 PAH도 모두 세뇨관에서 분비되므로 → 신장으로 온 PAH는 모두 배설된다
- $RPF = \frac{U_{PAH} \times UV}{P_{PAH}} = C_{PAH}$ (600~700 mL/min)
- $RBF\ (renal\ blood\ flow) = \frac{RPF}{1 - Hct}$ (1100~1300 mL/min)

(3) BUN/Cr ratio

- BUN : 단백질과 아미노산의 최종 산물 (→ 식사와 관련), 전신 체액량 상태를 잘 반영
- Cr : 근육 대사의 산물 (→ 항상 일정량 발생, 식사와 관련×), 신질환을 직접적으로 반영
  - daily Cr excretion ; 남자 20~25 mg/kg, 여자 15~20 mg/kg
- 정상 ; BUN 7~21 mg/dL, Cr <1.5 mg/dL, BUN/Cr 10:1~12:1

BUN/Cr 증가 (>10:1)	1. Urea 생성 증가 ; 고단백 식이, 위장관 출혈, 용혈, 고열, Sepsis/catabolic states, Catabolic drugs (e.g., steroids, TC) 2. Effective circulating volume 감소 Volume depletion (prerenal azotemia), CHF, Cirrhosis with ascites, Nephrotic syndrome 3. Obstructive uropathy
BUN/Cr 감소 (<10:1)	1. Urea 생성 감소 ; 저단백 식이, 기아, 간질환(e.g., LC) 2. Creatinine 생성 증가 ; rhabdomyolysis, 심한 경련/운동 3. Creatinine 신장에서 배설 감소 ; trimethoprim, cimetidine, pyrimethamine, dapsone 등 4. Volume expansion ; SIAD, Iatrogenic 5. CKD with dialysis

* BUN/Cr 정상 ; 신실질 손상 (e.g., ATN)

3. 영상검사

(1) 단순촬영(simple abdomen, KUB)

- 신장의 모양, 크기 평가
  - 크기 감소 : CKD
  - 크기 증가 : 염증, 폐쇄, cystic dz.
- X-ray 상 보이는 신결석 : calcium, Mg^{2+}, ammonium, phosphate, cystine, struvite stones

(2) 초음파(ultrasonography, US)

- 방사선 및 조영제를 사용하지 않으므로 가장 쉽게 이용 가능
- 이용 ; 신장의 크기 측정 (AKI ↔ CKD 감별), hydronephrosis, polycystic kidney dz. 등의 발견, solid/cystic mass의 감별, guide needles, 신장 혈관 및 resistive index의 평가 (Doppler US)

(3) 경정맥요로조영술(intravenous urography, IVU) ≒ IVP (Intravenous pyelography)

- 조영제 주사 후 5분, 15분, 25분에 촬영, 필요시 추가 촬영
- 이용 ; 성인의 pyelonephritis, 신장의 형태와 크기, pelvicaliceal system의 형태, 신결석 등
- 금기 (∵ 조영제 때문) - 보통 serum Cr 2 mg/dL 이상이면 권장 안됨

(4) 전산화단층촬영(CT)

- IVP나 US에서 이상 소견시 이용, 신장 주위 장기의 변화도 관찰 가능
- unenhanced spiral CT → 요로결석 진단의 first choice! (모든 종류의 결석 발견 가능)
- 조영증강(CE) CT : 신기능 장애 환자에서는 주의
  → mass 평가 (신세포암 : 불규칙한 조영증강 / 단순낭종 : 경계 분명, 조영증강×)
- CT urography (CTU) : hematuria의 evaluation에 1st choice (기존의 IVP보다 훨씬 정확함), 결석 이외의 원인도 있으므로 noncontrast & contrast-enhanced (CE) 모두 시행 권장
- CT angiography (CTA) → 신동맥 협착 등 혈관 평가에 유용

* MRI/MRA : 조영제를 사용하지 않는 것이 장점

(5) 역행성신우조영술(retrograde pyelography, RGP)

: IVU에서 이상 소견은 있으나 확실한 진단이 어려울 때 이용, IV 조영제 금기인 경우에도 유용

(6) 신혈관조영술(renal angiography)

- 이용 ; 신동맥 협착, AV malformation, aneurysm, vasculitis, thrombosis, renal mass의 평가
- 조영제를 사용하고 invasive한 것이 단점이지만, 치료에도 이용 가능 (e.g., stenting)
- venography → renal vein thrombosis, renovascular HTN시 혈액 채취 (renin 측정)

4. 신장생검(renal biopsy)

: US/CT-guided percutaneous biopsy (최근엔 transjugular approach도 가능)

(1) 적응증 ★

AKI	급격히 진행하는 경우, 회복이 안 되고 4주 이상 지속되는 경우, 정확한 원인을 모르는 경우, 확진 안 된 전신질환에 동반된 AKI
CKD	신장 크기*가 거의 정상인 unexplained CKD (*정상: 9~12 cm 길이)
단백뇨	성인의 NS (nephrotic syndrome), 소아에서 steroid-저항성 NS (∵ 처음 진단된 NS는 steroid에 반응 좋음), Acute nephritic syndrome, RPGN, 신기능 저하나 혈뇨를 동반한 moderate unexplained proteinuria
혈뇨	신기능 저하, 고혈압, 신이식 공여자 등에서 하부 요로 이외의 원인 의심시, IgA nephropathy, 유전성 GBM 질환(e.g., Alport syndrome), TBM 등에서 예후 판정을 위해 or 가족의 진단 R/O을 위해
DM	Atypical course인 경우에만 다른 원인을 R/O하기 위해 고려! ; 지속적 혈뇨, 활성 요침사, 갑자기 C_{Cr} 감소, 갑자기 NS 발생, 심한 단백뇨 (신기능은 정상이면서), microvascular Cx이 없을 때
전신질환	SLE, Goodpasture's syndrome, vasculitis, amyloidosis, granulomatosis with polyangiitis (Wegener's granulomatosis) 등의 전신질환에서 ; 단백뇨, 혈뇨, 신기능장애 등 신장 침범의 소견이 있을 때 요침사, 신기능의 급격한 감소, NS 등 발생시 신기능 저하 & 신장 크기 정상인 경우 신기능 회복의 가능성 평가 위해 Lymphoproliferative dz.에서 신장이 커지면서 신기능이 저하되었을 때
신장이식	이식 후 거부반응이나 원래 질환의 재발 의심시(renal failure)

(2) 금기

① uncorrected bleeding disorder (→ absolute C/Ix)
② severe uncontrolled HTN
③ sepsis, active UTI, renal infection
④ renal aneurysm, hydronephrosis, congenital anomaly
⑤ solitary or ectopic kidney, horseshoe kidney
⑥ ESRD, atrophic kidney, bilateral small kidney
⑦ 비협조적인 환자, 심한 비만

(3) 합병증

① 출혈 (거의 대부분의 환자에서 발생하나, 대개 저절로 멈춤)
- microscopic hematuria (m/c), gross hematuria (<10%)
- 급격하고 저혈압이 동반되면 renal angiography + coil embolization 시행 (심하면 수술도)

② perirenal hematoma (대부분 작고 저절로 소실됨)
③ AV fistula (대부분 무증상, 2년 이내 자연 소실됨)
④ 그 외 매우 드문 합병증 ; aneurysm, infection, rupture ...
⑤ HTN 악화

임신과 신장

1. 해부학적 변화

- 무게, 크기(약 1 cm) 증가 → 분만 뒤 크기 감소를 parenchymal loss로 오인하지 말아야!
- 약 90%에서 우측 신장에 hydronephrosis 발생 (∵ sigmoid colon에 의한 자궁의 dextrorotation)
- collecting system (pelvis, calyx, ureter)의 확장 ※ → obstructive uropathy로 오인하지 말아야

2. 생리학적 변화

- 심한 혈관 확장 → GFR 및 RPF (renal plasma flow) 30~50% 증가 : blood volume 증가 전부터 증가 (GFR : first trimester에 최고, RPF : midgestation에 최고), filtration fraction (GFR/RPF) ↓
- 혈청 Cr, BUN 감소 (∵ 생산은 그대로인데 GFR 증가로) → Cr >0.8 mg/dL, BUN >13 mg/dL 이상이면 신기능의 저하를 의심해야!
- protein, amino acids, glucose, calcium, uric acid, 수용성 vitamin 등의 urinary excretion 증가 ※
  - but, 임신중 proteinuria가 정상이라는 뜻은 아님 (1+ 라도)

┌ 임신시 정상 proteinuria <300 mg/day (c.f., 비임신시엔 <150 mg/day)
└ 2 g/day 이상인 경우 → 사구체 병변을 의심해야

(※ → 요로감염증가)

3. 수분과 전해질 변화

- total body water 6~8 L (plasma volume 1.1~1.6 L) 증가
  * RBC mass 20~30% 증가하지만 혈액량이 더 많이 증가하여 Hb은 1~2 g/dL 감소
- sodium retention (900~1000 mEq) → apparent hypervolemia, mild edema
- 임신부의 volume receptor는 정상으로 감지
- osmoregulation의 변화 → serum osmolality 5~10 mOsm/kg 감소, sodium 5 mEq/L 감소
  (∵ resetting of osmoreceptor system)
- 구갈기전과 AVP 분비의 threshold 감소, AVP의 대사 증가, placental vasopressinase 분비
  → transient DI 일으킬 수 있음
- serum potassium 정상, total calcium 감소 (ionized calcium은 정상)

4. 산염기 평형

- mild metabolic acidosis
- renal HCO_3^- threshold 감소 → 혈청 HCO_3^- 4~5 mmol/L 감소 (평균 22 mmol/L)
- Pco_2 감소 (평균 30 mmHg) → Pco_2가 40 mmHg이면 폐환기능의 이상을 고려

5. 혈압조절

- 평균 동맥압 : 임신 초기부터 중기까지 평균 약 10 mmHg 감소
  (∵ 말초혈관저항 감소 > plasma volume 증가)
  → renin-angiotensin-aldosterone system (RAS) activation & aldosterone ↑
- 이완기 혈압 : 약 10~15 mmHg 감소
  (정상) ┌ 2nd trimester <75 mmHg
  └ 3rd trimester <85 mmHg → 이 범위 이상은 고혈압을 의심해야
- CO 증가 ; 임신 24주 이전에는 SV 증가, 이후에는 HR 증가로 인해
- 항고혈압제 ; methyldopa, hydralazine, CCB (3rd trimester) 등이 안전
  - ACEi, ARB, nitroprusside 등은 금기
  - β-blocker (후반기에는 사용可), thiazide (임신 전부터 사용했던 경우 계속 사용可)

6. 신장 질환과 임신

- CKD (특히 ESRD) → infertility rate ↓, IUGR, 미숙아/저체중아, 조산, preeclampsia, polyhydramnios (엄마 혈액의 BUN ↑ → fetal diuresis ↑) ...
- CKD 환자에서는 임신에 따른 정상 GFR ↑ 없음 → 신기능 악화 위험
- mild CKD (serum Cr <1.4 mg/dL) & 정상 혈압 → 임신 성공률 양호
- serum Cr 1.4 mg/dL 이상일 때 임신을 하면 신기능 저하가 더 심해짐
- CKD 환자가 임신시 proteinuria, HTN 등도 악화됨
- diabetic nephropathy → perinatal morbidity & mortality ↑, preeclampsia ↑
- 임신중 ACEi/ARB는 금기 (∵ fetal vascular perfusion & renal function ↓ → oligohydramnios, severe fetal renal dysfunction, growth retardation, pul. hypoplasia, limb contractures ...)

7. 신장이식 이후의 임신

- 신장이식 6개월 이후에는 대개 fertility rate 회복됨
- 임신 전 serum Cr 1.5 mg/dL 이하이고 1st trimester를 무사히 지나면 90%에서 임신 성공
- 임신 전 serum Cr 1.5 mg/dL 이하이면 대부분 임신으로 인한 이식 신장 기능 악화는 없음
- 임신 20주 이후에는 혈압 상승 경향, 25~40%에서 HTN & preeclampsia 발생
  (일반인보다 preeclampsia 발생률 4배)
- 사용하면 안 되는 약물 ; tacrolimus, sirolimus, MMF, polyclonal Ab, OKT3, statins, ACEi/ARB
- 비교적 안전하여 잘 쓰이는 약물 ; steroid, cyclosporine, azathioprine (고용량은 기형 위험) 등

이뇨제(diuretics)

1. Carbonic anhydrase inhibitor (CAI)

- 약제 : acetazolamide
- proximal tubule에서 Na^+, HCO_3^-, Cl^-, H_2O 재흡수를 억제하여 Na^+, HCO_3^-, Cl^-, H_2O의 배설을 촉진, 이뇨와 동시에 경미한 metabolic acidosis를 일으킬 수 있음 (urine alkalinization)
- 이뇨 효과가 매우 약하므로 체액과다나 부종 조절의 일차적 선택 약제로 사용하지는 않음
- 사용 ; metabolic alkalosis가 동반된 edema, 녹내장(→ 안압↓), 뇌압 상승, 고산병 예방 등

2. Loop diuretics

- 약제 ; furosemide (Lasix) (m/c), bumetanide, ethacrynic acid, torasemide
- Henle's loop의 ascending limb의 NKCC2 (Na^+-K^+-$2Cl^-$ co-transporter-2)를 억제
  → Na^+ 재흡수 감소 (수동적으로 재흡수되는 calcium의 재흡수도 감소 → 소변으로 calcium 배설 증가)
- 여과된 Na^+의 25%까지 배설시킬 수 있는 가장 강력한 이뇨제, 임상에서 가장 많이 사용!
- GFR도 증가시켜, GFR 40 mL/min 이하인 신부전 치료에도 사용 가능
- 부작용 ; hypokalemia, hypomagnesemia, hypocalcemia, metabolic alkalosis, hyponatremia (드묾), 심한 경우 체액량 감소, hyperuricemia, hyperlipidemia, glucose intolerance, acute interstitial nephritis, ototoxicity
  ↱ free water clearance 증가
- 사용 ; HF/LC/NS 등에 의한 부종, hypercalcemia, SIADH (hypertonic saline과 함께)

3. Thiazide 계 이뇨제

- 약제 ; hydrochlorothiazide (m/c), chlorothiazide, chlorthalidone, indapamide, metolazone
- distal tubule의 Na^+-Cl^- co-transporter (NCC, Na^+ 재흡수)를 억제
  ↳ 능동적 calcium 재흡수가 주로 일어나는 곳 (thiazide는 distal & proximal tubule에서 calcium 재흡수를 촉진함)
- Na^+ 배설을 3~5% 정도까지 증가시킬 수 있음
- GFR 40 mL/min 이하인 경우 단독으로는 이뇨 효과 없어짐 (GFR 조금 감소된 경우에도 용량 높여야 됨)
  ↔ metolazone (신기능 저하시에도 효과적!, 반감기 긺 → 병용요법으로 흔히 사용됨)

- 부작용 ; **hyponatremia**, hypokalemia, metabolic alkalosis, hypercalcemia (hypocalciuria), hypomagnesemia, hyperuricemia, hyperlipidemia, glucose intolerance (혈당↑), 성기능 장애
- 사용 ; 고혈압 치료, CHF에 동반된 부종(fluid retention)의 치료, hypercalciuria에 의한 요로 결석 (∵ NCC 억제에 따라 이차적으로 Ca^{2+} channel 활성화 → Ca^{2+} 재흡수 증가), nephrogenic DI
- GFR이 40 mL/min 이하로 떨어지면 효과 감소 → 진행된 신부전 환자는 loop diuretics 사용 → loop diuretics 내성 발생 시에는 metolazone을 병합 → 그래도 반응 없으면 투석

4. Potassium-sparing diuretics

- collecting duct에 작용, aldosterone 기능 차단, Na^+ channel 차단
  - aldosterone antagonist : spironolactone
  - epithelial Na^+ channel (ENaC) 억제 : amiloride, triamterene
- 부작용 ; hyperkalemia (특히 신기능 저하시 위험)
  - spironolactone ; metabolic acidosis (∵ aldosterone에 의한 H^+ 배설을 차단), gynecomastia, libido 감소, 불규칙한 월경
- 사용 ; 다른 강력한 이뇨제와 병용하여 hypokalemia 방지
  - spironolactone ; 심하지 않은 부종 (e.g., LC), hypokalemic alkalosis에서 K^+ 보존 위해
  - amiloride, triamterene ; Liddle's syndrome (ENaC 활성 과다)

5. V_2 receptor antagonist

- collecting duct의 vasopressin (V_2) receptor 차단 → AVP의 작용을 억제 → free water 배설 ↑
- 사용 ; 부종이 동반된 hyponatremia, SIAD

	Primary Effect	Secondary Effect	Complications
Ⅰ. *Proximal Diuretics*			
Acetazolamide	↓ Na^+/H^+ exchange	↑K^+ loss, ↑HCO_3^- loss	Hypokalemic hyperchloremic acidosis
Metolazone*	↓ Na^+ absorption	↑K^+ loss, ↑Cl^- loss	Hypokalemic alkalosis
Ⅱ. *Loop Diuretics*			
Furosemide (Lasix®) Bumetanide, Torasemide, Ethacrynic acid	↓ $Na^+:K^+:2Cl^-$ absorption	↑K^+ loss, ↑H^+ secretion, ↑Ca^{2+} loss	Hypokalemic alkalosis Hypocalcemia Hyperuricemia
Ⅲ. *Early Distal Diuretics*			
Thiazide & Thiazide-like Metolazone	↓ $Na^+:Cl^-$ absorption	↑K^+ loss, ↑H^+ secretion, ↓Ca^{2+} loss	Hypokalemic alkalosis Hypercalcemia, Hyperuricemia Hyponatremia, Hyperglycemia
Ⅳ. *Late Distal Diuretics*			
Aldosterone antagonists Spironolactone Non-aldo. antagonists Amiloride, Triamterene	↓ Na^+ absorption	↓K^+ loss, ↓H^+ secretion	Hyperkalemic acidosis

*주로 distal tubule에서 Na^+ 재흡수를 억제하며, proximal tubule에서도 Na^+ 재흡수를 억제함 (신부전시에도 효과적)

2
수분 및 전해질 장애

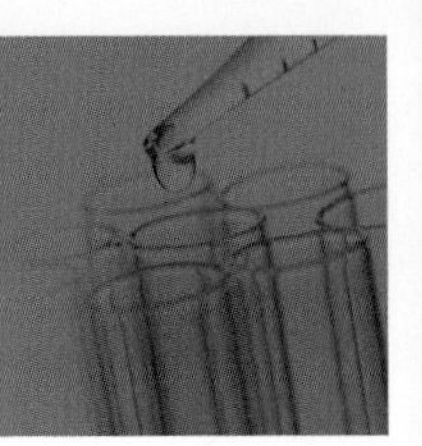

개요

1. Body fluid

참고치와 단위 변환 factors

	참고치 (plasma)	단위 변환
Na^+	135~145 mEq/L	23 mg = 1 mEq
K^+	3.5~5.0 mEq/L	39 mg = 1 mEq
Cl^-	98~107 mEq/L	35 mg = 1 mEq
HCO_3^-	22~28 mg/L	61 mg = 1 mEq
Ca^{2+}	8.5~10.5 mg/dL	40 mg = 1 mmol
Phosphorus	2.5~4.5 mg/dL	31 mg = 1 mmol
Mg^{2+}	1.8~3.0 mg/dL	24 mg = 1 mmol
Osmolality	280~295 mosm/kg	···

Total body water – TBW (체중의 %)

연령	남자	여자
18~40세	60%	50%
40~60세	60~50%	50~40%
60세 이상	50%	40%

	ICF	ECF
주양이온	K^+	Na^+
주음이온	유기인 단백질	Cl^- HCO_3^-

■ **Total body fluid** : 체중의 60%
- ICF (2/3) : 체중의 40%
- ECF (1/3) : 체중의 20%
  - interstitial fluid (3/4) : 체중의 15% → 현저하게 증가되면 부종(edema)
  - blood (1/4) : 체중의 5% (total body fluid의 1/12)
    - arterial blood (15%)
    - venous blood (85%) : total ECF volume 조절에 중요

■ 흔히 사용하는 수액 1 L 투여시 체내 분포 (증가되는 혈장량)

	ICF-ECF 분포		혈장 분포 (ECF의 1/4)	증가되는 혈장량
	ICF (2/3)	ECF (1/3)		
5% DW	○○	○	1/12	83 mL
0.9% NS		●●●	1/4	250 mL
Half saline	○	◑●	1/6	167 mL
Colloid			◎◎◎	1000 mL*

* 실제로는 투여한 양의 60~80%만 증가됨 (∵ 일부 모세혈관 밖으로 빠져나감)

- 5% DW 1 L → 혈관내로 들어간후 dextrose는 바로 이용되고, water는 TBW에 분포됨, 혈장량은 TBW의 1/12이므로 1000 mL ×1/12 = 83 mL 증가
- 0.9% normal saline 1 L → 혈관내로 들어간 후 ECF에 분포됨, 혈장량은 ECF의 1/4이므로 1000 mL ×1/4 = 250 mL 증가
- half saline 1 L → NS 1/2 + water 1/2 → [NS 500 mL ×1/4 = 125 mL] + [water 500 mL ×1/12 = 42 mL] = 167 mL 증가
- 20% albumin 100 cc (혈중 albumin 4 g/dL인 환자의 경우)
  → albumin 4 g/dL = 4%, 20% albumin 투여시 20%가 4%로 희석되면서 혈장량은 5배로 증가됨 (500 cc) - normal saline 2 L 투여와 유사한 효과
  - CKD나 CHF 환자에서는 과다하게 혈관내로 수분을 끌어들여 폐부종을 유발할 수 있으므로 주의해서 사용해야 됨

* 5% DW가 plasma volume expander로서는 가장 효과 적음

■ 위장관액의 전해질 구성 성분 및 분비량

	전해질 구성 성분 (mmol/L)				양(L/day)
	Na^+	K^+	Cl^-	HCO_3^-	
타액	10	30	10	30	1~2
위액	60	9	90	0	2
담즙(쓸개즙)	150	10	110	40	0.6~1.2
소장 분비액	100	5	100	20	2~3
대장 분비액	40	100	15	60	다양
경구 섭취					2~3
땀	30~50	5		50	
설사	25~50	35~60	20~40	30~45	

* 췌장(이자)액 : 하루 약 1~3 L 분비됨, osmolality, Na^+, K^+ 등은 혈장과 거의 동일하지만, 혈장에 비해 HCO_3^-의 농도가 매우 높고(알칼리성), 따라서 상대적으로 Cl^-는 낮음

- 장관 분비액은 2가 양이온(Ca, Mg, Zn, Cu)도 풍부함
  → steatorrhea, high bowel fistula, prolonged suction 등 때 소실 증가
- 소장으로 유입되는 총 9 L/day의 섭취 수분 + 위장관 분비액 중 50%는 공장(jejunum), 40%는 회장(ileum), 10%는 결장(colon)에서 흡수됨

- 땀으로 인한 수분 손실이 가장 hypotonic → hypernatremia 발생 위험
- 심한 설사 → K^+와 HCO_3^- 손실이 심하므로 이를 고려하여 수액요법 시행

* 정상 성인에서 수분 배출의 경로와 양 (2600 mL/day)
① 소변 : 1500 mL/day
② 피부 : 600 mL/day
③ 폐 : 400 mL/day
④ 대변 : 100 mL/day

2. Osmolality (삼투질 농도)

(1) osmolality (삼투질 농도, 오스몰랄 농도)

: 1 kg의 water (용매)에 포함된 삼투질(osmolytes, particles [용질])의 수 (mOsm/kg)
c.f.)
- osmolarity (오스몰 농도) : 1 L의 solution (용액)에 포함된 osmolytes의 수 (mOsm/L)
- tonicity (장력) : 두 구획(compartment) 사이의 유효 삼투질(effective osmoles) 농도의 차이
- osmotic pressure (삼투압) : 저장성(hypotonic) 구획에서 고장성(hypertonic) 구획으로 용매(물)가 이동하려는 힘, 대략 1 mOsm/kg의 삼투질 농도는 20 mmHg의 삼투압을 갖게 됨

(2) plasma osmolality (P_{osm})

- 정상범위 : 285~295 mOsm/kg

$$\text{Calculated osmolality} = 2\times[Na^+] + \frac{\text{glucose}}{18} + \frac{\text{BUN}}{2.8}$$

- 단위
  - Na^+ : mEq/L
  - glucose, BUN : mg/dL

$$\text{Osmolar gap} = \text{measured osm.} - \text{calculated osm.}$$

- 정상 : <10~15 mOsm/kg
- 증가되는 경우 (>15~20 mOsm/kg)
  ① Na^+이 가짜로 낮게 측정된 경우 (pseudohyponatremia)
  ; hyperlipidemia, hyperproteinemia
  ② unmeasured solutes의 증가 ; mannitol, ethanol, methanol, ethylene glycol
  (methanol과 ethylene glycol은 anion gap도 같이 증가)

* urine osmolality의 정상범위 : 300~900 mOsm/kg (24hr: 500~800 mOsm/kg)

(3) effective osmolality (유효 삼투질 농도, E_{osm})

- 정의 : effective osmoles에 의해 형성된 삼투압
  - effective osmoles : Na^+, Cl^-, K^+ 같이 주로 ECF or ICF 내에 국한되어 존재하며 water의 이동을 유도하는 것
- $E_{osm} = 2\times[Na^+] + \dfrac{\text{glucose}}{18}$

• ECF의 volume, osmolality를 조절함으로써, 간접적으로 ICF의 volume도 조절할 수 있음
• Na⁺ balance는 ECF volume을 결정하고 (volume deficit or edema 등),
water balance는 osmolality (tonicity)를 조절하여 ICF의 양을 결정한다!
• urea : 세포막을 자유롭게 통과하므로 수분이동에 영향이 없음 (ineffective osmole)
→ 검사 상 measured osmolality는 높게 나오지만 hypertonic으로 해석하면 안됨

	체액량(volume) 조절	Osmolality 조절
Stimulus	effective arterial volume	P_{osm} (tonicity)
Sensors	carotid sinus, atrium renal afferent arteriole	hypothalamus의 osmoreceptor
Effectors	renin–angiotensin–aldosterone sympathetic system ANP	AVP thirst mechanism
Effect	pressure natriuresis U_{Na} 배설 조절	U_{osm} 조절 (요농축정도) 수분섭취조절

■ **장력(tonicity) 변화에 대한 세포의 반응**

• ECF의 Na^+ 농도가 증가하면 ECF로 세포 내의 물이 빠져나가는 것을 막기 위해 세포 내의 삼투질 농도를 높이려는 반응이 일어남 ("osmotic adaptation")
• 초기에는 세포막을 통한 K^+, Na^+의 이동에 의해 형성
• 이후에는 organic solutes를 세포 내에 축적하여 이루어짐
↳ myo-inositol, betaine, taurine, sorbitol, glutamine 등
- myo-inositol, betaine, taurine → 각각 Na/myo-inositol co-transporter (SMIT), Na/Cl/betaine co-transporter (BGT1), Na/Cl/taurine co-transporter (TauT)에 의해 세포 내로 능동적으로 운반됨
- sorbitol → aldose reductase (AR)에 glucose로부터 생산됨
- 이러한 반응은 SMIT, BGT1, TauT, AR 등의 유전자가 공통으로 갖고 있는 cis-element, 즉 tonicity responsive enhancer (TonE)에 TonEBP (TonE binding protein)가 결합되어 시작됨
↳ 세포 밖이 고장성 때 activity↑, 저장성 때는↓

3. Water (H_2O) 대사의 조절 기전

(1) thirst mechanism : 수분 섭취를 조절

• thirst receptor : hypothalamus의 preoptic area와 stria terminalis에 위치
• 유발요인
① P_{osm} >290 mOsm/kg → osmoreceptor 자극
② 체액량 감소 : 심한 ECF volume 감소시 angiotensin II에 의해 thirst receptor 자극
(mild volume deficit에서는 갈증 안 느낌)
③ anticipatory drinking

(2) ADH (AVP, arginine vasopressin) : 수분(water) 배설을 조절

• 생산 : posterior pituitary (AVP 분비에는 baroreceptor보다 osmoreceptor가 더 민감함)

- osmoreceptor : hypothalamus의 supraoptic, paraventricular nuclei에 위치
- 분비자극요인
  ① P_{osm} : 역치 이상의 P_{osm} 상승은 AVP level을 "직선적"으로 상승시킴
  (P_{osm}이 2% 정도 상승하면 AVP 분비 자극)
  ② hypovolemia : volume 감소는 AVP 분비를 "기하급수적"으로 상승시킴,
  8% 이상의 심한 ECF volume 감소는 P_{osm}의 변화와 관계없이 AVP 분비를 자극함
  (P_{osm}이 저하되더라도 체액량 감소가 지속되면 AVP 상승은 지속 → hyponatremia 발생)
  ③ 기타 ; pain, nausea, stress, hypoxia, drugs (e.g., vincristine, cyclophosphamide, TCA 등)
  (glucose는 아님!)
- 작용
  ① 신장 (V_2 receptor) → water 재흡수 ↑
  ② 혈관평활근 (V_{1A} receptor) → 혈관수축 → 유효 혈관내 용적 유지

(3) free water clearance

- 정의 : 단위 시간당 신장이 배설하는 solute-free water의 양

$$\text{Free water clearance} = UV - Cosm = UV\left(1 - \frac{U_{osm}}{P_{osm}}\right)$$

- osmolar clearance $(C_{osm}) = \dfrac{U_{osm} \times UV}{P_{osm}}$

등장성뇨 : $C_{osm} = UV$
수분 과다시 희석뇨 : $UV > C_{osm}$
수분 부족시 농축뇨 : $UV < C_{osm}$

- free water clearance는 true hyponatremia의 감별진단에 유용하게 사용될 수 있음

4. Sodium (Na^+) 대사

(1) 체내 Na^+의 분포

- ECF의 가장 주된 양이온 (ECF 총삼투질 농도의 90~95%)
- 체내 총 Na^+ 양 → ECF의 volume을 결정
- plasma Na^+ 농도 → ECF volume과 무관, water 대사에 의해 조절 ("tonicity")
- edema : interstitial space의 Na^+ 증가

(2) 체액량(Na^+)의 조절기전

① effective arterial blood volume (유효동맥용적) … 중요!
: ECF 중 혈관내에 존재하며 효과적으로 조직으로 관류되는 체액량
- arterial system의 fullness : 심박출량, 말초동맥저항에 의해 결정
- abdvanced LC : 말초동맥 확장이 심해서 체내 volume이 아무리 많아도 effective arterial blood volume 감소 → water 배설 ↓ → ascites
- 가장 잘 반영하는 검사 지표 ; urinary fractional Na^+ excretion (FE_{Na})

$$\text{Fractional excretion of } Na^+ \ (FE_{Na}) = \frac{U_{Na} \times P_{Cr}}{P_{Na} \times U_{Cr}} \ (\times 100, \%)$$

② baroreceptors
- high pr. : aorta, carotid sinus, juxtaglomerular apparatus, LV
- lower pr. : RA, LA, liver

③ 조절기전

(a) 전신혈액학적 조절 : 교감신경계 자극 (즉각적)
- 정맥계 혈관 수축
- 심근수축, 심박동수 증가 → 심박출량 증가
- 전신 동맥혈관 수축
- renin-angiotensin 분비 증가 ★

(b) 신장의 Na^+ 재흡수 및 배설 조절
- glomerulo-tubular balance
- peritubular capillary force
- 교감신경계
- angiotensin Ⅱ ⇨ 신장의 Na^+ & water 재흡수 촉진 (배설 감소)
  - 직접 proximal tubule에서 Na^+ 재흡수 촉진
  - 부신피질에서 aldosterone 분비를 자극하여 Na^+ 재흡수 촉진
  - efferent arteriole 수축 → GFR↑ → tubular Na^+ 재흡수 촉진
- aldosterone ⇨ collecting duct에서 Na^+ 재흡수 촉진
  - * *aldosterone escape* : aldosterone에 며칠 동안 노출되면 volume expansion이 지속되어 proximal tubule에서의 Na^+ 재흡수가 감소되어 "pressure natriuresis" 발생
    - aldosterone에 장기 노출되어도(e.g., primary aldosteronism) HTN의 정도는 제한됨
    - ANP에 의해 매개 (HF, NS, LC 등에서 ANP 효과를 잃으면 심한 Na^+ 저류 발생)
- ANP (=ANF) : hypervolemic state에서 Na^+ retention과 혈압 상승 억제
  - GFR↑ (→ Na^+ & water 배설↑), Na^+ 재흡수 억제 (→ Na^+ 배설↑), renin 분비 억제
  - angiotensin Ⅱ의 혈관수축 작용 차단 → arteriolar & venous dilation
  - BNP : ANP와 작용 비슷, 심실 이완기압 상승시 심실에서 분비됨
  - natriuretic peptide (ANP/BNP)는 edema 발생을 예방할 정도로 많이 상승되지는 않으며, edematous state에서는 ANP/BNP 작용에 저항성도 생김

c.f.) **ACE inhibitor** : angiotensin Ⅰ → angiotensin Ⅱ로의 전환을 억제
- 신장의 efferent arteriole 확장 → GFR↓ → Na^+ & water 재흡수 감소 (배설 증가) (hypovolemia 환자에서는 glomerular perfusion 감소로 ischemic injury 위험↑)
- 단순한 혈압강하 효과 외에도 여러 가지 심혈관계 합병증을 예방하는 장기보호 효과도 있음
- 초기에는 급격하게 angiotensin Ⅱ↓ (but, 시간이 지나면 점차 정상화됨 : ACE escape)
- angiotensin Ⅱ가 생성되는 다른 경로까지 차단하지는 못하기 때문
- 내피세포 의존성 혈관확장제인 bradykinin의 대사를 억제하기 때문에 혈압강하 효과 지속됨

c.f.) **renin inhibitor (aliskiren)** : renin의 active site에 결합하여 angiotensinogen에 결합하는 것을 억제 → angiotensinogen이 angiotensin Ⅰ 으로 전환되는 것을 억제

5. 부종(edema)

- 정의 : interstitial fluid volume의 증가
- 병인
  ① Starling forces↑ : 혈관 내의 hydrostatic pr.↑, interstitial fluid의 colloid oncotic pr.↑
    - 정맥압↑ → 모세혈관압↑ 예) CHF, 정맥 or 림프관 폐쇄
    - 혈장의 colloid oncotic pr.↓ 예) hypoalbuminemia, 간질환, 단백소실, 심한 catabolism
  ② 모세혈관 손상 : capillary endothelium 손상 → permeability↑ → 혈장 단백 누출
    - 예 ; drugs, virus, bacteria, thermal or mechanical trauma, hypersensitivity, immune injury
    - inflammatory edema는 대개 nonpitting, localized, 다른 염증소견(e.g., 홍반, 압통) 동반
  ③ effective arterial volume↓ (m/c) → Na^+ & water retention 예) CO↓, 전신혈관저항↓
  ④ renal Na^+ retention (전신 부종 발생에 중요) : renal blood flow↓ → RAA system 활성화
  ⑤ 기타 관여 인자
    - AVP (vasopressin) → water 재흡수↑ → total body water↑
    - endothelin : 심부전 때 증가 → renal vasoconstriction, Na^+ retention, edema에 기여
    - natriuretic peptides (ANP/BNP)

부종의 임상적 원인
1. 정맥/림프관 폐쇄 2. 심부전(CHF) 3. 신부전 : renal Na^+ & water retention 4. Hypoalbuminemia : 소실↑(NS, protein-losing enteropathy) or 합성↓(간질환, 영양결핍) 5. 간경변 : hypoalbuminemia, effective arterial volume↓, RAA 활성화, renal Na^+ retention 등이 관여 6. 약물 ★ NSAIDs, Cyclosporine → renal vasoconstriction 혈압강하제 ; 직접혈관확장제(hydralazine, clonidine, methyldopa, guanethidine, minoxidil, diazoxide), CCB, α-blocker, thiazolidinediones, sympatholytics (methyldopa) 스테로이드 (신장의 Na^+ 재흡수 촉진) ; glucocorticoids, anabolic steroids, estrogens, progestins Growth hormone, OKT3 (anti-CD3 Ab), IL-2 (모세혈관 손상) ...

- 치료 ; 원인 교정 (m/i), 염분 섭취 제한 (심하면 수분도 제한), 운동요법, 침상안정(supine) 등
  ↳ 원인 약물, hypoalbuminemia, 심부전, 신부전 등 R/O
- 일반적인 치료로도 조절되지 않으면 이뇨제 사용
  - 대개 oral loop diuretics (e.g., furosemide)를 선호 (LC 환자는 spironolactone과 병용 권장)
  - NS (loop diuretics가 세뇨관에서 albumin과 결합되어 불활성화) 및 신부전 환자 → 이뇨제 용량↑
  - 효과 없으면 → 용량↑ → 투여 횟수↑ *or* 심하면 IV로 투여 (특히 급성 심부전/폐부종)
    → 작용부위가 다른 이뇨제 추가 (대개 thiazide 계 이뇨제) or
    이뇨제 교체(e.g., furosemide → bumetamide) 등
    → 반응 없는 advanced heart or renal failure 환자는 dialysis or ultrafiltration 고려

HYPOVOLEMIA

1. 정의

- volume depletion : Na^+과 water가 함께 부족한 상태
- dehydration : pure water depletion (→ hypernatremia)

2. 임상양상

(1) Sx. ; thirst, weakness, muscle cramps, headache, anorexia, N/V

(2) sign ; orthostatic hypotension (m/i), orthostatic PR ↑, JVP 감소, 점막 건조, 액와부 습도 감소, skin turgor 감소, sweating 감소, oliguria

(3) blood ; Hct ↑, protein ↑, BUN ↑, Cr ↑, Na^+ ↓ or N or ↑

(4) urine concentration ; SG ↑, osmolality ↑, Na ↓, Cl ↓, mild proteinuria

3. 원인

Renal Losses	Extrarenal Losses
Hormonal Deficit Central DI Aldosterone 결핍 Addison's disease Hyporeninemic hypoaldosteronism Renal Deficits Specific Tubular Nephropathies ; Renal tubular acidosis, Bartter's syndrome, Nephrogenic DI, Diuretics abuse, Postobstructive diuresis Excessive Filtration of Nonelectrolytes ; Osmotic diuresis (e.g., 고단백식이, mannitol) Generalized Renal Disease: CKD, Interstitial nephritis	Hemorrhage Cutaneous Losses Sweating (수분소실 > Na소실) Burns GI Losses (m/c) Vomiting Diarrheal disorders GI fistulas Tube drainage

External fluid loss 없는 circulatory compromise의 원인
Ⅰ. Cardiac Output 감소 AMI, CHF, Pericardial tamponade Ⅱ. Vascular Capacitance 증가 Septic shock Cirrhosis Ⅲ. Vascular → Interstitial Fluid Shifts (Redistribution) (1) Hypoalbuminemia NS, LC, Malnutrition, Cytokine-mediated (2) Plasma albumin 정상 (capillary leak) Acute pancreatitis, Bowel infarction, Rhabdomyolysis, Noncardiogenic pulmonary edema (ARDS)

4. 병태생리

* volume depletion시의 보상기전
  ① 혈압과 심박출량의 유지
    • renin, catecholamine 분비 증가
    • 교감신경계 activation : 발한억제, thirst 증가, salt 섭취 촉진, afferent a. 수축 (→ GFR↓)
  ② 신장에서의 Na^+ 및 체액 소실 억제
    • secondary hyperaldosteronism → Na^+ 재흡수↑, K^+ 배설↑(→ hypokalemia)
    • AVP (vasopressin) 분비 증가 → water 재흡수↑
    • ANP (=ANF) 분비 감소 → Na^+ 배설↓
    • peritubular capillary force의 상승
    • 신장내 혈관저항의 상승, 신장내 hormones의 변화 (e.g., prostaglandin)
  ③ 혈장량 보존 : Starling 법칙에 따른 체액의 이동
  ④ 기타 : thirst mechanism
* angiotensin II의 작용
  ① 강력한 vasoconstrictor (NE보다 더 강력) → vascular tone↑, 신장혈관수축(→ Na^+ 배설 억제)
  ② aldosterone 분비 자극 → Na^+ 재흡수 촉진
    (직접 proximal tubule에도 작용하여 Na^+의 재흡수를 촉진시키기도 함)
  ③ thirst center 자극

5. 치료

• mild한 경우는 경구섭취로 교정 가능
• 순환장애를 동반한 경우 normal saline (0.9%) 정주 (∵ ECF 보충)
• 치료 적절도 판정 - orthostatic hypotension이 가장 sensitive!

HYPERVOLEMIA

1. 정의

: total body water의 증가, 보통 total body Na^+의 증가도 동반 (→ edema, HTN)

2. 원인 및 병태생리

Effective circulating volume 감소 (edema)	Effective circulating volume 증가
Disturbed Starling Forces 전신 정맥압 상승 ; Rt-HF, constrictive pericarditis 국소 정맥압 상승 ; Lt-HF, vena cava obstruction, portal vein obstruction ... Oncotic pressure 감소 ; NS, albumin 합성 감소 Combined disorders ; LC	*Primary Hormone Excess* Primary aldosteronism Cushing's syndrome SIAD *Primary Renal Sodium Retention* Renal failure

3. 임상양상

(1) 체중증가 ; 가장 예민하고 믿을만한 징후
(2) 부종 ; 2~4 kg의 체액이 저류될 때까지는 대개 나타나지 않는다
(3) 호흡곤란, 빈맥, 경정맥 확장, 간경정맥 반사, 폐검사상 수포음, 청진상 S_3

4. 치료

(1) 원인 질환의 치료
(2) Na^+ 섭취의 제한
(3) 이뇨제

HYPONATREMIA

1. 개요

- 정의 : plasma Na^+ <135 mEq/L
- 입원환자에서 비교적 흔하게 볼 수 있음 (10~15%)
- 증상
  - mild ; 식욕부진, 두통, 오심, 구토, 쇠약감
  - moderate ; 인격변화, 근육경축, 근육쇠약감, 정신착란, 운동실조
  - severe ; 기면, 반사저하, 경련, 의식저하, 혼수, 사망

  - Na^+ 120 mEq/L까지는 대개 나타나지 않지만, 감소속도가 빠르면 더 높은 농도에서도 발생 가능
- 신경학적 증상이 있거나 Na^+ <110 mEq/L면 응급치료 필요

2. 원인 및 감별진단

- 필요한 검사 ; serum osmolality, serum glucose, urine osmolality/Na^+/K^+
- serum osmolality를 먼저 측정! (∵ ECF tonicity는 주로 Na^+에 의해 결정됨)
  → serum osmolality가 낮지 않으면 반드시 pseudohyponatremia, dilutional hyponatremia를 R/O!
- 대부분은 serum osmolality가 낮다 (hypotonic hyponatremia)
  → 신장은 희석된 소변을 최대한 배설하려고 함
  (urine : osmolality <100 mOsm/kg, SG <1.003, Na^+ <25 mEq/L)
    ↳ primary polydipsia, malnutrition, reset osmostat 등에서 나타남
      ↳ salt 섭취↓↓ ; "beer potomania" (맥주에는 단백과 염분이 매우 적음)
  - 이러한 반응이 안 나타나면 free water excretion의 장애를 의미 (∵ AVP)
- U_{Na} 측정 중요
  - extrarenal loss : U_{Na}↓ (<20 mEq/L)
  - renal loss : U_{Na}↑ (>20 mEq/L)

c.f.) acid-base status 및 serum potassium level에 따른 hyponatremia 원인

Acid-base status	Potassium status		
	Hyperkalemia	Normokalemia	Hypokalemia
Metabolic acidosis	Renal failure Adrenal insufficiency		Diarrhea
Metabolic alkalosis			Vomiting Diuretic therapy
Normal pH (7.35~7.45)		SIADH Compulsive polydipsia Cortisol deficiency Hypothyroidism	

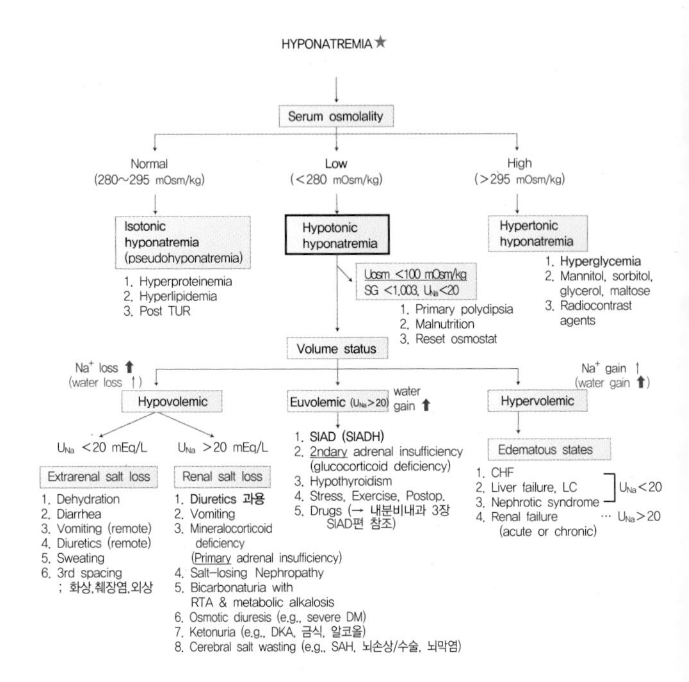

3. Isotonic hyponatremia

- **pseudohyponatremia** (electrolyte exclusion effect전해질배제효과)
  - plasma water 부분 Na^+ 농도는 정상이지만, solid (protein, lipid) 부분이 크게 증가되면 검체를 희석하는 검사에서는(e.g., indirect [diluted] ISE) water 부분이 상대적으로 더 많이 희석되어 실제보다 Na^+ 농도가 낮게 측정되는 현상 … laboratory artifact 임
  - 예 ; 심한 hypertriglyceridemia (e.g., TPN, pancreatitis, DKA), obstructive jaundice (∵ cholesterol ⇈), hyperproteinemia (e.g., multiple myeloma : 대개 >10 g/dL일 때)
  - plasma osmolality 검사는 정상이고 calculated osmolality는 감소되어 osmolar gap ↑

> - 일반적인 전해질검사는 자동화학분석기에서 indirect ISE (ion-selective electrode)로 검사하는데 다량의 고이온강도 희석액에 의한 dilution 영향으로 전해질 농도가 실제보다 낮게 나오는 electrolyte exclusion effect가 나타날 수 있음
> - Direct ISE 기법으로 전해질을 측정하는 장비는 (e.g., blood gas analyzer) 검체 희석 과정이 없으므로 이런 전해질 배제효과가 안 나타남 ⇨ pseudohyponatremia 의심시에는 direct ISE로 Na^+ 농도를 확인하는 것이 더 정확 *or* 장비가 없으면 보정으로 추정 ; Plasma water content (%) = 99.1 − (0.1×total $lipid_{(g/L)}$) − (0.07×$protein_{(g/L)}$)
>
> c.f.) Osmolality는 다른 전용 장비로 검사함 (보통 freezing point depression osmometer를 이용)

- 전립선/방광암의 TUR, 자궁경, 복강경 등의 시술시 sodium-free irrigation solution이 흡수되어 dilutional (isotonic or slightly hypotonic) hyponatremia가 발생할 수도 있음

4. Hypertonic hyponatremia

- ECF에 Na^+ 이외의 effective solutes 축적으로 ICF의 water가 ECF로 이동되어 Na^+이 희석된 것 ("dilutional" hyponatremia) ; glucose, mannitol, IVIG 등
- hyperglycemia (m/c 원인) : glucose 100 mg/dL 상승시 Na^+ 1.6 mEq/L 감소

5. Hypotonic hyponatremia (m/c)

(1) Hypervolemic (type I) hypotonic hyponatremia

- 원인 (primary Na^+ gain < water gain) : sodium-retaining, **edema**-forming states ; edematous condition (CHF, LC, NS), ARF or ESRD (CKD)
- 수분배설 장애, total body water ↑↑ & sodium ↑, edema 동반
- effective circulating volume 감소 (e.g., CHF, LC, NS) → AVP ↑ → hyponatremia
- urine Na^+ <20 mEq/L (이뇨제 복용시는 증가)
- 신부전 ; effective circulating volume 증가 때문 (dilutional hyponatremia), urine Na^+ >20
- 치료
  ① underlying dz. 교정
  ② moderate water restriction (<1~2 L/day), Na^+ restriction (1~3 g/day)
  ③ diuretics (thiazide 이외의)
  ④ hypertonic saline : 위험하므로 보통은 금기이나, severe hyponatremia (<120 mEq/L) or CNS Sx (e.g. coma)시에는 diuretics와 함께 소량 사용할 수도 있음 (→ 투석 고려)

  c.f.) isotonic saline은 금기 (∵ serum Na^+ 1 mEq/L만 증가하면서 edema를 더욱 악화시킴)

(2) Hypovolemic (type II) hypotonic hyponatremia

- 원인 (primary Na^+ loss) ··· total body sodium↓↓ & water↓
  - renal sodium loss → ECFV↓ → AVP↑ → water 재흡수↑ & U_{Na}↑(>20 mEq/L)
  - extrarenal loss (체액 loss → AVP↑) + 저장성 수액 (or 맹물 섭취) → U_{Na}↓ (<20 mEq/L)
- 임상소견으로 volume depletion이 불확실할 때는 BUN, Cr 측정이 도움! (특히 BUN이 증가)
- 치료
  - ① isotonic normal saline (N/S) or lactated Ringer's solution
  - ② mineralocorticoid 결핍시 (주로 aldosterone) ⇨ sodium balance 유지, aldosterone 보충

* *Diuretics-induced hyponatremia* ; m/c 원인, 대부분 thiazide diuretics, 대개 1~2주 뒤 발생
- distal tubule에서 소변 희석 방해 & Na^+ 배설↑ → ECFV↓ → AVP↑ → water retention
  (ㄴ 증가된 Na^+가 collecting duct에서 재흡수되면서 K^+ 분비↑(hypokalemia) → 갈증 유발 → 수분 섭취↑)
- hypokalemia 심하면 transcellular ion exchange (K^+가 세포 밖으로 나오고, Na^+이 세포내로 들어감)
- 치료 ; 이뇨제 중단, hypokalemia시 K^+ 보충

(3) Euvolemic (type III) hypotonic hyponatremia

- 원인 : primary water gain (secondary Na^+ loss) ··· 엄밀히는 살짝 hypervolemic 상태임
  - ① SIAD가 m/c → 내분비내과 3장 참조!!
  - ② hypothyroidism : CO & GFR↓, AVP↑ 때문
  - ③ secondary (ACTH-dependent) adrenal insufficiency (aldosterone은 거의 정상임! → euvolemic)
    - cortisol deficiency (→ 직간접적으로 AVP 분비↑)
    - mineralocorticoid deficiency도 관여 가능
- total body water↑, sodium은 별 변화 없음, urine Na^+ >20 mEq/L
  (↔ primary polydipsia, malnutrition 등에서는 urine Na^+ <20, osmolality <100, SG <1.003)
- 치료
  - ① CNS Sx.이 있거나 Na^+ 농도가 110 mEq/L 미만일 때 (SIAD에서 증상 발생이 흔함)

    Hypertonic (3% or 5%) saline + Furosemide

    Required Na^+ = (목표 Na − P_{Na}) × 체중(kg) × 0.6 (여자는 0.5)

    - Na^+ 농도 교정 속도 : 0.5~1 mEq/L/hr
      - acute hyponatremia : 2 mEq/L/hr & 24시간 동안 12 mEq/L 이하
      - chronic hyponatremia : 0.5 mEq/L/hr & 24시간 동안 8 mEq/L 이하
    - 첫 48시간에는 Na^+ 130 mEq/L를 넘지 않도록 함
    → 너무 빨리 교정하면 "central pontine myelinolysis" 등의 brain damage 발생 위험
    - furosemide : high AVP level에도 불구하고 free water 배설 촉진
    - 증상이 있거나 심한 hyponatremia에서 isotonic N/S은 금기 (∵ serum Na^+ 오히려 증가)
  - ② 증상 없을 때 ; 수분 제한(0.5~1 L/day), isotonic N/S + furosemide, demeclocycline
  - ③ vasopressin antagonists (~vaptan) ; 신장에서 free water clearance를 증가시킴
    → SIAD 및 hypervolemic hyponatremia (CHF or LC에 의한)에서 효과적
  - ④ underlying dz. 교정

■ Osmotic demyelination syndrome (ODS, ODMS) [과거 central pontine myelinolysis (CPM)]

- severe hyponatremia 환자에서 hyponatremia의 빠른/과잉 교정 **2~6일 이후**에 신경증상 발생
  (Na^+ <120 mEq/L, 대부분 ≤105)　　　　↳ 뇌세포의 osmotic **shrinkage** 발생
  - hyponatremia가 급격히(e.g., 몇 시간 이내) 발생했던 경우보다는 서서히 발생했던 경우 호발
  - hyponatremia 기간은 알 수 없는 경우가 많기 때문에 보통 chronic hyponatremia로 가정함
- 임상양상 ; 행동이상, 근력저하, dysarthria, dysphagia, 사지마미(locked-in syndrome), 의식저하
- 진단 : 고위험군에서 hyponatremia가 빨리 교정된 경우 임상적으로 의심
  ① MRI : 증상 발생 수일~수주 뒤 나타남 (초기에는 정상 일 수 있음) → 의심되면 재검
    - T2-weighted 및 FLAIR 영상 ; basal pons의 high-signal density (조영증강×, 대칭적)
    - DWI에서 high-signal density & ADC (apparent diffusion coefficient)에서는 dark
      (↳ diffusion-weighted imaging) → conventional MRI보다 조기 진단 가능
  ② CT (MRI보다는 별로) : pons가 검게 나옴
  ③ 부검 : basal pons의 염증 없는 demyelination (axon과 nerve cells은 상대적으로 보존됨)
- 특별한 치료법이 없으며 사망률 높음(~10%), 예방이 중요(e.g., hyponatremia 서서히 교정)
- 적극적인 대증치료(e.g., oxygenation, serum Na^+ relowering), 일부는 완전 회복도 가능

ODS (osmotic demyelination syndrome) 발생 고위험군
간이식 (간부전에 의한 hyponatremia가 간이식 후 갑자기 교정됨에 따라)
영양실조, 특히 알코올 중독에 의한
Hypokalemia
Thiazide를 복용중인 고령 여성
Hypoxia
이전의 cerebral anoxic injury
Serum Na^+ ≤105 mEq/L
DI 환자가 갑자기 DDAVP 치료 중단

참고: 급성 뇌부종의 고위험군
Thiazide를 복용중인 고령 여성
정신 문제로 인한 polydipsia
수술 후 가임여성, 소아, 마라톤 선수
Hypoxia

HYPERNATREMIA

1. 개요

- 정의 : plasma Na^+ >145 mEq/L
- hyponatremia보다는 드물다
- 지속적인 중증의 hypernatremia는 영아나 의식불명 환자와 같이 갈증을 느끼더라도
  스스로 수분 섭취를 못하는 경우나, 드물게는 구갈기전의 장애가 있는 환자에서나 발생
- hypernatremia에 대한 뇌세포의 방어기전
  - 뇌세포 내에서 idiogenic osmoles 합성
  - Na^+와 Cl^-가 뇌세포 내로 이동 → 세포의 탈수 최소화

2. 원인/분류

Hypernatremia의 원인
1. Impaired thirst Coma Primary hypodipsia (hypothalamic osmoreceptors의 손상) Essential hypernatremia
2. Excessive water losses (hypotonic loss) Renal (m/c) ; Central DI, Nephrogenic DI, loop diuretics, osmotic diuresis (e.g., DKA, NKHC, mannitol IV, 고단백식) Extrarenal ; Sweating, osmotic diarrhea, insensible loss 증가 (e.g., 발열, 운동, 더위에 노출, 심한 화상, 기계적 환기)
3. Combined disorders Coma + hypertonic NG feeding
4. Adrenal hyperfunction Cushing's syndrome, primary aldosteronism

① pure water loss (m/c) 예) DI (→ 내분비내과 참조), insensible loss (skin, lung)
② water & Na^+ loss
예) excessive sweating (땀은 염의 농도가 낮으므로), osmotic diarrhea, osmotic diuresis (c.f., secretory diarrhea에서는 plasma Na^+ 정상 or 감소)
③ Na^+ excess 예) adrenal hyperfunction, Na^+ 과다 섭취 (e.g., $NaHCO_3$ solution IV)
④ thirst mechanism의 장애

3. 임상양상

- thirst, weight loss, tachycardia, hypotension, oliguria
- CNS 이상 소견 (severe hyperosmolality시) ; 정신착란 등 정신장애, 연축, 경련 등 신경근육 자극성 증가, 혼미, 혼수 (∵ 뇌세포의 탈수 때문)

4. 치료

- hypernatremia의 교정은 천천히! → 1 mEq/L/hr (10 mEq/L/day)를 넘지 않도록 한다 (∵ 급격히 교정하는 경우 ECF osmolality 감소로 뇌부종 발생할 수 있음)

$$\text{Water deficit (L)} = \underline{\text{total body water}} \times \frac{[\text{현재 } Na^+] - 140}{140}$$

total body water: [체중 × 0.6 (여자는 0.5)]

- insensible water loss = 10 mL/kg/day도 보충
- central/nephrogenic DI 환자에서는 daily ongoing free water loss도 보충해야 됨

$$C_eH_2O = \frac{UV\ (1 - U_{Na} + U_K)}{P_{Na}}$$

C_eH_2O : electrolyte free water clearance
UV : urine volume

(1) hypovolemic hypernatremia

① severe hypovolemia : 우선 0.9% NS로 신속히 ECF를 보충 (→ 이후 half saline)

② mild hypovolemia : 1/2 (0.45%) saline, 1/4 saline, 5%DW

(2) euvolemic hypernatremia : water drinking or 5%DW

(3) hypervolemic hypernatremia : 5%DW + furosemide (loop diuretics)

(4) central/nephrogenic DI의 추가적 치료 → 내분비내과 참조

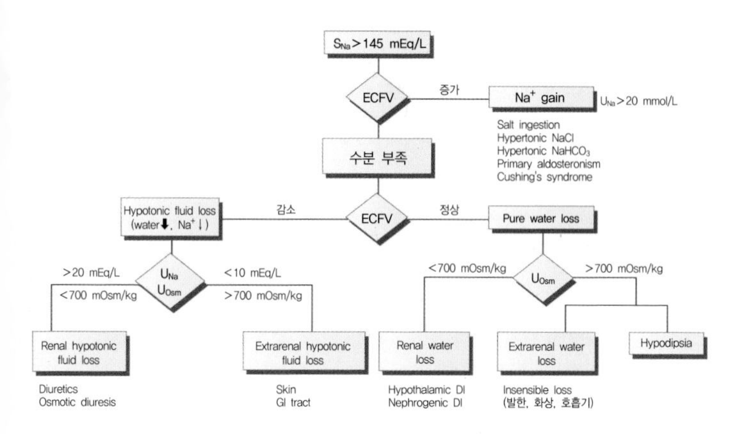

Potassium의 정상 대사

1. Potassium 분포 (세포내 이동)의 조절

: 체내 potassium의 98%는 세포 내(ICF)에 존재함 (주로 근육)

(1) ECF → ICF shifts (ECF의 K^+ 감소) : 주로 세포막의 Na^+-K^+-ATPase에 의해 조절

① insulin (m/i) : 특히 DKA, HHS 환자에게 exogenous insulin 투여시 현저함 (단순 overdose에서는 드묾)

② β_2-agonistic activity↑ : Na^+-K^+-ATPase 및 Na-K-2Cl (NKCC1) cotransporter 활성화

③ alkalosis (ECF H^+↓) : 세포내 H^+가 세포외로 이동 → 대신 ECF의 일부 Na^+와 K^+가 세포내로 이동

- metabolic alkalosis는 다른 흔한 hypokalemia의 원인들에서도 흔하게 동반됨
  (e.g., 이뇨제, 구토, hyperaldosteronism)
- serum K^+가 낮을수록 renal HCO_3^- 재흡수를 촉진하여 metabolic alkalosis 유지에도 중요

④ aldosterone

⑤ blood cells의 갑작스런 증가 : 증가된 세포내로 K^+ shift↑ (e.g., leukemia)

(2) ICF → ECF shifts (ECF의 K^+ 증가)

① acidosis

pH 변화에 따른 serum K^+의 변화

	△pH	△[K^+] (mEq/L)
Metabolic acidosis		
Mineral (HCl)	↓0.1	↑0.7
Organic (ketoacidosis or lactic acidosis)	↓0.1	0
Respiratory acidosis	↓0.1	↑0.1
Metabolic alkalosis	↑0.1	↓0.3
Respiratory alkalosis	↑0.1	↓0.2

Organic acids에 의한 metabolic acidosis에서는 K^+ 증가하지 않음

Respiratory acidosis/alkalosis의 K^+에의 영향은 미미한 편임

pH 0.1 감소시 K^+ 0.6~0.7 mEq/L 증가
pH 0.1 증가시 K^+ 0.2~0.4 mEq/L 감소

② hyperosmolality : water가 세포내에서 ECF로 나와 → cellular shrinkage → 세포내 K^+ 농도 ↑ → K^+도 수동적으로 ECF로 나옴

예) hyperglycemia, mannitol, 방사선조영제 투여

③ α-agonist, β-blocker

④ 운동 (α-adrenergic activity ↑), glucagon

2. 신장에서의 K^+ 배설 조절

신장에서 K^+ 배설(분비)을 촉진시키는 요인
Mineralocorticoids 증가 (e.g, aldosterone)
Na^+의 collecting duct로의 운반 증가 (m/i)
Distal tubule로의 fluid flow 증가
Nonreabsorbable solutes의 배설 증가
Metabolic & respiratory alkalosis
Hyperkalemia, loop diuretics, thiazide

* Aldosterone의 작용
① Na^+ channel↑ → Na^+ 재흡수↑
② Na^+-K^+-ATPase 수 & 활성↑
③ K^+ channel↑ → K^+ 배설↑

HYPOKALEMIA

1. 정의

: plasma K^+ <3.5 mEq/L

2. 원인

- ECF → ICF shift에 의한 경우는 체내 총 K^+ 양에는 변화 없이, acute hypokalemia 발생
- GI fluid loss에 의한 hypokalemia는 사실은 주로 renal K^+ loss 때문
  (∵ volume depletion & metabolic alkalosis → kaliuresis 촉진, aldosterone↑)

Ⅰ. Deficient (dietary) intake ; 장기간 금식, K^+ 없는 IV fluid

Ⅱ. K^+의 intracellular shift↑ (redistribution)

1. Insulin
   ; Exogenous insulin (특히 DKA, HHS 환자에서), 급성 포도당 부하, 영양실조 환자에게 탄수화물 과잉공급
2. β-adrenergic activity 증가
   ① 외인성 ; β_2-agonist (기관지확장제, 자궁수축억제제), 종합감기약(e.g., pseudoephedrine, ephedrine), α-antagonist ... ↳ ritodrine
   ② 내인성 ; 스트레스, 알코올 금단현상, 두부 손상, AMI, delirium tremens
   ③ Downstream stimulation of Na^+-K^+-ATPase (overdose시) ; theophylline, caffeine
3. Alkalosis (metabolic or respiratory)
4. Blood cells의 갑작스런 증가(e.g., leukemia), 채혈 후 실온에서 오래 방치시
5. Anabolic state ; Vitamin B_{12}, folic acid (→ RBC 생산↑), GM-CSF (→ WBC 생산↑), TPN
6. 기타 ; Hypokalemic periodic paralysis, thyrotoxicosis, 저체온증, barium toxicity, pseudohypokalemia

Ⅲ. Renal loss … chronic hyperkalemia 원인의 대부분!

[1] Distal flow & distal Na^+ delivery 증가
   ; **이뇨제** (CAI, loop, thiazide 등), osmotic diuresis, salt-wasting nephropathy

[2] K^+ 배설 증가

1. Mineralocorticoid 과다
   ① Primary aldosteronism
   ② Secondary aldosteronism ; malignant HTN, renin 분비 종양, reanl artery stenosis, hypovolemia
   ③ Glucocorticoid excess ; Cushing's syndrome, exogenous steroids, ectopic ACTH production
   ④ Licorice, chewing tobacco, carbenoxolone
   ⑤ Congenital adrenal hyperplasia, Bartter's syndrome, Gitelman's syndrome
2. 비흡수성 음이온의 distal delivery 증가
   ; type 2 (proximal) RTA, vomiting, NG suction, leukemia, DKA, penicillin 계열 항생제, glue-sniffing (toluene abuse)
3. 기타 ; classic type 1 distal RTA, Liddle's syndrome, amphotericin B, hypomagnesemia

Ⅳ. GI loss ; 구토, 설사, laxative 남용, villous adenoma, VIPoma, fistulas, ureterosigmoidostomy, NG suction

- acute hypokalemia의 m/c 원인 ; 구토 or 설사
- chronic hypokalemia의 m/c 원인 ; thiazide or loop 이뇨제

• thyrotoxic periodic paralysis (TPP)
- 20~40세의 동양인 남자환자에서 발생 (thyrotoxicosis의 10%에서)
- 치료 ; K^+ 투여, thyrotoxicosis의 교정
- 예방 ; β-blocker (acetazolamide는 도움 안 됨)

• hypokalemic periodic paralysis (HOKPP)
- 임상양상 ; 주로 사춘기/젊은 남성에서, weakness or paralysis의 반복
- 원인 ; skeletal muscle calcium or sodium channel의 mutation (임상양상은 비슷함)
  - type Ⅰ (90%) : AD 유전, calcium channel gene (*CACNA1S*) mutation
  - type Ⅱ (10%) : sodium channel gene (*SCN4A*) mutation
- 유발인자 ; insulin 투여 (특히 DKA 치료시), uncontrolled hyperglycemia, β_2-agonist, 고탄수화물 또는 고염분 식이, 심한 운동 후 휴식중
- K^+ (oral KCl이 선호됨) ; 급성 치료에 사용, 예방에는 사용 안함!
- 예방 ; 운동 이후 저탄수화물식, 저염식
  (type Ⅰ → acetazolamide, dichlorphenamide, triamteren, spironolactone)

3. 임상양상

: K^+가 2.5~3.0 mEq/L 이하가 되면 증상 발생

(1) neuromuscular

- muscle weakness (특히 하지의), fatigue, muscle cramps, 손발저림
- constipation, paralytic ileus
- severe hypokalemia (<2.5 mEq/L) → flaccid paralysis, hyporeflexia (DTR↓), tetany, respiratory paralysis, rhabdomyolysis

(2) cardiac

- arrhythmia : atrial & ventricular premature beat, bradycardia, PSVT, AV block, VT ...
- EKG
  ① low T wave
  ② prominent U wave
  ③ ST depression
  ④ PR prolongation
  ⑤ QRS widening
  ⑥ AV block, cardiac arrest

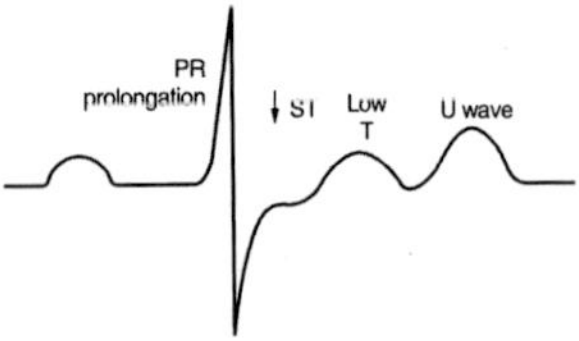

- hypokalemia는 digitalis toxicity를 증가시킴

(3) kidney

- 대부분 가역적 → K^+ replacemnt시 정상화

① 신혈류(RPF)와 GFR 감소
② 뇨 농축능의 저하 (∵ AVP에 대한 반응 저하 때문에) → polyuria, polydipsia
③ NH_3 생성 증가 → metabolic alkalosis (HCO_3^- 재흡수도 증가)
④ Na^+ retention (NaCl 재흡수 증가)
⑤ hypokalemic nephropathy (1개월 이상 지속시) ; 근위세뇨관 상피세포의 vacuolization, interstitial fibrosis, tubular atrophy & dilation, renal cyst 형성

(4) endocrine

; aldosterone 저하, renin 증가, insulin 감소(→ glucose intolerance)

■ TTKG (transtubular K^+ concentration gradient)

- 정의 = $\dfrac{\text{cortical collecting duct (CCD) 내의 } K^+ \text{ 농도}}{\text{peritubular capillaries (plasma) 내의 } K^+ \text{ 농도}}$

$$TTKG = \frac{U_K/P_K}{U_{osm}/P_{osm}} = \frac{U_K \times P_{osm}}{P_K \times U_{osm}}$$

⇨ >4 : distal tubular K^+ secretion 증가에 의한 renal K^+ loss를 의미

- TTKG 사용에 있어서의 가정
  ① medullary collecting duct (MCD)에서는 solutes의 재흡수가 안 일어남

② MCD에서는 K^+가 분비되거나 재흡수되지 않는다
③ terminal CCD의 osmolality를 안다

- TTKG를 임상적으로 사용하기 어려운 경우
  ① 요 삼투질 농도가 혈장 삼투질 농도보다 낮은 경우
  ② distal nephron에서 K^+가 평형에 도달할 시간 여유가 없는 경우 (i.e., 요량이 너무 많은 경우)

4. 진단 ★

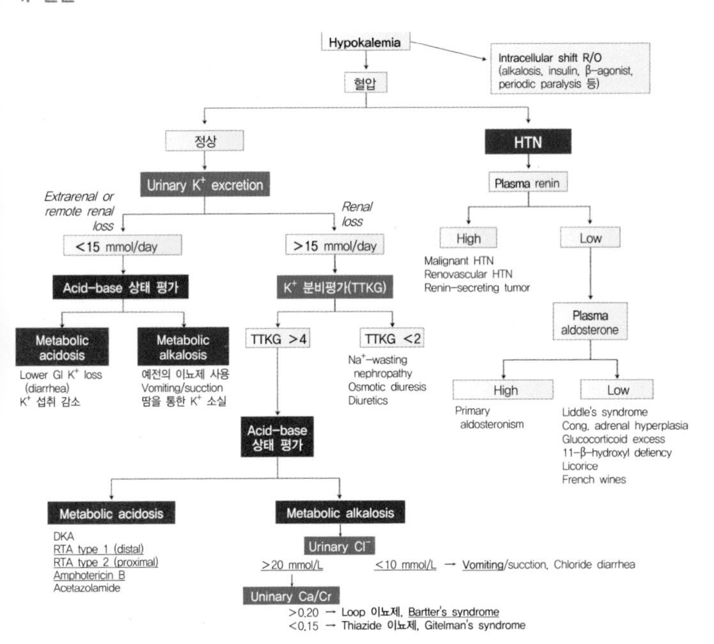

* Hypokalemia의 원인은 우선 병력으로 쉽게 유추됨(e.g., 구토/설사, 혈압, 약물, 가족력 등)

5. 치료

(1) chronic hypokalemia, 응급상태가 아닌 경우 (EKG 정상, K^+ >2.5 mEq/L)
→ oral potassium replacement (e.g., KCl tablet, 오렌지쥬스)

(2) IV potassium (KCl)

- 적응증
  ① cardiac or neuromuscular dysfunction (응급상태)
  ② arrhythmia, digitalis toxicity
  ③ severe hypokalemia (<2.0 mEq/L)
  ④ 경구로 섭취가 불가능할 때
  ⑤ DKA의 회복기
- 투여 용량
  - 속도 20 mEq/hr 이하 (예외 ; ventricular arrhythmia, paralysis)
  - 농도 40 mEq/L 이하 (central vein은 60 mEq/L 이하)
  - 하루 200 mEq 이하

  - severe deficiency인 경우 40 mEq/hr까지 줄 수도 있으나, 이 경우는 EKG, serum K^+, 요량, pH 등을 close monitoring 해야 됨
- 반드시 normal (isotonic) saline으로 희석하여 주입 (∵ dextrose solution은 초기에 insulin에 의한 K^+의 세포내 이동으로 hypokalemia를 악화시킬 수 있음)
- 심한 조직손상 (e.g., surgical stress or trauma) 환자의 첫 24시간 내 및 oliguria 환자에는 투여하지 않는 것이 좋다

* K^+ replacement에도 반응이 없는 경우는 <u>magnesium deficiency</u>를 고려!

- magnesium deficiency가 hypokalemia를 일으키는 기전
  ① 근육의 Na^+,K^+-ATPase activity 억제 → K^+ influx ↓ → 2ndary kaliuresis
  ② distal nephron에서 ROMK channels 억제 ↓ → K^+ efflux (배설) ↑
  (distal nephron 세포내 Mg^{2+} : apical membrane의 <u>ROMK</u>에 결합하여 K^+ efflux 억제)
  [renal outer medullary potassium channel]
- hypokalemia 환자는 magnesium deficiency 동반이 흔함
  (∵ distal nephron 장애의 다수에서 K^+ & Mg^{2+} wasting이 모두 발생)

HYPERKALEMIA

1. 정의

: plasma K^+ >5.5 mEq/L

2. 원인

Ⅰ. K^+의 extracellular shift

조직손상 ; 근육압박, rhabdomyolysis, 외상, 화상, 운동, TLS, 대량 수혈, 용혈, 내부 출혈 ...
Drugs ; succinylcholine, lysine, arginine, EACA, digitalis, fluoride 중독, β-blocker
Acidosis (특히 inorganic acids)
Hyperosmolality ; hyperglycemia, mannitol 투여, 방사선 조영제 사용
Insulin deficiency
Hyperkalemic periodic paralysis (추위, 감염, 금식, 운동, 전신마취 등에 의해 유발)

Ⅱ. Inadequate K^+ excretion

Distal flow 감소 ; GFR 감소 (AKI, CKD), 유효순환혈장량 감소 (CHF, LC)
RAA axis 억제 ; ACEi, ARB, renin inhibitor (aliskiren) → 병용시 위험 더욱 증가
Aldosterone antagonist (spironolactone, eplerenone, drospirenone)
ENaC blocker (amiloride, triamterene, trimethoprim, pentamidine)
Primary adrenal insufficiency ; Addison's dz., HIV, CMV, TB, heparin, LMWH
Hyporeninemic hypoaldosteronism ; tubulointerstitial diseases, DM, NSAIDs, COX-2 inhibitor, β-blocker, cyclosporine, tacrolimus, pseudohypoaldosteronism type II
Renal resistance to mineralocorticoid
Tubulointerstitial disease ; SLE, amyloidosis, sickle cell anemia, obstructive uropathy
Pseudohypoaldosteronism type I (mineralocorticoid receptor or ENaC의 결함)
Type 4 RTA ; DM, tubulointerstitial disease
Cl^- 재흡수 증가 (chloride shunt) ; Gordon's syndrome, cyclosporine

Ⅲ. Excessive K^+ intake

High K^+ diet, K^+ supplements
K^+ 농도가 높은 수액의 사용 (e.g., TPN)

Ⅳ. Pseudohyperkalemia (artifact) ★

검체의 용혈(hemolysis) : 적혈구 내 K^+가 빠져나옴
채혈시 과다 운동/clenching : 근육세포에서 K^+가 빠져나옴
→ 채혈시 주의, 압박대(tourniquet) 없이 채혈 or 1~2분 이하로
채혈 후 검사까지 시간 지연
Erythrocytosis (e.g., PV)
Thrombocytosis (e.g., ET)
Leukocytosis (e.g., leukemia)
→ Plasma로 재검하면 serum에서보다 낮게 나옴* or blood gas analyzer로 재검(whole blood)
Cell fragility ↑ (e.g., CLL에서 smudge cells ↑)
K^+를 포함한 항응고제 사용 (e.g., K-EDTA)
IV fluid contamination
Familial pseudohyperkalemia (드묾) ; hereditary stomatocytosis, hereditary xerocytosis
↳ red cell anion exchanger (AE1, *SLC4A1* gene) mutations에 의한 적혈구막 투과성 변화로 hemolytic anemia, extracellular K^+ leak 등 발생 가능

*보통 전해질검사는 serum에서 시행됨 : 항응고제가 없는 tube에 채혈 → 응고가 일어난 뒤 serum 분리 → serum 분리 전까지의 시간 동안 세포 파괴 or 세포 내 K^+이 빠져나옴(특히 혈소판에서 심함)

- acute hyperkalemia의 m/c 원인 ; renal failure, acidosis
- chronic hyperkalemia의 m/c 원인 ; 신장에서 K^+ 분비를 감소시키는 약물, renal tubular disorder

3. 임상양상

- 대개 6.5 mEq/L 이상에서 증상 발생
- cardiac arrhythmia (m/i) → EKG 시행!
- ascending muscular weakness → flaccid quadriplegia, respiratory paralysis
- sensory와 cranial nerve는 정상
- 말초혈관저항↓ → 저혈압

* EKG

① peaked T wave
② PR prolongation, bradycardia
③ P wave 낮아지면서 소실
④ QRS widening
⑤ sine wave, ventricular fibrillation & asystole

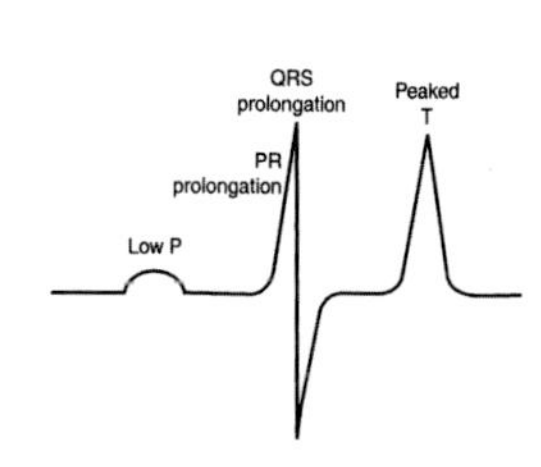

4. 진단

- pseudohyperkalemia가 비교적 흔하므로, 임상적으로 hyperkalemia가 의심되지 않으면 우선은 재검 (e.g., 용혈 방지를 위해 조심스럽게 채혈, serum 대신 plasma or blood gas analyzer로 재검)
- 신장의 K^+ 배설 장애시 (urine K^+ <40 mEq/day) → urine electrolytes 검사
- urine Na^+ <25 mEq/L ⇨ distal Na^+ delivery 감소가 원인
  → 0.9% NS로 volume replacement or furosemide로 치료
- TTKG 계산 (→ hypokalemia 부분 참조)
  - TTKG >8 ⇨ distal/tubular flow 감소 ; 말기 신부전(GFR ≤20), 유효순환혈장량 감소
  - TTKG <5 ⇨ distal K^+ 분비 감소
    → mineralocorticoid (e.g., 9α-fludrocortisone) 투여에 대한 신장의 K^+ 배설 반응 평가
    - TTKG ≥8 (K^+ 배설 증가) ⇨ hypoaldosteronism → renin (PRA), aldosterone 측정
    - TTKG <8 (K^+ 배설 안됨) ⇨ tubular (aldosterone) resistant hyperkalemia
      - distal Na^+ 재흡수의 장애 (→ salt wasting, hypotension, renin↑, aldosterone↑) ; pseudohypoaldosteronism, K^+-sparing diuretics, trimethoprime, pentamidine
      - distal Cl^- 재흡수 증가 (Cl^- shunt) (→ volume↑(HTN), renin↓, aldosterone↓) ; Gordon's syndrome, cyclosporine, distal (type 4) RTA

* aldosterone 감소에 의한 hyperkalemia는 대부분 mild (섭취 증가, 신부전, extracellular shift, K^+ 배설억제 약물 등과 동반되어야 severe hyperkalemia 발생)

5. 치료

: 혈중 K^+ (P_K) 6 이상이면 치료 시작, 7 이상이면 치명적이므로 즉시 응급치료 시행

(1) 급성기 치료 (emergency Tx)

- 실제 체내에서 제거되는 K^+ 양은 없음, 여러 치료법을 병용하면 P_K 감소에 더 효과적!
- calcium gluconate
  - 적응 : 저혈압, 심전도 변화 → 혈압이 안정되고 QRS widening이 없어질 때까지 투여
  - bicarbonate와 같은 line으로 투여하면 calcium carbonate 침착 발생 위험 (→ 다른 line으로)

- digoxin의 심장독성을 악화시키므로 digoxin 복용 중인 환자는 20~30분에 걸쳐 서서히 정주
- β_2-agonist : ESRD 환자의 ~20%에서는 효과 없음 (→ 반드시 insulin과 병용)
- bicarbonate
  - 장시간 (4~6시간) 주입해야 P_K 감소 효과 → 급성기 치료로 단독으로는 사용 금기
  - metabolic acidosis에서 유용 → CKD 환자는 serum HCO_3^-를 거의 정상으로 유지하면 좋음
  - 투석 받는 신부전 환자에서는 짧은 시간 주입하면 효과 없음

종류	작용기전	Onset	Duration	용법
Calcium gluconate*	세포막에 대한 K^+ 작용을 antagonize (심장전도이상 방지)	1~2분	30~60분	10% calcium gluconate 용액 10 mL을 2~3분간 정주
Insulin + glucose	K^+의 세포 내로의 이동 촉진	10~20분 (peak 30~60분)	4~6시간	RI 10~20 units IV + 50% glucose 25~50 g IV
Albuterol (β_2-agonist)	K^+의 세포 내로의 이동 촉진	30분 (peak 90분)	2~6시간	Nebulized albuterol 10~20 mg in 4 mL N/S, 10분 이상 inhalation
Bicarbonate	K^+의 세포 내로의 이동 촉진	몇 시간	주입 시간	$NaHCO_3$ 150 mEq in 1 L 5% DW 2~4시간 동안 IV

(2) 만성기 치료 : K^+를 체외로 제거

종류	작용기전	Duration	용법	체내에서 제거되는 K^+ 양
Loop diuretics (± thiazide) (신기능이 정상일 때)	Renal K^+ excretion 증가	2~3시간 (onset 15분)	Furosemide, 40~160 mg IV or orally with/without $NaHCO_3$ 0.5~3 mEq/kg/day	Variable
Cation-exchange resin: Sodium polystyrene sulfonate (SPS)	Ion exchange resin이 K^+에 결합 → 대장에서 K^+ excretion 증가	1~3시간 (onset >2시간) (peak ~14시간)	Oral: 15~30 g in 33% sorbitol (50~100 mL) Rectal: 50 g in 33% sorbitol	약 0.1 mEq/g
Hemodialysis (가장 빠르고 효과적)	Extracorporeal K^+ removal	48시간	Blood flow ≥200~300 mL/min Dialysate $[K^+]$ = 0	200~300 mEq
Peritoneal dialysis	Peritoneal K^+ removal	48시간	Fast exchange, 3~4 L/h	200~300 mEq

- emergency Tx.만 하면 K^+가 ECF로 재분포되므로 K^+를 체외로 제거하는 치료도 병행해야 됨
- sodium polystyrene sulfonate in sorbitol (SPS, Kayexalate®) : 장관 내에서 Na^+을 K^+로 교환함
  - 신기능 저하 and/or RAAS inhibitors 사용 환자에서 유용
  - intestinal necrosis 부작용이 가장 문제 … 고위험군 ; 수술, ileus, 장폐쇄, 장염, IBD, opiates
  - calcium polystyrene sulfonate (Kalimate®) : serum Na^+ 증가가 없어 염분제한 환자에서 유용
- 새로운 GI cation exchangers (intestinal potassium binders) : SPS보다 부작용 적어 선호됨
  - patiromer (Veltassa®) : 대장에서 Ca^{2+}를 K^+로 교환함
  - sodium zirconium cyclosilicate (ZS-9) : 장관 내에서 Na^+ & H^+를 K^+ & NH_4^+로 교환함
- 혈액투석 : 내과적 치료에 반응이 없거나, 투석이 필요한 신부전 환자에서 시행
- 복막투석 : 혈액투석보다 K^+ 제거 속도가 매우 느리므로, severe hyperkalemia에서는 사용×
- 기타 ; K^+ 섭취 제한, K^+ 배설 억제 약물 중단(e.g., NSAIDs), RAAS inhibitors 용량↓ 등

기타 전해질 장애

Hypercalcemia의 원인
1. 섭취 or 흡수의 증가 Milk-alkali syndrome Vitamin D or vitamin A excess
2. 내분비질환 Primary hyperparathyroidism (adenoma, hyperplasia, carcinoma) Secondary hyperparathyoidism (renal insufficiency, malabsorption) Acromegaly Adrenal insufficiency
3. 종양 (보통 primary hyperparathyroidism보다 심함) PTH-related proteins을 분비하는 종양 (ovary, kidney, lung) Bone metastasis (local ostcolysis) Lymphoproliferative disease (multiple myeloma 포함) Prostaglandins과 osteolytic factors 분비
4. 기타 Thiazide, Sarcoidosis, Paget's disease of bone Hypophosphatasia Immobilization Familial hypocalciuric hypercalcemia Renal transplantation의 Cx Iatrogenic

→ 내분비내과 5장, 혈액종양내과 15장 참조

Hypocalcemia의 원인
1. 섭취 or 흡수의 감소 Malabsorption Small bowel bypass, short bowel Vitamin D 결핍 (흡수 감소, 25-hydroxyvitamin D or 1,25-dihydroxyvitamin D의 생성 감소
2. 소실 증가 Alcoholism Chronic renal insufficiency Diuretics (furosemide, bumetanide)
3. 내분비질환 Hypoparathyroidism (genetic, acquired; including hypomagnesemia) Pseudohypoparathyroidism Medullary carcinoma of the thyroid에서 calcitonin 분비
4. 급성 췌장염
5. 생리적인 원인 Alkalosis Serum albumin 감소와 관련되어 Vitamin D에 대한 end-organ response 감소 Hyperphosphatemia ; tumor lysis, rhabdomyolysis, AKI ... Aminoglycoside antibiotics, mithramycin, plicamycin, loop diuretics, foscarnet, calcitonin

→ 내분비내과 5장 참조

Hypomagnesemia

- Mg^{2+} (hidden ion) ; K^+, Ca^{2+} 때문에 그 중요성이 간과되나, ICF의 2nd m/c 양이온임
  - total body Mg은 약 25 g (15 mmol/kg) → 약 60%는 뼈에 존재, 나머지 대부분은 ICF에 존재
  - 약 1% 만 ECF에 존재 → serum Mg 1.7~2.4 mg/dL = 0.7~1.0 mmol/L, 1.5~2.0 mEq/L
    (c.f., Mg의 원자량은 24.3이므로 1 mmol = 2 mEq = 2.4 mg)
- Mg deficiency의 유병률 ; 일반 병동 환자의 10~20%, ICU 입원 환자의 60~65%

* Mg^{2+} 결핍은 Ca^{2+}이나 K^+ 결핍을 동반하는 경우가 많으며 이때 Mg^{2+} 결핍을 치료하지 않으면 hypocalcemia나 hypokalemia도 교정되지 않는다

- hypermagnesemia, severe & prolonged hypomagnesemia → PTH의 분비↓
- hypomagnesemia → end-organ의 PTH에 대한 반응을 방해함

⇨ hypocalcemia

- 원인

1. 섭취 or 흡수의 감소 (m/c)
장기간 금식, 영양실조, 알코올중독 (alcoholics의 30%에서 발생)
흡수장애(지방변), 급성 췌장염, 만성구토/설사, 완하제(laxative) 남용
Prolonged GI suction, Small bowel bypass, Inadequate parenteral nutrition (Mg^{2+} content↓)
Vitamin D 결핍, PPIs, Intestinal hypomagnesemia with secondary hypocalcemia (*TRPM6* mutation)

2. Renal loss 증가
Inherited Hypomagnesemia ; Gitelman's syndrome, Bartter's syndrome,
Familial hypomagnesemia with hypercalciuria and nephrocalcinosis (*FHHNC*, claudin-16 or 19 mutation),
AD isolated hypomagnesemia (*FXYD2* mutation), AR isolated hypomagnesemia (*EGF* mutation),
Renal malformations and early-onset DM (HNF1-beta mutation) ...
후천성 세뇨관장애 ; TID, ATN의 회복기(diuretic phase), Postobstructive diuresis, 신장이식
Hyperaldosteronism, Hyperparathyroidism, Hyperthyroidism, SIAD
Hypercalcemia, Phosphate depletion, Chronic metabolic acidosis,
Volume expansion, Uncontrolled DM, 알코올중독
약물 ; 이뇨제(loop, thiazide), AG, amphotericin B, cisplatin, cyclosporine, ethanol, foscarnet, pentamidine,
EGF receptor Ab (cetuximab, panitumumab, matuzumab) ...

3. 기타
Intracellular redistribution ; DKA 회복기, Insulin therapy & refeeding, Catecholamines,
Respiratory acidosis의 교정
Bone formation 가속 ; Postparathyroidectomy (hungry bone syndrome), Vitamin D 결핍의 치료,
Osteoblastic metastasis
대량수혈, 임신(3기)/수유, Acute intermittent porphyria ...

- 임상양상 ; 대부분 무증상, serum Mg <1.2 mg/dL (1 mEq/L) 때부터 증상 발생
  - 전해질 이상 ; refractory hypokalemia (40%), refractory hypocalcemia (22%),
    hypophosphatemia (30%), hyponatremia (27%)
    (hypokalemia, hypocalcemia - 동반되어 있거나, Mg def.의 결과로 발생)
  - 심장 증상(arrhythmia, digitalis toxicity↑, Torsades de pointes), 근력약화, 신경증상 등
- 치료
  - mild, asymptomatic ⇨ oral magnesium salts ($MgCl_2$, MgO, $Mg[OH]_2$), 설사 발생에 주의
  - severe or symptomatic (<1 mEq/L) ⇨ IV로 투여, 50 mmol/day (100 mEq Mg^{2+}/day)
- potassium, calcium, phosphate 등의 결핍 동반 여부도 반드시 확인하여 교정해야 됨

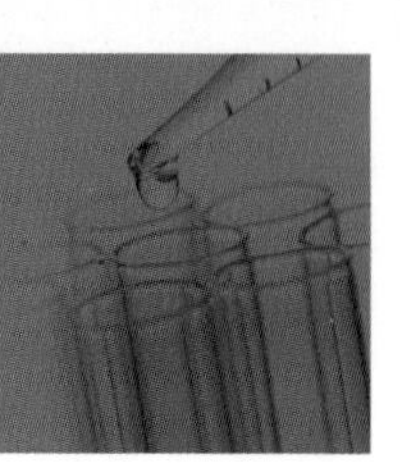

3
산염기 장애

개요 (분석순서)

1. primary (or main) disorder 결정 (metabolic or respiratory 인지)
   ⇨ blood pH, HCO_3^-, Pco_2 값으로

2. compensatory response의 정도를 계산하여 mixed acid-base disorder의 존재 여부를 확인

Disorder	Primary Defect	Compensatory Response	Compensation 정도★	Compensation 한계치
Respiratory				
Acidosis				
Acute	↑ Pco_2	↑ HCO_3^-	$=\Delta Pco_2 \times 0.1$	30 mEq/L
Chronic	↑ Pco_2	↑ HCO_3^-	$=\Delta Pco_2 \times 0.4$	45 mEq/L
Alkalosis				
Acute	↓ Pco_2	↓ HCO_3^-	$=\Delta Pco_2 \times 0.2$	17~18 mEq/L
Chronic	↓ Pco_2	↓ HCO_3^-	$=\Delta Pco_2 \times 0.5$	12~15 mEq/L
Metabolic				
Acidosis	↓ HCO_3^-	↓ Pco_2	$=\Delta HCO_3^- \times 1.3$ or $(1.5 \times HCO_3^-) + 8$	10 mmHg
Alkalosis	↑ HCO_3^-	↑ Pco_2	$=\Delta HCO_3^- \times 0.7$	55 mmHg

3. **음이온차(anion gap, AG)** 계산 (→ high-AG, normal-AG acidosis의 흔한 원인 확인)
   - high-AG MA ; ketoacidosis, lactic acidosis, renal failure, toxins
   - normal-AG MA ; 위장관을 통한 bicarbonate loss, RTA

4. high-AG MA ⇨ 중탄산염 감소량과 AG 증가량 비교 ($\Delta AG/\Delta HCO_3^-$), Osmolar gap 계산
   ① $\Delta AG/\Delta HCO_3^-$ 1~2 → simple high-AG metabolic acidosis (MA)
   ② $\Delta AG/\Delta HCO_3^-$ >2 (HCO_3^-가 덜 감소됨) → metabolic alkalosis (or respiratory acidosis)도 동반
   ③ $\Delta AG/\Delta HCO_3^-$ <1 (HCO_3^-가 더 감소됨) → normal-AG acidosis (or respiratory alkalosis)도 동반

5. 환자의 임상양상과 비교하여 확인

ABGA 정상치 : pH 7.36~7.44, PaO_2 80~100, $PaCO_2$ 35~45 (<u>40</u>), $[HCO_3^-]$ 21~28 (<u>24</u>) mEq/L

생리적 영역에서의 arterial pH와 H^+ 농도의 관계

pH	$[H^+]$, nmol/L	pH	$[H^+]$, nmol/L
7.8	16	7.3	50
7.7	20	7.2	63
7.6	26	7.1	80
7.5	32	7.0	100
7.4	40	6.9	125
		6.8	160

$pH = -\log 10[H^+]$
↳ power of hydrogen

*Henderson–Hasselbalch equation

$$pH = 6.1 + \log \frac{[HCO_3^-]}{[H_2CO_3]}$$
↳ $0.03 \times pCO_2$

$$[HCO_3^-] = 24 \times \frac{PaCO_2}{[H^+]}, \quad [H^+] = 24 \times \frac{PaCO_2}{[HCO_3^-]}$$

$H_2O + CO_2 \leftrightarrow H_2CO_3 \leftrightarrow H^+ + HCO_3^-$
이산화탄소 / 탄산(carbonic acid) / 중탄산염(bicarbonate)

* arterial pH는 혈액내 CO_2:HCO_3^- 상대적 비율의 영향을 받음 (HCO_3^-는 m/i ECF buffer)
- 당과 지방을 분해하는 과정에서 CO_2가 생성됨, 단백질 대사는 다양한 산들을 생성함
- 폐포호흡 : 체내에서 만들어진 CO_2의 대부분을 배출하는 역할
- 신장 : 소변으로 H^+를 배출하고 HCO_3^-를 재흡수하는 역할 (주로 근위세뇨관에서)

c.f.) • ABGA 검사 : pH, pCO_2, pO_2를 직접 측정하고 $[HCO_3^-]$, base excess는 기계에서 계산됨
• total CO_2 content : 정맥혈에서 대개 전해질 검사기계(ISE)로 측정함
= HCO_3^- (94%), dissolved CO_2 (5%), carbonic acid, carbonic ion, 단백에 결합된 CO_2 등을 모두 포함 → 대략 tCO_2 ≒ HCO_3^-라고 보면 됨

대사성 산증 (Metabolic acidosis)

- 혈중 HCO_3^-의 감소와 H^+의 증가로 acidemia가 발생한 상태
- 보상성 과호흡으로 $PaCO_2$는 감소됨

1. 병태생리

(1) acid load에 대한 신체의 반응

① 체액(ECF)에서 HCO_3^-에 의한 완충작용
② 세포내 완충작용 : H^+가 세포내로 이동
→ H^+-K^+ exchange 기전에 의해 K^+는 세포외로 이동 (plasma K^+ ↑)
③ 신장의 작용 (urine acidification) : NH_3 생산을 증가시켜 H^+를 배설 (NH_4Cl의 형태로) → HCO_3^- 재생산 (H^+ 하나의 배설은 HCO_3^- 하나의 생산과 같다)
④ 호흡성 보상작용 (hyperventilation) → Pco_2 ↓

(2) 혈장 음이온차(anion gap, AG) … metabolic acidosis 감별의 first step!!

• Na^+ + unmeasured cation = HCO_3^- + Cl^- + unmeasured anion

$$\text{Anion Gap} = \text{unmeasured anion} - \text{unmeasured cation} = [Na^+] - ([HCO_3^-] + [Cl^-])$$

• 정상치 : 8~12 mEq/L (mmol/L)검사실 및 개인별로 다를 수 있음
↳ 현재 ISE 기법으로는 Cl^-가 과거보다 높게 측정되므로 3~10 mEq/L (평균 6 mEq/L)

unmeasured anions : (−)charged albumin, phosphate, sulfate, lactate 및 그 외의 organic acids
unmeasured cations : Ca^{2+}, Mg^{2+}, K^+, globulin

① high AG acidosis (= normochloremic metabolic acidosis) : HCO_3^-↓, Cl^- 정상
• 대개 다량의 organic acids가 첨가되거나 생산이 증가 되어 발생
(organic acid의 H^+는 HCO_3^-와 결합하여 제거됨)
⇨ unmeasured anion 증가 ⇨ AG 증가 (AG이 증가된 만큼 HCO_3^- 감소가 있는 것이 보통)
예) severe renal failure → organic acids의 배설 장애
DKA → ketone bodies (acetoacetate, β-hydroxybutyrate) 생성
• 드물게 unmeasured cations (e.g, Ca^{2+}, Mg^{2+}, K^+)의 감소, albumin의 증가 때도 발생

* serum osmolar gap (= measured osm. − calculated osm.) [정상 10~15 mOsm/kg]

$$\text{Calculated osmolality} = 2\times[Na^+] + \frac{\text{glucose}}{18} + \frac{\text{BUN}}{2.8}$$

- ≥20 증가시 unmeasured, osmotically active substance 증가를 의미 (대개 intoxication)
; ethanol, methanol, ethylene glycol, propylene glycol, mannitol, 조영제 등
- DKA, lactic acidosis, renal failure에서도 약간은 증가 가능
- isopropyl alcohol : osmolar gap은 증가하지만, 보통 high-AG acidosis은 안 일으킴

② normal AG acidosis (= hyperchloremic metabolic acidosis) : HCO_3^-↓, Cl^-↑ … 더 흔하다!
(a) alkali loss 예) GI HCO_3^- loss (diarrhea)
(∵ 소장과 췌장의 분비액은 다량의 HCO_3^- 를 함유)
→ HCO_3^--Cl^- exchange 기전에 의해 감소된 HCO_3^- 만큼 Cl^- 증가
(b) 신장의 urine acidification 장애 예) RTA
→ 신장에서 HCO_3^-가 소실되어도, Cl^- 흡수가 촉진 → 10장 RTA 부분 참조!
(c) dilutional acidosis : isotonic (0.9%) saline을 급속히 투여하면 Cl^- 농도 증가와
HCO_3^- 농도 감소에 의해, mild hyperchloremic acidosis 발생

③ AG이 감소하는 경우
(a) unmeasured cations 증가 (e.g., hypercalcemia, hypermagnesemia)
(b) abnormal cations 증가 (e.g., lithium) or cationic Ig 첨가 (e.g., plasma cell dyscrasia)
(c) albumin 감소 (e.g., NS, 간질환, 영양실조, 흡수장애)
**hypoalbuminemia 환자는 AG을 계산할 때 정상 albumin 농도로 보정해줘야 됨!
⇨ 정상(4.5 g/dL)에서 1 g/dL 감소할 때마다 AG 2.5 mmol/L씩 감소되므로 더해줌
(d) albumin의 (−) charge 감소 (e.g., acidosis)
(e) hyperviscosity, severe hyperlipidemia (→ Na^+, Cl^-이 실제보다 낮게 측정됨: pseudo~)

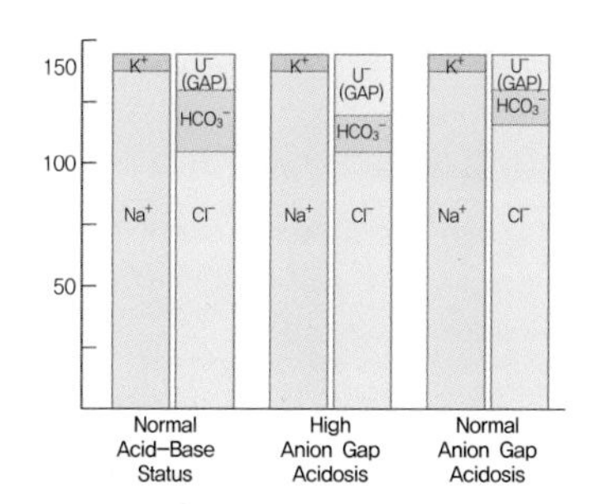

(3) 소변 음이온차(urine anion gap, UAG)

Urine AG = ($[Na^+]$ + $[K^+]$) − $[Cl^-]$

- 신장의 urine acidification (NH_4^+ 배설) 능력을 반영 ($NH_3 + H^+ + Cl^- \rightarrow NH_4Cl$로 배설)
- 정상 : (+) (unmeasured anions > unmeasured cations)
- hyperchloremic metabolic acidosis의 감별 (renal ↔ nonrenal)에 이용 ★
  ↳ UAG이 (+)일수록 신장에서 산H^+ ($NH_4^+-Cl^-$) 배설이 안 되는 것임

  ① **non-renal** : GI HCO_3^- loss (e.g., diarrhea), urine acidification 능력은 정상
  → metabolic acidosis에 대한 정상 반응으로 NH_4Cl 배설이 증가되었음!
  → urine Cl^- > $Na^+ + K^+$ → urinary AG (−) : 대개 −30 ~ −50

  ② **renal** : CKD or RTA, NH_4^+ 배설 장애 (renal HCO_3^- loss) → urinary AG (+) or 0

2. 원인 ★

■ high AG acidosis의 원인 감별진단 순서

① drug/toxin 섭취의 병력, respiratory alkalosis (∵ salicylates) 동반여부 파악
② osmolar gap도 증가된 경우 → ethanol, methanol, ethylene glycol, propylene glycol
③ DM (DKA) R/O ; ketone (+) ④ alcoholism (AKA) R/O ; β-hydroxybutyrate ↑
⑤ 신부전 R/O ; uremia의 증상, BUN/Cr 측정
⑥ 소변의 calcium oxalate crystals (+) → ethylene glycol intoxication
⑦ lactate가 증가될 수 있는 원인 파악 (e.g., 심부전, 저혈압, shock, leukemia, cancer, drug/toxin)

ANION GAP 증가 (High-AG MA)
Ⅰ. Acid 생산 증가 Ketoacidosis ; diabetic (DKA), alcoholic, starvation Lactic acidosis (m/c) ; 순환/호흡부전에 이차적으로(∵ hypoxia), 감염, drugs/toxins 등 Intoxication ; salicylates, AAP, ethylene glycol, propylene glycol, methanol, paraldehyde, phenformin, iron, INH, amphetamines, CO, cocaine, toluene, valproic acid ...
Ⅱ. 신부전(uremic acidosis) : 신기능 감소가 매우 심한 경우 여러 organic acids의 축적으로 발생 (↔ stage 3~4 CKD [GFR 15~60]에서는 normal-AG acidosis가 발생함) → 5장 참조

ANION GAP 정상 (Normla-AG or Hyperchloremic MA)
Ⅰ. GI bicarbonate 상실 ⇨ urine AG negative Diarrhea Small bowel or external pancreatic drainage Ureterosigmoidostomy, jejunal loop, ileal loop Drugs ; calcium chloride (→ acidifying agent), magnesium sulfate (→ diarrhea), cholestyramine (→ blie acid diarrhea)
Ⅱ. Renal tubule의 장애 Type 1 (distal) or 2 (proximal) RTA : hypokalemia 동반 → 10장 참조 Drugs ; amphotericin B, ifosfamide, acetazolamide, topiramate ... Type 4 RTA (hypoaldosteronism) : hyperkalemia 동반 Mineralocorticoid deficiency (e.g., DM) or resistance Distal nephron으로의 Na^+ 운반 감소 Ammonium excretion 장애 Tubulointerstitial dz. Drug-induced hyperkalemia (+ renal insufficiency) K^+-sparing diuretics (e.g., amiloride, spironolactone, triamterene), Cyclosporine, tacrolimus, trimethoprim, pentamidine NSAIDs, ACEi, ARB, renin inhibitor ...
Ⅲ. 기타 HCl 생성 ; ammonium chloride, cationic amino acids (lysine HCl, arginine HCl), parenteral hyperalimentation Bicarbonate 소실 ; ketosis with ketone excretion Expansion acidosis ; rapid saline administration Hippurate, Cation exchange resins

■ **Lactic acidosis** … m/c high-AG MA

- type A (hypoxic) lactic acidosis (m/c)
  - tissue hypoperfusion (hypoxia)에 의한 L-lactate의 생산 증가 때문
  - lactate : pyruvate > 10 : 1
  - 예 ; hypovolemia, cardiogenic shock (e.g., AMI), pulmonary dz., sepsis, severe anemia, CO or cyanide poisoning (∵ 산소 요구량과 공급의 국소적인 불균형 때문에)
- type B lactic acidosis (metabolic causes) : hypoperfusion이 없이 발생한 경우
  - lactate : pyruvate = 10 : 1
  - 예 ; 악성종양, 알코올중독, 간부전, 신부전, 심한 감염, 심한 운동, DM, AIDS, seizure, drugs (e.g., β-agonist [IV epinephrine], biguanide [metformin], ethanol, methanol, salicylate, isoniazid, nucleoside reverse-transcriptase inhibitors [NRTIs], propofol 등)
- Dx ; plasma lactate (lactic acid) >4 mmol/L (정상치: 0.5~1.5 mmol/L)
  - NaF(적혈구에 의한 glycolysis 억제) tube로 채혈 후 plasma로 검사 (enzymatic colorimetric method)
  - 전혈로 blood gas analyzer (POCT)에서도 측정 가능
- Tx ; 기저질환의 빠른 치료가 m/i
  - $NaHCO_3$ 투여 ; 매우 심한 경우에만(pH<7.1) ⇨ pH ~7.2, HCO_3^- ~12 까지만 목표로 함
    ↳ CO_2에 의한 심근기능↓, hypernatremia, fluid overload, HTN, overshoot alkalosis 위험
  - 혈액투석은 tissue hypoperfusion을 악화시킬 수 있으므로 도움 안됨

■ **Alcoholic ketoacidosis (AKA)**

- ketone의 생성 증가와 다양한 혈당치를 보임 (DM이 없으면서)

- 전형적으로 폭음, 구토, 기아 후에 발생
- Tx ; saline과 glucose 투여로 즉시 호전됨 (5% dextrose in N/S)
  - hypokalemia, hypophosphatemia, hypomagnesemia 등의 동반도 흔하므로 교정
  - hypophosphatemia는 입원 12~24시간 뒤 현저해짐, glucose 투여로 악화될 수 있음 (→ 심하면 rhabdomyolysis or respiratory arrest 발생 위험)

■ **Methanol or ethylene glycol (부동액) intoxication**
- toxic alcohol은 주로 그 대사산물인 다양한 organic acids에 의해 독성이 나타남
- Tx ; alcohol dehydrogenase (ADH)를 억제하여 독성 대사물 형성을 방지하는 것이 중요
  - saline, osmotic diuresis, $NaHCO_3$, thiamine & pyridoxine supplements 등
  - fomepizole (4-methylpyrazole) IV : ADH inhibitor
  - ethanol IV : 다른 alcohol보다 ADH 친화력 10배 강함, 혈중 농도 100~200 mg/dL 유지
  - 혈액투석 : pH <7.3 *or* osmolar gap >20 mOsm/kg일 때

■ **Propylene glycol intoxication**
- 일부 IV drugs 및 화장품의 용매로 사용됨 ; lorazepam [Ativan®], diazepam, phenytoin, pheno/pentobarbital, nitroglycerin, etomidate, enoximone, TMP-SMX 등
- 발생 위험인자 ; ICU 입원, CKD, CLD, 알코올 중독, 알코올 금단 치료, 임신
- 간에서 ADH에 의해 lactic acid로 대사됨 → high-AG acidosis (보통 mild), osmolar gap↑
- Tx ; 원인 약물 중단 (반감기가 짧아 금방 회복됨), acidosis 심하면 fomepizole

■ **Salicylate (e.g., aspirin) intoxication**
- 직접 respiratory center를 자극하기도 함 → 초기 증상은 respiratory alkalosis (나중에 MA 발생)
- Tx ; gastric lavage, activated charcoal, $NaHCO_3$[탄산수소나트륨] 등

■ **Pyroglutamic acid acidosis (5-oxoprolinemia)**
- AAP 과다 or 만성적인 복용시 발생 가능 (여성, 영양실조, 만성질환자, 중환자, 신기능↓ 등에서)
- chronic glutathione deficiency 때문 (acute AAP overdose와는 다름), osmolar gap은 정상
- Tx ; AAP 중단, $NaHCO_3$, *N*-acetylcysteine

■ **Starvation ketosis**
- relative insulin deficiency & glucose excess → fatty acid mobilization↑ → 간에서 keto acids로 산화 → mild high-AG metabolic acidosis 발생
- HCO_3^-가 18 mmol/L 이하로 떨어지는 심한 acidosis는 거의 없음 (∵ ketone body가 췌장에서 insulin 분비 자극 → lipolysis↓)

3. 임상양상

- 호흡곤란, 호흡증가 (∵ 호흡성 보상기전)
- 신경증상 ; 기면, 경련, 혼수 (resp. acidosis에 비해서는 덜 심함)
- chronic acidosis (골 완충계가 H^+를 처리) → osteopenia, 소아에서는 성장장애
- lean body mass 감소, 근위축, 근력저하
- pH 7.0~7.1 이하시 ventricular arrhythmia 발생, 심근 수축력↓

4. Severe acidosis의 부작용

1. 심혈관계 부작용
심근 수축력 장애
세동맥 확장, 정맥 수축, blood volume의 centralization
폐혈관 저항 증가
CO, 동맥압, 간 및 신혈류 감소
Re-entry arrhythmia, VF 발생 위험 증가
Catecholamines에 대한 심혈관계 반응성 약화

2. 호흡기 부작용
Hyperventilation, 호흡근 약화, 호흡곤란

3. 대사성 부작용
대사 요구량 증가
Insulin resistance
Anaerobic glycolysis 억제
Adenosine triphosphate synthesis 감소
Hyperkalemia
단백질 분해 증가

4. CNS 부작용
Metabolism & cell-volume regulation 억제
둔감, 혼수

* hyperkalemia : 주로 inorganic acidosis (i.e., normal-AG acidosis)에서 발생
  - organic acids (e.g., lactic acid)에 의한 산증은 보통 K^+의 변화가 없다
    (예외 ; DKA - insulin 결핍으로 인해 hyperkalemia 발생)

5. 치료

(1) 기저 질환의 치료

(2) acute alkali replacement
- severe acidosis (pH <7.1~7.2 or HCO_3^- <10 mEq/L)일 때 $NaHCO_3$ IV로 투여
- 치료 목표 ; <u>pH 7.2</u> (정상까지 높이지는 않는다!)
- **bicarbonate deficit (투여량) = (<u>목표[HCO_3^-]</u> - 현재[HCO_3^-]) × 체중 × 0.5**
  * 목표[HCO_3^-] = 24×현재[$PaCO_2$]/[H^+], <u>pH 7.2</u>에서의 [H^+]는 63
    → 목표[HCO_3^-] ≒ 0.4×현재[$PaCO_2$] (pH 7.2를 기준으로 [HCO_3^-] 목표를 정함!)
  * pH가 7.2 이상이면 목표[HCO_3^-]를 그냥 15 mEq/L로 함
- 보통 $NaHCO_3$ 50~100 mEq를 30~45분 동안 투여한 뒤 ABGA 시행 후 재평가
- plasma K^+가 정상이라면, 실제 total body K^+는 부족한 상태임 (∵ acidosis의 보상을 위해 세포내 K^+가 ECF로 나왔기 때문) → acidosis 교정시 반드시 K^+도 보충해 주어야 함!
- metabolizable anion (e.g., β-hydroxybutyrate, acetoacetate, lactate)이 축적된 DKA, lactic acidosis 같은 경우는 기저질환 교정에 따라 anion이 대사되므로 alkali 투여에 신중해야 됨

(3) chronic alkali replacement
- RTA ; oral sodium <u>citrate</u> and/or potassium citrate
  ↳ 빠르게 bicarbonate로 대사됨

- CKD ; uremic acidosis (high-AG) 및 stage 3~4의 normal-AG MA에서 alkali 투여 필요
  - oral sodium bicarbonate ($NaHCO_3$ tablets) or sodium citrate
    c.f.) Shohl's solution (sodium citrate + citrate) : 위장관 가스 형성이 적어 선호됨
  - oral calcium citrate, calcium acetate, or calcium carbonate
    (∵ bone의 calcium carbonate가 산 중화 buffers로 사용되어 bone loss 발생)

대사성 염기증 (Metabolic alkalosis)

* 혈중 HCO_3^-의 증가로 alkalemia가 발생한 상태, 보상성 기전 (호흡 저하)으로 P_{CO_2} 는 증가됨

1. 원인

Saline-Responsive : ECF contraction (U_{Cl} <10~15 mEq/L)	Saline-Unresponsive (U_{Cl} >20 mEq/L)
체내 bicarbonate content 증가 [1] GI alkalosis Vomiting or NG suction (HCl 소실) Intestinal alkalosis ; villous adenoma, chloride diarrhea [2] Renal alkalosis Diuretics (distant) : 장기간 투여시 K^+ & H^+ 분비↑ Edematous state Posthypercapnic alkalosis 재흡수가 잘 안되는 anion의 therapy ; carbenicillin, penicillin, sulfate, phosphate [3] Exogenous alkali $NaHCO_3$ (e.g., baking soda) Citrate, lactate, gluconate, acetate → bicarbonate로 대사됨 대량수혈(citrate), antacids, Milk-alkali syndrome *체내 Bicarbonate content 정상* Contraction alkalosis : edematous 환자에서 loop or thiazide diuretics 사용	[1] 혈압 정상~↓ (ECFV 감소 가능) Bartter's syndrome, Giltelman's syndrome Magnesium 결핍, 심한 potassium 결핍 Hypercalcemia & hypoparathyroidism 금식 이후 탄수화물 섭취(refeeding alkalosis) Lactic acidosis or ketoacidosis에서 회복 Diuretics (recent) : acutely ECFV↓ (contraction alkalosis) [2] 고혈압 동반 (ECFV 증가) Endogenous mineralocorticoids excess High-renin ; renal artery stenosis, accelerated HTN, renin-secreting tumor, estrogen therapy Low-renin Primary aldosteronism Adrenal enzyme deficiency (11β/17α-hydroxylase) Cushing's syndrome/disease Liddle's syndrome (ENaC mutation, aldosterone은 정상) Exogenous mineralocorticoids ; 감초(licorice), carbenoxolone, 전자담배(smokeless tobacco)

* Vomiting이나 이뇨제(loop, thiazide)에 의한 volume depletion이 m/c 원인임

2. 병태생리

- alkalosis를 발생시키는 원인과, 유지시키는 기전이 필요
- metabolic alkalosis는 urinary Cl^- (saline 반응성, volume status)에 따라 크게 2가지로 분류!
- alkalosis에서는 HCO_3^- 배설 증가에 따라 Na^+의 배설도 증가하므로,
  extracellular volume status를 아는데 urinary Cl^-가 더 정확
  (but, 최근에 diuretics를 사용한 경우에는 volume contraction에도 불구하고 urinary Na^+ & Cl^-↑)

(1) saline-responsive metabolic alkalosis (더 흔함)

- 특징 : volume contraction, hypokalemia, urinary Cl^-↓ (<10~15 mEq/L)

- vomiting or NG suction의 예에서는 위산(HCl)의 소실에 의해 alkalosis가 발생되고, volume contraction (∵ Cl^- loss)에 의해 alkalosis가 유지됨 (∵ 신장에서 Na^+, Cl^-, HCO_3^- 재흡수↑)
  → "paradoxical aciduria" 발생 가능 (∵ aldosterone↑→ distal H^+ secretion↑)
- hypokalemia의 발생기전
  ① distal tubule의 HCO_3^-↑ → lumen 내의 (−) charge↑ → K^+ 배설↑
  ② alkalosis → K^+의 intracellular shift ↑
  ③ volume depletion → secondary aldosteronism
  * K^+ level이 2 mEq/L 이하로 떨어지면 saline unresponsive 해짐 (→ KCl엔 반응)
- chronic hypercapnea (Pco_2↑)시 보상작용으로 HCO_3^- 증가
  → mechanical ventilation등에 의해 Pco_2가 빠르게 감소할 경우 HCO_3^-는 계속 높은 상태로 존재하여 alkalosis 발생 (특히 hypovolemia 동반되어 있는 경우)
- distal nephron으로의 salt delivery 증가 (loop diuretics 사용시)
  → salt를 재흡수하기 위해 H^+ 배설 ↑
  (diuretics는 volume contraction과 K^+ depletion에 의해서도 metabolic alkalosis 일으킴)

(2) saline-unresponsive metabolic alkalosis

- urinary Cl^-↑ (>20 mEq/L)
- severe K^+ depletion (<2 mEq/L)
  : 세포내 H^+ 농도↑ → renal tubular cell 내의 H^+ 농도도↑ → H^+ 분비↑ & HCO_3^- 재흡수↑
- mineralocorticoid excess (HTN, ECFV↑) : distal tubule에서 H^+ 분비↑ → HCO_3^- 재흡수↑

3. 증상

- hypovolemia에 의한 증상 (saline-responsive에서)
- hypocalcemia (∵ protein (albumin) charge의 변화로 인한 Ca^{2+} 감소로)
  → Chvosteck's sign, Trousseau's sign, tetany, 감각이상
- hypokalemia → 근육마비, 다뇨, 야뇨증
- 심혈관계 이상 & EKG 이상, 호흡저하 (∵ 호흡성 보상), 기면, 혼돈, 경련

4. 치료

- 원인을 제거하고, alkalosis를 유지하는 기전을 교정
- 치료의 적응 ; severe alkalosis (pH >7.6), 증상 有, 기저 심폐질환 有

(1) saline-responsive metabolic alkalosis

① isotonic saline (+ KCl) : 대개 saline 및 KCl의 투여로 alkalosis 교정됨
 (신장에서 H^+ 배설 억제 및 HCO_3^- 배설 촉진)에 효과적
 - c.f., 링거액의 lactate는 간에서 HCO_3^-로 분해되어 alkalosis 악화 가능
② 신기능 장애시 → dialysis
③ 부종이 있는 경우 → K^+-sparing diuretics (spironolactone),
 심하면 HCl IV or carbonic anhydrase inhibitor (acetazolamide)
④ posthypercapnic → acetazolamide

(2) saline-unresponsive metabolic alkalosis

① mineralocorticoid excess의 원인 제거 (수술 등)

② ACEi (1° hyperreninemia) or spironolactone (1° hyperaldosteronism)

③ pH >7.7 or [H^+] <20 → H^+ 투여 필요 (HCl IV, oral NH_4Cl)

호흡성 산증 (Respiratory acidosis)

1. 원인

Acute	Chronic
Airway obstruction Aspiration of foreign body or vomitus Laryngospasm, Generalized bronchospasm Obstructive sleep apnea	**Airway obstruction** COPD (bronchitis, emphysema)
Respiratory center depression General anesthesia, Sedative overdosage Cerebral trauma or infarction Central sleep apnea	**Respiratory center depression** Chronic sedative overdosage Primary alveolar hypoventilation Obesity-hypoventilation syndrome (Pickwickian syndrome) Brain tumor Bulbar poliomyelitis
Circulatory catastrophes Cardiac arrest, Severe pulmonary edema	
Neuromuscular defects High cervical cordotomy, Botulism, tetanus Guillain-Barré syndrome Myasthenia gravis의 crisis Familial hypokalemic periodic paralysis Hypokalemic myopathy, Polymyositis Drug or toxin (e.g., curare, succinyl choline, aminoglycosides, organophosphorus)	**Neuromuscular defects** Polymyositis Multiple sclerosis Muscular dystrophy Amyotrophic lateral sclerosis Diaphragmatic paralysis Myxedema Myopathic disease
Restrictive defects Pneumothorax, Hemothorrax, ARDS Flail chest, Severe pneumonitis	**Restrictive defects** Kyphoscoliosis Fibrothorax Hydrothorax Interstitial fibrosis Prolonged pneumonitis 횡격막 운동 감소 (예; 복수) 비만
Mechanical hypoventilation	
Increased CO_2 production with fixed minute ventilation High-carbohydrate intake 포함한 TPN Sorbent-regenerative hemodialysis	

• compensation

- acute : cellular buffering 기전에 의해 HCO_3^- ↑ (=ΔPco_2 ×0.1) … 몇 분~시간 이내
- chronic : 신장의 보상작용에 의해 HCO_3^- ↑ (=ΔPco_2 ×0.4) … 3~5일 걸림
  - ↳ HCO_3^- 재흡수 및 H^+ 배설

2. 증상

• $PaCO_2$의 갑작스런 상승 ; 불안, 호흡곤란, 착란, 정신병, 환각, 혼수 ...

• chronic hypercapnia ; 수면장애, 기억장애, 주간 졸림증, 인격변화, 협조장애, 운동장애(tremor, myoclonic jerks asterixis) ...

- IICP 비슷한 증상 ; 두통, 유두부종(papilledema), 비정상 반사, 국소 근력약화
  (∵ CO_2의 혈관확장 작용 상실에 따른 혈관수축 때문)
- 신장 ; NH_3 생산 및 H^+ 배설 증가, 근위 세뇨관에서 $NaHCO_3$ 재흡수 증가, NaCl 재흡수는 감소

3. 치료

- 기저질환 치료와 적절한 환기가 중요
  (Pco_2 >65 mmHg → mechanical ventilation 고려)
- chronic respiratory acidosis에서 hypoxia의 급격한 교정은 호흡저하를 유발할 수 있으므로 주의

호흡성 염기증 (Respiratory alkalosis)

1. 원인

1 Hypoxia
흡입 산소분압 감소, 고지대, V/Q mismatch, 저혈압, 심한 빈혈

2 CNS-mediated disorders
Hyperventilation syndrome
신경질환, CVA (infarction, hemorrhage)
감염(e.g., sepsis), 외상, 종양, 간부전, 고온 노출
Pharmacologic & hormonal stimulation
; Salicylates, Nicotine, Xanthines, Pregnancy (progesterone)
Metabolic acidosis에서의 회복기

3 **폐질환** ; ILD, 폐렴, 폐색전증, 폐부종

4 Mechanical overventilation

- ICU 환자에서 m/c 산염기장애 - chronic respiratory alkalosis
- mechanical ventilation 중인 환자에서 흔하게 발생

2. 증상

- 신경증상 ; 어지러움등의 뇌혈류 감소 증상 및 감각 이상
- 초기에는 CO↓ → 후기에는 말초혈관저항↓ & CO↑
- hypocapnia → 유기산 생산 증가에 따른 AG 증가 가능

* $PaCO_2$가 빠르게 감소하는 경우 (acute hypocapnea)
  ① hypoxemia가 없어도 cerebral blood flow 감소 → dizziness, confusion, seizure 발생 가능
  ② 전신마취나 기계호흡중인 환자에서는 CO, BP도 감소 가능
  ③ 심장질환을 가진 환자에서는 arrhythmia 발생 가능

3. 치료

: 기저질환의 치료

혼합형 산염기장애 (Mixed acid-base disorders)

- 처음부터 두 가지 이상의 단순형 산염기장애가 동시에 혹은 속발하여 발생 or 단순형 산염기장애에 대한 정상적 보상기전이 일어나지 않을 때 발생
- [HCO_3^-], $PaCO_2$의 실측치가 보상(compensatory response) 예상치에 맞지 않거나, 산염기지도에서 단순 산염기장애의 영역을 벗어날 때 복합형 산염기장애를 의심할 수 있음

Disorder	Primary Defect	Compensatory Response	Compensation 정도★	Compensation 한계치
Respiratory				
Acidosis				
Acute	↑ Pco_2	↑ HCO_3^-	$=\Delta Pco_2 \times 0.1$	30 mEq/L
Chronic	↑ Pco_2	↑ HCO_3^-	$=\Delta Pco_2 \times 0.4$	45 mEq/L
Alkalosis				
Acute	↓ Pco_2	↓ HCO_3^-	$=\Delta Pco_2 \times 0.2$	17~18 mEq/L
Chronic	↓ Pco_2	↓ HCO_3^-	$=\Delta Pco_2 \times 0.5$	12~15 mEq/L
Metabolic				
Acidosis	↓ HCO_3^-	↓ Pco_2	$=\Delta HCO_3^- \times 1.3$ or $(1.5 \times HCO_3^-) + 8$	10 mmHg
Alkalosis	↑ HCO_3^-	↑ Pco_2	$=\Delta HCO_3^- \times 0.7$	55 mmHg

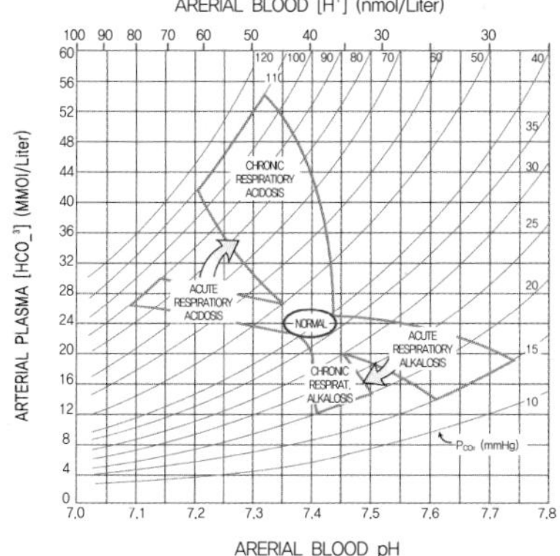

Mixed acid-base disorders의 원인
Ⅰ. Metabolic acidosis + Respiratory acidosis Cardiopulmonary arrest Severe pulmonary edema Salicylate + sedative overdose Pulmonary disease에서 renal failure or sepsis 동반시 DKA 초기에 vomiting 동반시 Severe gastroenteritis에서 vomiting & diarrhea 동반시
Ⅱ. Metabolic aidosis + Respiratory alkalosis Salicylate overdose Sepsis Combined hepatic & renal insufficiency 최근의 폭음
Ⅲ. Metabolic alkalosis + Respiratory acidosis Chronic pulmonary disease (chronic resp. alkalosis)에서 아래를 동반시 (pH는 대개 정상, Pco_2 ↑, HCO_3^- ↑) 1. Diuretic therapy 2. Steroid therapy 3. Vomiting 4. Ventilator에 의한 hypercapnia 감소
Ⅳ. Metabolic alkalosis + Respiratory alkalosis (심한 alkalosis, Pco_2 ↓, HCO_3^- ↑) Pregnancy with vomiting Diuretics 치료 받는 chronic liver disease Bicarbonate & ventilator로 cardiopulmonary arrest 치료시
Ⅴ. Metabolic acidosis & Metabolic alkalosis 다음 질환에서 vomiting 동반시 ; Renal failure, DKA, Alcoholic ketoacidosis

	Serum Anion Concentrations		
	HCO_3^-	Cl^-	AG
Simple Disorders			
Hyperchloremic acidosis	↓	↑	N
High-AG acidosis	↓	N	↑
Metabolic alkalosis	↑	↓	N
Mixed Disorders			
Metabolic alkalosis + High-AG acidosis	N, ↑, ↓	↓	↑
High-AG acidosis + hyperchloremic acidosis	↓	↑	↑
Metabolic alkalosis + hyperchloremic acidosis	N	N	N

- 병력이 진단에 중요
- 치료는 원인질환의 교정이 우선이지만, 한 가지 장애만 교정 때에는 pH가 더욱 악화될 수 있으므로 주의해야 한다
- anion gap이 25 mEq/L 이상이면, HCO_3^-가 정상/증가라도, metabolic acidosis가 존재함을 강력히 시사

■ 임상적으로 흔한 혼합형 산염기장애의 예

(1) Metabolic acidosis + Respiratory acidosis

- $[HCO_3^-]$↓ + Pco_2↑ → pH↓↓
- metabolic acidosis가 있는 상태에서는 $PaCO_2$가 많이 증가되지 않아도 respiratory acidosis가 동반되고 있음을 놓쳐서는 않되고, 반대로 respiratory acidosis에서는 $[HCO_3^-]$가 많이 감소되지 않아도 metabolic acidosis가 없다고 할 수 없다
- 동맥혈 $PaCO_2$는 실제 환자의 CO_2 양에 비해 낮게 나타나는 경우가 많으므로 주의해야 됨 (→ mixed venous blood Pco_2가 정확하게 반영)

< 예 >

- 심폐정지, 심한 폐부종, 일부 약물중독
- 만성신부전에서 호흡부전이 합병할 때
- metabolic acidosis에서 심한 hypokalemia (→ 호흡근 마비)가 동반될 때 (예; RTA, DKA의 치료도중 or 설사가 동반)

< 치료 >

- 빨리 pH를 최소한 7.1 이상 올림 ; $NaHCO_3$ (Bivon) 주사, 호흡보조
- 폐부종 환자 → 이뇨제, 산소, morphine

(2) Metabolic acidosis + Respiratory alkalosis

- $[HCO_3^-]$↓, $PaCO_2$↓ (pH의 변화는 적을 수)
  - $PaCO_2$: 단순한 metabolic acidosis를 보상하는 정도 이상으로 감소
  - $[HCO_3^-]$: 단순한 respiratory alkalosis를 보상하는 정도 이상으로 감소

< 예 >

- 대부분 심각한 기저질환을 가짐
- 패혈증, 심한 간질환, 광범위한 화상(특히 sulfamylon으로 치료시), 폐부종, 폐-신장 증후군 (e.g., Goodpasteur's syndrome, Wegener's granulomatosis), acetate 혈액투석
- 부분적으로 교정된 metabolic acidosis : metabolic acidosis는 일부 교정되어 plasma $[HCO_3^-]$는 다소 증가하지만, HCO_3^-의 뇌간질로의 확산이 더디므로, 환기는 여전히 높은 상태(respiratory alkalosis)를 지속
- salicylate 중독 ; AG 증가, 호흡중추자극(→ respiratory alkalosis)

< 치료 >

- 원인 질환의 교정
- 너무 빨리 $[HCO_3^-]$를 올리면 심한 alkalosis를 초래 → plasma $[HCO_3^-]$를 정상으로 회복시키는데 목표를 두지 말고, pH를 보아가며 $NaHCO_3$를 투여를 조정

(3) <u>Metabolic acidosis + Metabolic alkalosis</u>

- 서로간의 효과가 상쇄되어 진단이 어려움
- 정확한 병력 청취 및 AG 증가가 진단에 도움
- high AG +
  ① plasma $[HCO_3^-]$가 ↑ or 정상
  ② AG의 증가정도보다 $[HCO_3^-]$의 감소정도가 작을 때 진단 가능 : <u>$\Delta AG > \Delta HCO_3^-$</u>

< 예 >
- high-AG metabolic acidosis (예; 신부전, DKA, lactic acidosis) + vomiting ★
- overshoot metabolic acidosis : DKA or lactic acidosis에서 산혈증을 교정하기 위해 투여한 $NaHCO_3$가 과다 or 나중에 ketone or lactate가 대사되면서 생기는 HCO_3^-가 합쳐져서 발생
- 심한 위장염에서 구토와 설사가 함께 있는 경우에는 metabolic alkalosis + normal AG metabolic acidosis가 발생

(4) Metabolic alkalosis + Respiratory acidosis

- $[HCO_3^-]$↑, $PaCO_2$↑ (pH는 정상으로 보이는 경우가 많음)
- metabolic alkalosis가 높은 $PaCO_2$의 정상 회복을 저해하거나, $PaCO_2$ 상승을 조장할 수 있으므로 이 혼합형의 발견은 매우 중요함
- $[Cl^-]$는 대개 낮아져 있다 (Cl^--responsive metabolic alkalosis)

< 예 >
- 주로 만성 호흡기질환(CO_2 retention)과 이의 합병증으로 발생 (respiratory acidosis가 먼저 → 그 후 metabolic alkalosis 발생)
  - 합병증의 예 ; 구토(예; theothylline의 부작용), 이뇨제(hypovolemia), Cl^- 결핍(예; 저염식이, 식욕부진), NG tube를 통한 위액의 흡인
- post-hypercapneic metabolic alkalosis : 만성 respiratory acidosis 환자에서, 기계호흡 등으로 환기를 갑자기 증가시키면 $[HCO_3^-]$ 감소보다 $PaCO_2$가 먼저 빨리 감소하므로, 당분간은 metabolic alkalosis와 부분적으로 교정된 respiratory acidosis가 공존하게 됨
- metabolic alkalosis가 먼저 → 그 후 respiratory acidosis가 발생하는 경우
  ; 심한 hypokalemia를 동반한 metabolic alkalosis 환자에서 hypokalemia에 의한 호흡근마비로 respiratory acidosis가 합병

(5) Metabolic alkalosis + Respiratory alkalosis

- $[HCO_3^-]$의 증가 or $PaCO_2$의 감소에 대한 충분한 보상이 이루어지지 않아 심한 alkalosis가 발생
- 입원 환자에서 흔히 발생

< 예 >
- metabolic alkalosis (예; 구토, 위액 흡인, 링겔액이나 bicarbonate 투여, 이뇨제나 steroid 투여, 알칼리성 제산제 투여, citrate가 포함된 혈액의 대량 수혈)
  + respiratory alkalosis (예; 너무 높은 환기량의 기계호흡 계속, 저산소증 또는 mechanoreceptor를 자극하는 폐질환, 간질환, CNS 질환, shock, 통증)
- 만성 respiratory acidosis 환자 : 과다한 기계호흡으로 respiratory alkalosis 초래, 보상반응으로 증가되어 있던 $[HCO_3^-]$는 빨리 낮아지지 않아 metabolic alkalosis 발생
- 임신 초반의 심한 구토 : hormone 효과에 의한 과호흡(respiratory alkalosis)
  + 구토에 의한 metabolic alkalosis 동반
- 울혈성 심부전 : 과호흡에 의한 respiratory alkalosis + 이뇨제 과량 투여에 의한 hypovolemia or hypokalemia (metabolic alkalosis) 동반

< 치료 >
- 높은 pH를 빨리 낮추어야 함
- hypovolemia, Cl^- 결핍, K^+ 결핍 → N/S or KCl을 포함한 수액으로 교정

- 위급한 상태 → HCl, arginine hydrochloride, 혈액투석
- $[HCO_3^-]$ 이뇨 유도 → acetazolamide

(6) Triple acid-base disorders

- metabolic acidosis + metabolic alkalosis + respiratory acidosis or alkalosis
- $PaCO_2$와 $[HCO_3^-]$는 조금 변하면서, pH는 크게 변화할 수 있음

< 예 >

- lactic acidosis or DKA의 metabolic acidosis + 구토에 의한 metabolic alkalosis + 패혈증이나 간질환에 의한 respiratory alkalosis
- 이뇨제를 과량 사용하고 있는 폐부종 환자 : 이뇨제에 의한 metabolic alkalosis + 조직 저산소증에 의한 lactic acidosis + 과환기에 의한 respiratory alkalosis

■ Base excess (BE) or deficit

- 혈액의 산염기 완충작용의 상태를 파악하는데 도움 (metabolic component)
- 구하는 법
  - ① $PaCO_2$ variance = $[PaCO_2 - 40]$에서 소수점을 왼쪽으로 두자리 옮김
  - ② predicted pH ("호흡성" pH)
    - $PaCO_2 > 40$ 이면 → $7.4 - 1/2 \times PaCO_2$ variance
    - $PaCO_2 < 40$ 이면 → $7.4 + PaCO_2$ variance
  - ③ [측정한 pH − predicted pH]×2/3 에서 소수점을 오른쪽으로 두자리 옮김
    - base excess : 측정한 pH > predicted pH
    - base deficit : 측정한 pH < predicted pH
- base excess/deficit
  - 5 mmol/L 이내 → 균형적인 산염기 완충 상태
  - 10 mmol/L 이상 → 비정상적인 완충 상태
- extracellular (ECF) bicarbonate deficit의 계산 = base deficit × 체중(kg) × 1/4
  - 10 mmol/L 미만의 base deficit는 치료하지 않는다
  - sodium bicarbonate ($NaHCO_3$)를 투여해야 할 때는, 계산량의 1/2을 먼저 투여하고, 약 5~10분 뒤에 ABGA를 측정하여 향후 치료방향을 결정

4
급성 신손상(Acute kidney injury, AKI)

개요

1. 정의

- 정의 : 신기능의 급격한 저하로 serum BUN, creatinine (Cr) 등이 상승하는 것
  ⇨ serum Cr [sCr] 0.3 mg/dL (2일 이내) or 50% (7일 이내) 이상 상승
  or oliguria (6시간 이상 urine output <0.5 mL/kg/hr … 주로 prerenal AKI에서)
  [25~50%는 non-oliguric AKI 임] (c.f., anuria = urine output <100 mL/day)
- 대부분은 가역적(reversible)임
- 유병률 ; 입원 환자의 5~7% (ICU 입원 환자의 15~30%), community-acquired AKI는 1% 미만

AKI의 정의/진단기준 및 staging

분류	RIFLE ΔsCr↑ *or*	ΔGFR↓	Stage	AKIN ΔsCr↑	KDIGO ★ ΔsCr↑	*or* - 공통 Urine output (UO)
Risk	>50% (1.5배)	>25%	I	>50% *or* ≥0.3 mg/dL	>50% (7일 이내) *or* ≥0.3 mg/dL (2일 이내)	<0.5 mL/kg/hr (>6시간 지속)
Injury	>100% (2배)	>50%	II	>100%	>100%	〃 (>12시간 지속)
Failure	>200% (3배)	>75%	III	>200% *or* >0.5 증가하여 4.0 이상으로 되거나 RRT가 필요한 경우	>200% *or* >0.5 증가하여 4.0 이상으로 되거나 RRT 시작한 경우	〃 (>24시간 지속) *or* anuria (>12시간)
Loss	신기능소실(RRT) 4주 이상					
ESRD	ESRD 3개월 이상					

RIFLE – Acute Dialysis Quality Initiative (ADQI) Group (2004년)
AKIN – Acute Kidney Injury Network (2007년)
KDIGO (Kidney Disease: Improving Global Outcomes) – Acute Kidney Injury Work Group (2012년)
sCr: serum Cr, GFR: glomerular filtration rate, ESRD: end-stage renal disease, RRT: renal replacement therapy

2. 병인/분류

(1) Prerenal AKI (40~70%) - m/c (community-acquired AKI에서 더 많음)
- renal hypoperfusion ⇨ intra-glomerular pr.↓ → GFR↓ → 재흡수↑ → 요량↓
- 신장 자체의 구조적인 변화(손상)는 없음!, 세뇨관 기능 유지됨
- blood flow가 회복되면 신기능은 금방 회복됨 (but, 장기 지속시 ischemic ATN 발생 위험)

(2) Intrinsic renal AKI (25~40%)
- 신장의 구조적인 손상으로 인해 발생 (조직학적 변화 수반)
- vasculitis, glomerulonephritis, interstitial nephritis 등의 원인을 R/O하면, 대부분 ATN이 원인 (ischemia나 toxin에 의한 tubular cells damage)
- 원인 질환이 개선되어도 신기능은 서서히 회복됨

(3) Postrenal AKI (<5%)
: urinary tract의 acute obstruction으로 인해 발생

신전성(Prerenal) AKI

1. 원인

(1) True hypovolemia
① 출혈, 화상, 탈수, GI fluid loss (구토, 설사), surgical drainage
② renal fluid loss ; 이뇨제, osmotic diuresis (e.g., DM), hypoadrenalism, nephrogenic DI
③ extravascular space로 fluid sequestration ; 췌장염, 복막염, 외상, 화상,심한 hypoalbuminemia

(2) Effective hypovolemia : effective arterial blood volume의 감소 (distributive shock)
: 총체액량은 감소 안 됨 (aldosterone↑ → urinary K^+ 증가/정상)
① low cardiac output state ; 심부전, 심근병증, 심장판막질환, 심낭질환, 부정맥, 폐고혈압, 폐색전증, (+) pressure ventilation, sepsis ...
② renal/systemic vascular resistance ratio 증가
- systemic vasodilatation ; sepsis (ATN도 일으킴), 항고혈압제, anesthesia, anaphylaxis
- renal vasoconstriction ; sepsis 초기, hypercalcemia, norepinephrine, epinephrine, calcineurin inhibitors (e.g., cyclosporine, tacrolimus [FK506]), amphotericin B
- LC with ascites (hepatorenal syndrome) → 소화기내과 참조

(3) Renal hypoperfusion & 신장의 자동조절능(autoregulation) 장애
- 기전 : renal hypoperfusion시 정상적인 efferent arteriole의 수축 반응을 억제
- 예 ; cyclooxygenase inhibitors (NSAIDs), ACEi, ARB, cyclosporine → 1장 앞부분도 참조

2. Renal hypoperfusion에 대한 신장의 반응

- Na^+ & water를 강력히 재흡수 ⇨ urine osmolality↑ (>500 mOsm/kg), urine Na^+ 농도↓ (<20 mEq/L), <u>FE_{Na}↓ (<1%)</u>
- tubular flow rate↓ → urea의 back diffusion↑ → BUN/Cr↑ (>20)
- <u>GFR을 유지하기 위한 보상반응</u>(autoregulation) → 1장 앞부분도 참조
  ① autonomous vasoreactive (myogenic) reflex → afferent arteriole 이완
  ② PGE_2 (prostacyclin), kallikrein, kinins, NO 등의 신장내 합성↑ → afferent arteriole 이완

③ renin ↑ → angiotensin Ⅱ → efferent arteriole 수축, Na^+ 재흡수 ↑

④ tubuloglomerular feedback (TGF) : macular densa에서 tubular NaCl 및 flow rate를 감지하여 저하되면 (일부 NO를 통해) → afferent arteriole 이완

⇨ 어느 정도(systolic BP 약 80 mmHg)까지는 보상반응(autoregulation)을 통해 GFR 유지 가능

3. Prerenal AKI가 발생하기 쉬운 경우

- 적은 renal hypoperfusion 상태에서도 GFR을 유지하지 못하고 prerenal AKI 발생 위험 ↑
- 신장 혈관의 동맥경화(e.g., 고령, HTN) → afferent arteriole의 이완 힘듦
- CKD에서 보상성 hyperfiltration 단계 (afferent arteriole이 이미 이완되어 있음)
- prerenal AKI를 일으킬 수 있는 drugs
  ① NSAIDs : renal PG 합성 억제 → afferent arteriole 이완 억제 (수축) → GFR ↓
  - 정상인에서는 GFR을 감소시키지 않음
  - 동맥경화성혈관질환(>60세), CKD, volume depletion (e.g., LC, NS, CHF) 환자에서는 AKI 유발 가능 → 9장도 참조

  ② ACEi/ARB : angiotensin Ⅱ의 작용 억제 → efferent arteriole 수축 억제 (이완) → GFR ↓
  - renal hypoperfusion시 angiotensin의 정상적인 efferent arteriole의 수축 반응을 억제
  - AKI 발생 위험인자 ; renal artery stenosis (severe atherosclerosis), CHF, hypovolemia, sepsis, NSAIDs, cyclosporine, tacrolimus 등과의 병용
  - 특히 angiotensin에 의한 high perfusion pressure에 의존적인 bilateral renal artery stenosis나 unilateral stenosis of solitary kidney 환자의 6~23%에서 ACEi/ARB 쓰면 AKI 발생

  ③ **calcineurin inhibitor (e.g., cyclosporine, tacrolimus)** : 작은 혈관의 수축을 일으킴

신성(Intrinsic renal) AKI

1. 급성세뇨관괴사(acute tubular necrosis, ATN) : >90%

(1) Ischemia-associated ATN

- prerenal AKI의 모든 원인이 ischemic ATN을 일으킬 수 있음
  ; 심혈관계 수술, 외상, 출혈, 탈수, septic shock, 산과적 합병증(e.g., abruptio placentae, postpartum hemorrhage) ... 뒤에 흔히 발생
- 실질적으로 prerenal AKI와 같은 spectrum으로 더 심한 허혈 또는 다른 요인이 게재되어 신실질(renal tubular epithelial cells)의 손상도 초래된 것임

허혈(ischemia)에 가장 취약한 세뇨관 부위 ★
① proximal tubule의 S_3 segment (pars recta, medullary portion)
② mTALH (medullary portion of thick ascending limb of Henle's loop)

- outer medulla 부위는 정상 상태에서도 산소 분압이 낮음, 대부분의 혈류는 cortex에
- 심하면 신피질(cortex)까지 손상을 받으며, 비가역적인 손상도 가능

- ischemic ATN의 자연경과(phase)
  ① initiation (몇시간 ~ 며칠) : GFR 감소 ··· 원인

(a) renal blood flow 감소 → glomerular ultrafiltration pr.↓
(b) tubular epithelium의 손상으로 인한 shed cells과 necrotic debris가 tubule을 막음
(c) 손상된 tubule을 통해 glomerular filtrate가 역류

② extension : GFR 계속 감소
- ischemic injury 및 inflammation 지속
- endothelial damage (→ vascular congestion)도 기여

③ maintenance (1~2주) : GFR 낮은 상태로 유지됨, urine output 최저, uremic Sx 발생 가능

④ recovery : GFR이 서서히 정상으로 회복
- tubular epithelial cells repair & regeneration
- 심한 diuretic phase가 합병될 수도 있음

- FE_{Na}는 대개 1% 이상 / LC or CHF에 합병된 경우나 nonoliguric ischemic ATN의 일부 (ATN이 덜 심하고 ischemia는 지속되는 경우)에서는 1% 이하일 수도 있음
- prerenal AKI와의 감별은 fluid 투여 뒤 반응이 가장 정확 → sCr 변화 없으면 ischemic ATN

(2) Sepsis-associated AKI

- severe sepsis 환자의 50% 이상에서 AKI 발생 (대부분 ATN), 사망률 크게 증가
- 병인 ; 전신 동맥확장("distributive shock" → renal plasma $flow^{RPF}$↓ ; 초기에는 FE_{Na} <1%), 초기에는 efferent arteriole 확장 and/or 신장혈관수축 (→ GFR↓), microvascular injury, renal tubular injury, inflammation, mitochondrial dysfunction, interstitial edema 등

(3) Nephrotoxin-associated AKI

: 대부분 다른 위험인자 공존시 발생위험 증가
(e.g., 고령, CKD, true or effective hypovolemia, 다른 toxins과 동시에 노출)

1 exogenous toxins

- **direct toxicity** : 여러 항생제, 항암제, 유기용매 등에 의해 발생
  - nonoliguric AKI (∵ 요농축능 장애도 동반), 노출 기간이 m/i, 대개 5~7일 이후 sCr 상승
- **intrarenal vasoconstriction** : radiocontrast agent, calcineurin inhibitors (e.g., cyclosporine)
  - prerenal AKI와 비슷 (FE_{Na} <1%, oliguria ...)
  - endothelin-1이 중요한 역할 (혈관내피세포에서 분비되어 신혈관과 mesangial cells을 수축시킴)
- amphotericin B, calcineurin inhibitors : direct toxicity + intrarenal vasoconstriction
  ↳ type 1 (distal) RTA, polyuria, hypomagnesemia, hypocalcemia, non-AG MA
- ifosfamide : hemorrhagic cystitis (혈뇨), type 2 RTA (Fanconi 증후군), polyuria, AKI/CKD

2 endogenous toxins

- calcium (hypercalcemia) → intrarenal vasoconstriction, volume depletion
- heme pigments : myoglobin (rhabdomyolysis), Hb (혈관내 용혈, 대개 급성 수혈부작용 때)
- crystals : uric acid (tumor lysis syndrome), oxalate
- Bence Jones proteins (light chains) : multiple myeloma

- 특히 hypovolemia나 acidosis 상태 때 AKI 발생 위험 증가
- AKI의 발생 기전 ; intrarenal vasoconstriction, tubular epithelial cells에 direct toxicity, intratubular obstruction (crystalluria or paraproteins에 의한) 등

■ Rhabdomyolysis (횡문근융해/가로무늬근융해)

- 근육의 손상으로 다량의 근세포 내용물(e.g., myoglobin)이 유리되어 ATN 초래
- 원인 ↳ nonprotein heme pigments에 의해

> 1. 근육 손상/허혈 ; 외상(e.g., 집단구타), 동맥질환, 근육압박, 장기간 부동, hypothermia, hyperthermia, burn, electrical injury
> 2. 근육 탈진 ; seizure 지속, 심한 운동, heat stroke
> 3. Toxins ; alcohol, heroin, cocaine, amphetamine, ecstasy, phencyclidine, toluene, CO, snake bite
> 4. Drugs ; antihistamines, salicylates, fibric acid derivatives, statins, zidovudine, azathioprine, amphotericin B, TCA, lithium, theophylline, caffeine
> 5. Metabolic disorders ; hypokalemia, hypophosphatemia, hyperosmolality, hyophospharylase or phosphofructokinase deficiency, severe hypothyroidism, PM/DM, DKA, NKHC (HHS) ...
> 6. infections ; viral (e.g., influenza, HIV, coxackie, EBV), bacterial (e.g., *Legionella, Francisella, S. pneumoniae, Salmonella, S. aureus*), fungal (e.g., *Candida, Aspergillus*)

- AKI의 병인 ; intrarenal vasocontriction, direct proximal tubular toxicity, distal nephron lumen 폐쇄 (myoglobin/Hb이 Tamm-Horsfall protein과 결합되어 침착, 특히 산성뇨에서)
- 임상양상 ; 근육종창, 통증, 요량 감소, gross red urine, AKI (15~50%에서, oliguria/anuria)
  - 상당수에서 전형적인 증상/징후를 보이지 않는 경우가 많으므로 진단에 주의
  - AKI 발생 위험↑ ; dehydration, sepsis, acidosis, ischemia
- 검사소견
  - serum myoglobin↑, CK↑ (CK-MM isoenzyme↑), LD↑, K, Ph 등 근세포 내 내용물↑
  - Cr ⬆ (BUN/Cr↓), FE_{Na} <1% (진행되면 >1%)
  - 혈중 myoglobin : CK보다 빨리(1~3시간 이내) 상승하나 반감기가 짧아(2~3시간) 금방 (24시간 이내) 정상화됨 (∵ 분자량이 작아 신장에서 빨리 배설됨)
  - hyperkalemia : 근세포 내에서 유리 + GFR 감소와 metabolic acidosis에 의해 더욱↑
  - hyperphosphatemia (→ calcium phosphate 축적 유발) → hypocalcemia (초기에)
    → 진행되면 hypercalcemia (∵ 근세포의 calcium 다시 유리, 2ndary hyperparathyroidism)
  - metabolic acidosis, hyperuricemia, hyponatremia, volume contraction ...
  - myoglobinuria ; 커피색 소변(serum myoglobin이 매우 높을 때만 보임),
    시험지봉(dipstick)검사에서 blood 양성이지만 현미경검사에서는 RBC 수 정상!
  - 요침사 ; reddish-gold (dark brown) pigmented granular casts
  - ^{99m}Tc-MDP bone scan : 근육에 uptake 증가 (→ 진단과 F/U에 중요)
- 치료 : 특이적인 치료법은 없고, 신손상 방지를 위한 일반적인 치료
  - ① 강력한 수액공급 (m/i) : N/S 1~2 L/hr, 빨리 시행해야 신손상 예방 가능
    ⇨ desired diuresis : urine output 200~300 mL/hr 유지
    - loop diuretics (e.g., furosemide) : 수액공급으로도 urine output이 달성되지 않을 때
    - mannitol : 효과가 불명확하므로 일상적 사용×, 매우 심한 경우 고려(CK >30,000 U/L)
      - diuresis를 증가시켜 세뇨관내 heme pigment 축적 및 cast 형성 감소, free radical scavenger로도 작용
      - oliguria/anuria시에는 금기, plasma osmolar gap 증가하거나(>55) desired diuresis 달성 못하면 중단
        → 부작용으로 plasma osmolality↑(→ 폐부종), hyponatremia, metabolic acidosis, 신기능↓ 위험
  - ② urine alkalinization (e.g., 75 mmol/L $NaHCO_3$ + 0.45% saline) : urine pH >6.5 유지
    ⇨ tubular injury & cast 형성 예방에 효과적일 수 있지만, metabolic alkalosis 유발 or hypocalcemia 악화 위험 (반드시 수액 공급 & urine output 달성 이후에 투여!)

③ renal failure 발생시 → HD (다른 원인에 의한 AKI보다 초기에 HD 필요)
④ 회복기에는 hypercalcemia 발생 위험이 있으므로 symptomatic/severe hypocalcemia or severe hyperkalemia 이외에는 calcium 투여 안함!
⑤ 구획증후군(compartment syndrome)이 의심되면 근막절개술(fasciotomy) 고려

- 다른 원인에 의한 AKI보다 mortality 높다

■ Contrast-induced AKI (contrast-induced nephropathy, CIN) ★

- 0~13%에서 발생 (고위험군에서는 ~75%)
- 위험인자 ; 고령, CKD, GFR <60 mL/min/1.73m^2, proteinuria, DM (신기능이 저하된 경우에만), CHF, liver failure, hypovolemia, multiple myeloma, 신독성 약제의 동시 투여 등
  (특히 기저 신질환 및 multiple myeloma가 CIN 발생 위험 및 severity 높음)
  - 조영제의 용량 : PCI > CT
  - 조영제의 osmolality : iso- < low- < high-osmolar agents 순으로 CIN 발생위험↑
    - low-osmolal agents (1세대 조영제보다는 낮지만 혈장보다는 높음, 500~850 mOsm/kg)
      ; nonionic agents (iohexol, ioversol, iopamidol), ionic agent (ioxaglate)
    - iso-osmolal agent (혈장과 osmolality 같음, 290 mOsm/kg) ; iodixanol이 유일
- 병인 : 여러 기전이 관여하여 ATN 발생
  ① ischemia-hypertonicity에 의한 <u>신장내혈관수축</u> (endothelial cells에서 분비한 endothelin-1이 관여)
  ② cytotoxic tubular damage ; 직접 or oxygen-free radicals 생성을 통해
  ③ 조영제 침착에 의한 일시적인 tubular obstruction
  ④ anaphylaxis with hypotension
- 임상양상 (dose-related toxicity) : prerenal AKI와 비슷 (<u>FE_{Na} <1%</u>, oliguria)
  - 조영제 투여 후 <u>24~48시간 이내</u>에 sCr 상승 시작, 3~5일 이내에 peak (대개 mild)
    (↔ 대부분의 tubular toxins은 1~2주 이후에 AKI 발생!)
  - 보통 5~7일 이내에 신기능은 빨리 회복됨 (가역적!)
  - 전형적 ATN의 요침사 보일 수(e.g., muddy brown granular casts, epithelial cell casts)
- 예방조치 ; 위험인자가 있는 경우 시행 (신기능이 거의 정상인 사람은 CIN 발생 위험 낮음)
  - 가능하면 조영제를 안 쓰는 검사로 대치하거나, 조영제의 용량을 최소화
  - iso- (iodixanol) or low-osmolal agents (ioversol, iopamidol) 사용
  - 검사 전 충분한 <u>hydration (normal saline)</u> (± isotonic bicarbonate)이 m/g
  - AKI 발생 위험을 높이는 약물(이뇨제, mannitol, NSAIDs) 중단 (ACEi/ARB는 근거 부족)
  - *N*-acetylcysteine (NAC)의 예방적 투여는 효과 없음 → 사용×
  - 조영제 사용 이후의 prophylactic hemofiltration or hemodialysis도 효과 없음

■ Aminoglycoside 계열의 항생제

- 약 10~30%에서 발생, 용량 및 투여기간과 관련 → 감염내과도 참조
- 신독성 발생 위험인자
  ① 고령, 여성, 기저신질환, sepsis
  ② ECF 용적감소, 저혈압, 간질환(hepatorenal syndrome)
  ③ hypokalemia, hypocalcemia, hypomagnesemia

④ amphotericin B, cephalosporin, cisplatin, cyclosporine 등의 병용
⑤ 최근의 AG 투여, AG 용량↑, 투여기간 >3일

- 병태생리 및 임상양상 ; 사구체에서 여과된 뒤 신 피질에 축적됨
  ① 주된 손상부위 ; 근위세뇨관(→ glycosuria, aminoaciduria, enzymuria,proteinuria 등)
  → ATN (AKI) : GFR↓
  ② 원위세뇨관 손상도 동반 가능 ; 요농축능 저하 → 다뇨(polyuria),
  전해질 소실 → hypokalemia, hypocalcemia, hypomagnesemia
- 항생제 사용 약 7일 후 ATN (AKI) 발생 (non-oliguric type)
  → 약제 사용을 중단하면 대부분 회복이 가능 (3주 이내에)
- neomycine, gentamicin 등이 가장 신독성 심함 (SM이 가장 약함)
- cisplatin 및 carboplatin도 AG와 비슷한 양상의 신독성을 보임

■ Uric acid nephropathy (요산염 신병증)

- 원인 ; tumor lysis syndrome, hemolysis, rhabdomyolysis, epileptic seizure
- 병인 ; uric acid에 의한 collecting duct와 distal renal vasculature의 폐쇄
- 임상양상 ; oliguric AKI (reversible)
  - 혈청 uric acid level↑ (AKI 발생을 예측할 수는 없음)
  - 소변 ; uric acid or urate crystals
- 진단 ; 소변의 uric acid/creatinine >1.0
- 치료 → 혈액종양내과 16장도 참조
  ① 충분한 수액공급, 소변의 알칼리화($NaHCO_3$ → 이미 AKI 발생했으면 사용×)
  ② rasburicase, allopurinol (모두 사용할 수 없으면 febuxostat)
  ③ HD or hemofiltration
  ④ uricosuria를 일으키는 약물 금지 (e.g., 방사선 조영제)

2. 기타 원인 (<10%)

(1) 토리(사구체) 또는 신장미세혈관계의 질환

- glomerulonephritis, vasculitis
- **thrombotic microangiopathy** (HUS, TTP, 항암제 등), malignant hypertensive nephrosclerosis, DIC, radiation nephritis, antiphospholipid antibody syndrome, SLE, scleroderma, preeclampsia ...

(2) 신장 혈관의 폐쇄

- 신동맥 폐쇄 ; atherosclerotic plaque, embolism, thrombosis, dissecting aneurysm, vasculitis
- 신정맥 폐쇄 ; thrombosis, compression

(3) 사이질콩팥염/간질신장염(interstitial nephritis)

- allergic ; antibiotics (e.g., β-lactams, sulfonamides, quinolones, rifampin), cyclooxygenase inhibitors (NSAIDs), diuretics, captopril, PPI ... → 9장 참조
- infection ; bacterial (e.g., APN, leptospirosis), viral (e.g, CMV), fungal (e.g., candidiasis)
- infiltration ; lymphoma, leukemia, sarcoidosis
- inflammation (nonvascular) ; Sjögren's syndrome, TID with uvetitis

(4) intratubular deposition & obstruction
- endogenous ; myeloma proteins, uric acid (TLS), oxalate
- exogenous ; acyclovir, ganciclovir, methotrexate, indinavir

(5) renal allograft rejection

신후성(Postrenal) AKI

- 원인 : urinary tract obstruction
  ① ureteric[요관] (bilateral obstruction) ; calculi, blood clot, sloughed renal papillae, cancer, external compression (e.g., retroperitoneal fibrosis, neoplasia, abscess), 수술 중 손상
  ② bladder neck (m/c) ; 전립선질환(e.g., BPH, cancer, infection), neurogenic bladder, anticholinergics, calculi, cancer, blood clot
  ③ urethra[요도] ; stricture, congenital valve, phimosis, Foley catheter의 폐쇄
  ④ 하복부 쪽의 수술 or RTx의 과거력
- 병인 : intratubular pr.↑ → Bowman's space pr.↑ → afferent arteriole 확장 (→ GFR 보존)[일시적]
  → intrarenal vasoconstriction (∵ angiotensin II, thromboxane A2, vasopressin↑, NO↓)
  → glomerular ultrafiltration coefficient↓ & 지속적인 intratubular pr.↑ → GFR↓
- 대부분 적절한 치료로 쉽게 회복될 수 있는 가역적 변화이므로 빠른 진단 및 원인 파악이 중요함
- 전립선 질환이 m/c 원인 (증상 ; nocturia, frequency, hesitancy)
  ① DRE, urethral catheterization
  ② US (→ hydronephrosis, bladder 팽창), post-void residual bladder volume 측정 등
- 검사소견
  - 초기 ; hypertonic urine (osmolality↑), urine sodium↓, FE_{Na}↓, BUN/Cr↑
  - 며칠 뒤 ; isotonic urine, FE_{Na}↑

임상양상

1. 신부전기

- 요량의 감소 (핍뇨기) : 평균 10~14일 지속
- 수분과다 (부종) or 수분부족 (비핍뇨성 신부전이나 이뇨기의 수분공급 부족시)
- 전해질/산염기 이상 ; hyperkalemia, metabolic acidosis, hyperphosphatemia, hypocalcemia, hypermagnesemia 등이 흔함
  - hyperkalemia, hyperphosphatemia, hypocalcemia : rhabdomyolysis, hemolysis, TLS 등
  - metabolic acidosis (대개 AG↑) → hyperkalemia 및 다른 원인에 의한 acidosis (e.g., DKA, sepsis, respiratory acidosis)를 악화시킬 수 있음

- low AG acidosis : multiple myeloma에서 unmeasured cationic proteins 증가로
- hypocalcemia의 원인 ; calcium phosphate의 전이성 침착, vitamin D-parathyroid axis 이상
- 과도한 hypotonic crystalloid or isotonic extrose solution 투여시에는 hyponatremia도 발생 가능

• anemia : 급격히 발생하지만, CKD에 비해 심하지는 않다 (보통 mild)
  - 기전 ; erythropoiesis↓, 출혈, 용혈, 투석, 혈액 희석, RBC 수명↓ 등 multifactorial
  - 심한 경우 ; 출혈, 용혈, multiple myeloma, thrombotic microangiopathy)

• eosinophilia ; allergic interstitial nephritis, atheroembolic dz., polyarteritis nodosa, CS vasulitis
• 심장폐 이상 ; HTN (15~25%), arrhythmia, pericarditis, pericardial effusion, pul. edema
• 신경계 이상 ; 요독증 or 전해질 이상 때문
• 소화기계 이상 ; anorexia, N/V, paralytic ileus, GI bleeding (10~30%)
• 감염 (50~90%에서 발생, m/c 사인) ; 외상, 수술, 침습적 시술 등에 따른 피부/점막 방어의 장애, 영양 불량, 요독증에 의한 면역저하 등이 원인

★ serum Cr이 24~48시간 이내에 급격히 상승하는 경우 ; renal ischemia, atheroembolism, 조영제

2. 회복기 (recovery phase)

• renal parenchymal cells (특히 tubular epithelial cells)이 재생/회복되어 GFR이 서서히 손상 이전으로 상승하는 시기
• severe diuretic phase 합병 가능 (요 농축능 장애) - 원인
  ① 저류되어 있던 salt, water, solutes의 배설 ② 이뇨제 사용 지속
  ③ GFR의 회복에 비해 tubular epithelial cell function (solute & water 재흡수)의 회복이 지연
• hypernatremia도 합병 가능 (∵ hypotonic urine loss)

진단

1. AKI와 CKD의 감별

• 일단 신부전이 발생하면 AKI인지 CKD의 급성 악화인지 감별이 우선
• 과거에 sCr 상승된 병력이 있거나 최근의 baseline sCr을 알면 가장 정확
• 병력이 없거나 모르는 경우 CKD를 시사하는 소견 (→ 다음 장 참조)
  ① US상 양측성 신장 크기 감소, cortical thinning 등
  ② anemia, neuropathy, 2ndary hyperparathyroidism (Ph↑, Ca↓), renal osteodystrophy ...
• sCr이 연속적으로 크게 상승되고 있으면 AKI

2. AKI의 원인 (prerenal, renal, postrenal) 파악

(1) Volume status의 파악

• prerenal AKI와 CHF는 같이 hypotension, oliguria, low urine Na^+ 소견을 보이나, 치료는 정반대이므로 감별에 유의

- hypovolemia (AKI) ; 갈증, 피부 및 점막 건조, 피부긴장도 감소, 겨드랑이 땀 감소, 기립성 저혈압(e.g., 어지러움), 빈맥, JVP (CVP) 감소, 요량 및 체중의 점진적 감소
- hypervolemia (CHF) ; gallop rhythm, 심비대, JVP 상승, rales, 늑막 삼출, 복수, 간울혈 ...

(2) Postrenal AKI의 R/O

- AKI의 정확한 진단을 위해 우선 postrenal AKI (obstruction)를 R/O해야 됨!
  - 임상양상 ; abdominal (suprapubic) or flank pain, palpable bladder 등
  - bladder catheterization ⇨ 상부-하부 요로폐쇄의 감별
  - US : 모든 환자는 우선 US로 obstruction을 R/O 해야됨
  - CT (stone 의심시 choice!), MRI, renal scan ...
- postrenal AKI는 생화학적 검사로는 진단할 수 없다

(3) Intrinsic renal AKI의 단서 파악

- 자세한 병력, 약물 복용력 확인
- 전신적인 질환의 단서가 되는 징후 찾기 등

■ Prerenal AKI와 intrinsic renal AKI의 감별 ★★

	Prerenal	Intrinsic renal
Plasma BUN/Cr ratio	>20	<10~15
U_{Cr}/P_{Cr}	>40	<20
$U_{urea\ nitrogen}/P_{urea\ nitrogen}$	>8	<3
U_{osm}/P_{osm}	>1.3	<1.1
Urine specific gravity (SG)[비중]	>1.020	<1.010
Urine osmolality (mOsm/kg)	>500	<350
Urine sodium [U_{Na}] (mEq/L)	<20	>40
FE_{Na} (%) – m/g!	**<1 (흔히 <0.1)**	**>2**
FE_{urea} (%)*	<35	>35
Renal failure index (RFI)	**<1**	**>1**
요침사(urinary sediment)	Hyaline (benign, bland, inactive) casts	"Muddy brown" granular casts, Epithelial cell casts

* FE_{urea} : 이뇨제를 사용한 환자에서는 FE_{Na}보다 약간 더 유용함

- FE_{Na}와 RFI가 가장 sensitive!
  (c.f., metabolic alkalosis에서는 prerenal AKI 발견에 FE_{Na}보다 FE_{Cl}이 더 sensitive!)

- $$FE_{Na} = \frac{\text{배설량}(UV \times U_{Na})}{\text{여과부하}(GFR \times P_{Na})} = \frac{U_{Na} \times P_{Cr}}{P_{Na} \times U_{Cr}} (\times 100,\ \%) = \frac{\text{Na clearance}}{\text{Cr clearance}}$$

- $$RFI = \frac{U_{Na} \times P_{Cr}}{U_{Cr}}$$ (∵ FE_{Na}중 P_{Na}는 거의 일정)

* FE_{Na}의 예외 ★

Prerenal AKI에서 FE_{Na}가 >1%인 경우	Intrinsic renal AKI에서 FE_{Na}가 <1%인 경우	
이뇨제를 투여 받고있는 경우 기저 만성신질환(CKD)에 의한 salt-wasting 일부 salt-wasting syndrome Adrenal insufficiency Bicarbonaturia	Severe Renal Vasoconstriction 간경변(hepatorenal syndrome), CHF Norepinephrine, dopamine, burn, sepsis (초기) NSAIDs, ACEi/ARB, 방사선조영제에 의한 AKI Rhadomyolysis, hemolysis, uric acid nephropathy Afferent arteriole의 질환 (e.g., TTP, scleroderma) Acute bilateral ureteral obstruction	Vascular Inflammation Acute glomerulonephritis Acute vasculitis 신이식 거부반응

c.f.) postrenal AKI에서는 FE_{Na} ≥1%, BUN/Cr >20

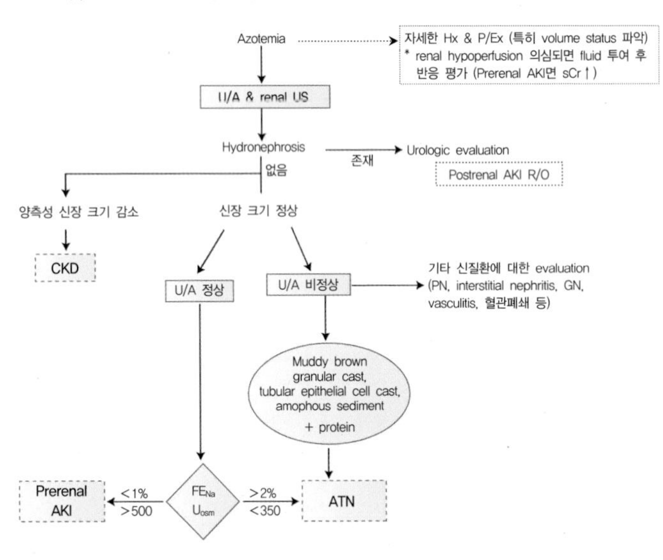

3. 소변검사

• urine flow에 의한 감별

① complete anuria (완전 무뇨)

- bilateral complete urinary obstruction
- diffuse cortical necrosis (분만후 호발)
- bilateral renal artery occlusion / vein thrombosis
- RPGN (HTN, mild proteinuria, rapid Cr ↑↑(1~2 mg/dL/day))

② 요량의 변동(fluctuation) 심할 때 ; intermittent/partial obstructive uropathy

- U/A & urine sediment : AKI의 원인 파악에 중요한 단서를 제공하지만, sensitivity & specificity가 부족하므로 임상양상과 함께 판단
- hyaline casts (= bland, benign, inactive urine sediment) : LM에서 투명하게 보임, 주로 Tamm-Horsfall protein으로 구성, cells 없음 → prerenal AKI의 특징
- "muddy brown" granular casts, tubular epithelial cell casts
  → ATN의 특징 (ischemic or nephrotoxic AKI), 20~30%에서 발견 (진단에 필수적은 아님), mild tubular proteinuria (<1 g/day) 동반 흔함
  c.f.) broad (granular) casts → CKD의 특징
- proteinuria (>1 g/day) → 사구체질환 or myeloma 의심
- nephrotic-range proteinuria (>3.0 g/day) → GN, vasculitis, interstitial nephritis (특히 NSAIDs)
- 요비중(SG)↑ → prerenal AKI (urine concentration)

요침사 소견에 따른 AKI의 원인	
정상 (or few RBC/WBC or Hyaline casts)	Prerenal, Postrenal, Arterial thrombosis/embolism, Preglomerular vasculitis, HUS/TTP, Sclerodermal crisis
RBCs, RBC casts	GN, Vasculitis, Malignant HTN, TMA (e.g., HUS/TTP, DIC)
WBCs, WBC casts	Interstitial nephritis, GN, Pyelonephritis, Allograft rejection, 악성종양의 신장 침범
Renal tubular epithelial (RTE) cells, RTE casts, Pigmented casts	ATN, Tubulointerstitial nephritis, Acute allograft rejection, Myoglobinuria, Hemoglobinuria
Granular casts	ATN, GN, Vasculitis, Tubulointerstitial nephritis
Eosinophiluria	Allergic interstitial nephritis, Atheroembolic dz., PN, Cystitis, GN
Crystalluria	Acute uric acid nephropathy, Calcium oxalate (ethylene glycol intoxication), Drugs/toxins (e.g., acyclovir, indinavir, sulfadiazine, amoxicillin)

4. 신생검(renal biopsy)

- prerenal과 postrenal AKI를 R/O 한 뒤 intrinsic AKI의 원인을 잘 모를 때 고려
- ischemic or nephrotoxic ATN 이외의 원인이 의심될 때 유용
  예) GN, vasculitis, HUS, TTP, allergic interstitial nephritis ...

5. Biomarkers

(1) Functional markers

- BUN & Cr ; GFR의 functional marker, 신장 실질 손상의 진단에는 부족함, 느리게 상승
- oliguric AKI에서 IV furosemide 투여 후 urine output <200 mL/day → severe AKI로 진행↑
- 요침사에서 tubular epithelial cells and/or granular casts↑ → AKI의 악화 및 severity↑와 관련
- urine cystatin C↑ : sCr보다 우수, 세뇨관 기능(재흡수) 장애 반영, 높은 농도는 poor Px.

(2) Structural markers

- KIM-1 (kidney injury molecule-1) : type 1 transmembrane protein, 근위 세뇨관에 분포
  - 정상에서는 발현되지 않고, 신장의 허혈성 손상시 세뇨관에서 발현되어 소변으로 배출됨
  - ischemic or nephrotoxic (e.g., cisplatin) injury 직후 urine KIM-1 빠르게 상승 (AKI에 매우 sensitive & specific)
  - AKI 이외에 fibrosis, RCC, polycystic kidney dz. 등 때도 상승
- NGAL (neutrophil gelatinase associated lipocalin = lipocalin-2, sidercalin)
  - neurophils의 과립 및 근위 세뇨관에서 발현, 신장의 급성 손상(ATN) 및 염증 이후 발현↑
  - ischemic or nephrotoxic (e.g., cisplatin) injury 직후 plasma or urine NGAL 빠르게 상승
  - AKI의 조기 진단 및 severity/Px. 예측에 유용, ELISA or POCT kit로 측정
- cell-cycle arrest proteins ; tissue inhibitor of metalloproteinases-2 (TIMP-2) + insulin-like growth factor-binding protein 7 (IGFBP7)
  - AKI 발생 예측 & 조기 진단에 KIM-1, NGAL, L-FABP, IL-18, CyC 등 보다 더 정확함
  - 2가지를 동시에 측정하는 POCT 검사 (TIMP-2×IGFBP7) [Nephrocheck®] 2014년 FDA 허가

Plasma proteins	GFR 감소	Plasma cystatin C (CyC)
	Tubular reabsorption 장애	Urinary cystatin C, α_1-/β_2-microglobulin, Clusterin, Retinol-binding protein
Tubular injury proteins	세뇨관 손상 때 upregulation	KIM-1, NGAL, Netrin-1, Cystatin C
	세뇨관 세포 손상시 유리	L-FABP, NAG, α-GST, π-GST, NHE3, ALP, LD
	염증세포에 의해 분비	IL-18, TNF, MMP2, PAF, MCP-1

GST, glutathione S-transferase; L-FABP, liver-type fatty acid-binding protein; MCP, monocyte chemotatic peptide; MMP, matrix metalloproteinase; NAG, N-acetyl-β-D-glucosaminidase; NHE, sodium(Na)-hydrogen exchanger; PAF, platelet activating factor

AKI 원인 감별의 diagnostic clues 예

	기전	U/A	임상양상
Prerenal	Hypovolemia	Hyaline casts, no RBC/WBC, FE_{Na}↓	체중↓, postural hypotension
	Ineffective arterial volume	Hyaline casts, no RBC/WBC, FE_{Na}↓	체중↑, edema, BP ↓or N
	Arterial occlusion	Hyaline casts, rare~many RBCs	때때로 flank, low back pain
Renal	Vascular	Granular casts, proteinuria, RBCs & WBCs	Vasculitis의 전신증상, HTN
	Glomerular	RBC casts, granular casts, RBCs, WBCs, proteinuria	Systemic illness, HTN
	Tubular (ATN)	Granular casts, tubular cells, RBCs, WBCs	Hypotension, sepsis
Postrenal	Ureteral obstruction	WBCs if infected, crystals or RBCs	Flank pain (서혜부로 전파)
	Urethral	WBCs & RBCs	Urethral pain
	Venous occlusion	Proteinuria, hematuria	때때로 flank pain

치료

1. 교정가능한 원인의 제거

- 신혈류를 감소시키는 원인 교정 및 nephrotoxic drugs 중단 (e.g., NSAIDs, AG, 방사선조영제)
- **prerenal** → BP와 vascular volume 회복 (수액 공급)
  - 소실된 체액의 종류에 따라 replacement fluid를 결정
    ① hemorrhage → packed RBCs + isotonic (0.9%) saline
    ② plasma loss (e.g., burn, pancreatitis) → isotonic saline
    ③ urinary or GI fluid loss → hypotonic (e.g., 0.45%) saline (심한 경우는 isotonic saline)
  - potassium, bicarbonate도 필요하면 적절히 보충
- **intrinsic** : ischemic or nephrotoxic ATN은 특별한 치료법은 없음
  - acute GN or vasculitis → glucocorticoid, alkylating agent, plasmapheresis
  - malignant hypertensive nephrosclerosis → 철저한 혈압 조절이 매우 중요
  - scleroderma에 의한 HTN & AKI → ACEi
- **postrenal** → urologic evaluation, bladder catheterization ⋯→ 14장 폐쇄요로병증 참조

2. 보존적 치료

- hypovolemia는 계속 신기능 악화에 기여하므로 반드시 교정 : 대부분 isotonic saline 투여
  - hypovolemia 교정 뒤, 일반적으로 salt & water는 소실량만큼만 보충함
    ; intake = urine output + 500 mL (insensible loss)
  - acute pancreatitis, rhabdomyolysis, tumor lysis syndrome 등은 더 많이 투여 (+ diuretics)
  - distributive shock (e.g., sepsis, anaphylaxis, liver failure, burn) 환자는 hypovolemia 교정 이후 혈역학적 안정 유지를 위해 vasopressors (e.g., NE, dopamine, vasopressin)가 필요할 수도 있음
  - anuria or 폐 부종(volume overload)이 뚜렷하면 fluid therapy는 금기 (→ RRT)
- hypervolemia (e.g., pulmonary edema : AKI 때는 폐혈관투과성↑)
  - salt (1~2 g/day) & water (<1 L/day) 제한
  - loop diuretics (e.g., furosemide, bumetanide) ± thiazide (반응 없으면 중단하고 RRT 고려)
    ⇨ **urine output↑** : AKI의 예후가 호전되는 증거는 없지만, 일부에서 투석 필요성 감소 효과
  - ultrafiltration or dialysis : 이뇨제 등에 반응 없는 심한 hypervolemia 때 고려
  - dopamine (low-dose) : prerenal AKI는 일시적으로 도움 될 수 있지만, intrinsic AKI는 효과×
- hyponatremia
  - free water intake 제한 (<1 L/d)
  - hypotonic IV solutions (e.g., 5% DW) 금지
- hypernatremia → water, IV hypotonic saline, isotonic dextran-containing solutions
- hyperkalemia
  - dietary K^+ intake 제한 (<40 mmol/day), K^+ supplements & K^+-sparing diuretics 중단
  - calcium gluconate, glucose & insulin, sodium bicarbonate, inhaled β-agonist
  - ion-exchange resins (e.g., sodium polystyrene sulfonate, kayexelate)

- hyperphosphatemia
  - dietary phosphate intake 제한 (대개 <800 mg/day)
  - oral phosphate binders (calcium carbonate, calcium acetate, sevelamer, aluminum hydroxide)
- hypocalcemia (증상을 동반한 심한 경우에만 치료) ; calcium carbonate, calcium gluconate
- hypermagnesemia ; Mg^{2+}-containing antacids 중단
- hyperuricemia ; 대개 경미하여 (<15 mg/dL) 치료는 필요 없음! (예외: tumor lysis syndrome)
- metabolic acidosis
  - HCO_3^- <15 mmol/L (or pH <7.2)인 경우에 치료
    → oral or IV sodium bicarbonate (Cx ; hypervolemia, metabolic alkalosis, hypocalcemia, hypokalemia)
  - but, 치료가 요구될 정도면 대부분 며칠 이내에 응급 투석이 필요하게 됨
- 영양 : 총열량섭취는 20~30 kcal/kg/day, 가능하면 경구로 공급
  - AKI 환자는 대개 protein energy wasting (catabolism)으로 malnutrition (→ mortality ↑) 위험
  - protein intake ; 0.8~1.0 g/kg/day (noncatabolic AKI 환자),
    1.0~1.5 (RRT 환자), 1.7 (catabolic & RRT 환자, 매우 심하면 ~2.5까지도)
  - carbohydrate intake ; >100~120 g/day (뇌의 최소 필요량)
  - RRT 환자는 반드시 미량원소(e.g., 아연, 구리, 셀레늄) 및 수용성 비타민도 공급
- 감염 : 예방이 최우선
  - IV or urinary catheters 및 기타 invasive devices는 세심하게 관리
  - 예방적 항생제 사용은 도움 안됨!
- anemia → 수혈 / EPO는 효과 없음 (∵ delayed onset, BM resistance)
- uremic bleeding (∵ platelet dysfunction) → desmopressin (DDAVP), estrogens, cryoprecipitate
  → 오래 지속되거나 심하면 투석 필요
- GI bleeding 예방 ; PPI or H_2-blocker
  ↳ acute interstitial nephritis (AIN)를 유발할 수도 있으므로 주의
- venous thromboembolism (VTE) 예방도 중요
  - VTE risk 평가 이후에 예방조치 필요하면 UFH (unfractionated heparin) 권장
  - LMWH 및 factor Xa inhibitors는 severe AKI 환자에서는 약동학을 예측할 수 없으므로 금기
    ↳ enoxaparin 30 mg/day : anti-Xa level monitoring 하에는 가능 (목표 0.2~0.4 U/mL)

3. 투석요법(dialysis, RRT renal replacement therapy)

- 신기능이 회복될 때까지 신장을 대체하는 역할 (지지요법)
- absolute indication ★
  ① 심한 uremic Sx & sign ; encephalopathy, seizures, 출혈경향, serositis (pericarditis, pleuritis), sensory or motor neuropathy, enteropathy (A/N/V) ...
  ② hypervolemia (e.g., pulmonary edema)
  ③ hyperkalemia (K^+ >6.5 mEq/L)
  ④ acidosis (pH <7.2, HCO_3^- <10 mEq/L)
  (②~④: 보존적 치료에 반응 없거나 매우 심할 때)
  * progressive azotemia (BUN >100, Cr >8~10, C_{Cr} <0.1) → 보통 경험적으로 시행함

- uremic Sx.은 C_{Cr}이 0.1~0.15 mL/min/kg 이하로 떨어질 때 발생
- 투석의 필요성은 plasma creatinine level보다는 C_{Cr}에 따라 결정해야 함
  → 제일 중요한 것은 환자의 uremic Sx.의 정도
- 투석요법의 종류
  ① 혈액투석(HD)
    (a) intermittent HD (IHD) : 보통 3~4 hr/day, 3~4회/주 … 오랫동안 AKI의 TOC였음
      - 수분/노폐물 제거는 가장 빠르지만, 짧은 시간만 가능하고 저혈압 발생 위험
      - 혈역학적으로 불안정한 AKI 환자에는 사용 어려움
    (b) prolonged intermittent renal replacement therapy (PIRRT) : 보통 6~12 hr/day, 3~7회/주
      - slow low-efficiency HD (SLED) or extended daily dialysis (EDD)로도 불림
      - IHD의 단점을 보완하기 위해 속도를 낮추고 시간을 늘린 것, IHD~CRRT의 중간 특성
      - 혈역학적으로 불안정한 severe AKI 환자에 유용 (특히 다량의 fluid therapy 지속시)
      - CRRT 대비 장점 ; 휴식기에 활동 및 시술 가능 / 단점 ; 전문인력이 계속 감시 필요
  ② 지속적 신대체요법(continuous renal replacement therapy, CRRT) - m/c
    - 종류 ; continuous venovenous hemofiltration (CVVH), continuous venovenous hemodialysis (CVVHD), continuous venovenous hemodiafiltration (CVVHDF) 등 → 6장 참조
    - 체외로 나가는 혈액량↓, flow rate↓ → HD보다 환자의 혈압에 미치는 영향이 작음
    - 단위시간당 수분/노폐물 제거 양 적음 → plasma osmolality 변화 적음 → IICP 환자에서 유용
      ↳ 24시간 시행하므로 최종적으로 제거되는 수분/노폐물 제거 양은 HD보다 많음
    - 혈역학적으로 불안정한 severe AKI 환자에서 가장 유용
  ③ 복막투석(PD) : HD or CRRT가 불가능한 상황에서만 고려
    (과거 혈역학적으로 불안정시 사용했었지만, 수분/노폐물 제거가 느리므로 권장 안됨)
- AKI의 치료 효과는 IHD, PIRRT, CRRT 간 의미 있는 차이는 없음!
  → 환자의 상태, 병원 시설/인력, 의사의 숙련도, 비용 등에 따라 선택
- 적절한 투석 강도는 아직 불확실함 (격일보다는 daily HD가, low-dose CRRT보다는 high-dose CRRT가 더 효과적이라는 주장도 있지만, 생존율 향상은 불확실함)

회복

- 일반적으로 ATN에 의한 oliguric AKI는 빨리 회복됨 : 보통 3주 정도
  (대개 5~15일 정도의 투석요법 필요)
- 신기능의 회복이 늦어지는 경우는 ATN 이외의 다른 원인을 고려 ; diffuse cortical necrosis, RPGN, renal emboli, renal vasculitis, renal artery occlusion, superimposed volume depletion ...
- 일단 AKI에서 회복되면 대부분은 정상 신기능을 유지
- but, 약 50%는 subclinical 신장 손상이 남음, 10~20%는 유지 투석 필요, 약 5%는 ESRD로 진행
- 비가역적으로 신기능이 감소될 위험이 높은 경우 ; 고령, 여성 baseline GFR↓, baseline sCr↑, hypoalbuminemia, 동반질환(e.g., HTN, HF), 퇴원시 sCr↑ 등

예후

- severe AKI의 ICU 입원 중 단기 사망률 40~60%, 퇴원 후 장기 사망률 23%
  - 지난 30년간 사망률 감소가 크게 없고 약간만 감소했음 (∵ 기저질환의 severity 증가)
  - prerenal & postrenal AKI가 intrinsic renal AKI보다 예후 좋음 (사망률 <10%)
    (예외 ; cardiorenal, hepatorenal syndrome)
  - intrinsic renal AKI는 경과 예측이 어렵고, 예후 나쁨 (사망률 30~80%, 약 50%)
- 주 사망원인 ; 감염, 기저질환의 악화, 전해질 이상, 출혈, 심폐부전
  - AKI 자체가 아니라 대개 기저질환의 후유증으로 인해 사망
  - 원인에 따른 사망률 ; sepsis 60~90%, 외상/대수술 60%, toxin ~30%, 산과적 합병증 ~15%
- 예후가 나쁜 경우
  ① 고령, 심한 기저질환(e.g., sepsis), multiple or nonrenal organ failure (e.g., ARDS, 간부전), thrombocytopenia, hospital-acquired AKI
  ② serum Cr >3 mg/dL (sCr level이 높아질수록 사망률은 훨씬 더 높아짐)
  ③ oliguria (<400 mL/day) [↔ nonoliguric AKI가 예후 더 좋음]

예방

- ischemic or nephrotoxic AKI는 특별한 치료법이 없기 때문에 예방이 매우 중요
- ischemic AKI의 많은 경우는 충분한 수액공급으로 예방 가능
- nephrotoxic AKI는 약물 투여량을 줄이면 예방 가능
- 신질환 발병의 위험이 있는 환자 (e.g., true or effective hypovolemia, renovasuclar HTN)에서는 NSAIDs 사용을 피하고, 이뇨제, ACEi/ARB, vasodilator 등은 필요시에만 조심스럽게 사용
- cisplatin, streptozotocin 같은 항암제 사용시엔 충분한 수액공급
- 거대 종양의 항암제 치료시 allopurinol 등의 전처치로 요산배설을 감소시킴
- high-dose MTX, rhabdomyolysis → forced alkaline diuresis
- acetaminophen-induced renal injury 예방 → *N*-acetylcysteine
- heavy metal nephrotoxicity 예방 → dimercaprol
- ethylene glycol intoxication → ethanol

- mannitol, loop diuretics, low-dose dopamine, fenoldopam, natriuretic peptides, N-acetylcysteine 등은 AKI 예방 효과 없음
- 수술 전 statin 투여 : 과거에는 AKI 예방에 효과적으로 봤으나 (∵ lipid↓, plaque 안정화, 항염증효과), 최근 연구 결과 효과 없고 일부에서는 AKI↑ 위험
- activated protein C (APC) : sepsis 환자에서 신장혈류 개선으로 AKI 예방 효과를 기대했었으나, 심각한 출혈 합병증으로 퇴출되었음

5 만성 신질환콩팥병 (Chronic kidney disease, CKD)

개요

1. 정의/분류

- 만성 신질환(CKD) : 신장손상(kidney damage) or 신기능(GFR) 감소가 3개월 이상 지속되는 것
  (1) 신장손상(kidney damage) ; 병리학적 이상, 영상검사의 이상, 신장이식, 단백뇨(albuminuria), 신장손상의 biomarkers, 비정상 요침사(urine sediment), 세뇨관장애에 의한 전해질 이상 등
  (2) 신기능(GFR) 감소 ; <60 mL/min/1.73m^2
  (c.f., GFR은 30~50%까지 감소해도 무증상 & 신기능 유지 → 이 이하로 감소하면 azotemia 발생)
- NKF (National Kidney Foundation) KDOQI (Kidney Disease Outcomes Quality Initiative) 분류 (2002년)

CKD의 분류/병기(staging) – KDOQI

Stage	GFR* (mL/min/1.73m^2)	빈혈	고혈압	5YSR	조치
1. GFR이 정상 or 증가된 신장손상	≥90	4%	40%	81%	원인 및 동반질환의 진단/치료, 진행 늦춤, 심혈관계 위험인자 감소
2. GFR이 약간 감소된 신장손상	<90 (60~89)	4%	40%	81%	+ 진행속도 평가
3. GFR의 중등도 감소	<60 (30~59)	7%	55%	76%	+ 합병증 평가 및 치료
4. GFR의 심한 감소	<30 (15~29)	29% 고인산혈증 20%	77%	54%	+ 신대체요법 준비
5. 신장기능상실(ESRD)	<15 or 투석중	69% 고인산혈증 50%	>75%	<40%	+ 신대체요법 시작

* GFR은 CG (Cockcroft–Gault) or MDRD의 추정사구체여과율(eGFR) 공식을 이용함

CG: $C_{Cr} = \dfrac{(140 - \text{나이}) \times \text{체중(lean body weight: kg)}}{72 \times P_{Cr}\ (\text{mg/dL})}$ (×0.85 :여성) … 유일하게 손으로 계산 가능!

MDRD : eGFR (mL/min/1.73m^2) = $186 \times (P_{Cr})^{-1.154} \times (\text{나이})^{-0.203}$ (×0.742 :여성) (×1.21 :흑인)

c.f.) chronic renal failure (CRF) : nephron이 비가역적으로 크게 감소된 것 ⇨ CKD stage 3~5
- 질소혈증(azotemia) : 질소대사산물인 BUN, Cr 등이 혈중에 저류(축적)되는 것
- 요독증(uremia) : 신장으로 배출되어야할 uremic toxins의 체내 축적 및 그에 의한 임상증후군
- 말기신부전(ESRD) (≒ kidney or renal failure) : GFR이 정상의 15% 이하로 감소하여 신대체요법이 필요한 경우 ⇨ CKD stage 5

• KDIGO (Kidney Disease Improving Global Outcomes) 분류 (2012년) ★
; 원인, GFR, albuminuria에 의한 범주 및 위험도(risk)/예후 분류

			Albuminuria stage	A1	A2	A3
				정상~약간 증가	중등도 증가	심한 증가
			ACR mg/g (mg/mmol)	<30 (<3)	30~300 (3~30)	>300 (>30)
			AER (mg/day)	<30	30~300	>300
			PER (mg/day)	<150	150~500	>500
GFR stage (mL/min/1.73m^2)	G1	정상~증가	≥90		1	2
	G2	약간 감소	60~89		1	2
	G3a	약간~중등도 감소	45~59	1	2	3
	G3b	중등도~심한 감소	30~44	2	3	3
	G4	심한 감소	15~29	3	3	≥4
	G5	신장기능상실	<15	≥4	≥4	≥4

(Box 내 숫자는 권장 monitoring 주기: 회/year)

eGFR은 CKD-EPI Cr equation (2009) or CKD-EPI Cr-Cystatin equation (2012) 권장 → 1장 참조!
ACR (albumin-to-Cr ratio), AER (albumin excretion rate), PER (protein excretion rate)
↳ 24hr urine보다, 아침 첫 spot urine으로 ACR 검사 권장 (가능하면 여러 번)

*Risk :	Low	Moderate	High	Very high

(Low → 다른 신장손상의 marker가 없으면 no CKD)

• 역학 (우리나라, 2017년)
- 추정 CKD 유병률 9% (성인의 약 1/9), CKD로 진료 받은 환자 약 20만명 (인구의 약 0.4%)
- 지속적으로 증가 추세 (연평균 8.7%↑), 60세 이상에서 급격히 증가
- 남:여 = 57:43 (남자가 약간 더 많음)
- 위험도(risk)에 따른 비율 ; low 92%, moderate 6.3%, high 1.1%, very-high 0.6%

2. 병태생리/병리

(1) initiating mechanism : 원인에 따름(e.g., toxin, immune complex, 염증, 유전자 이상)
(2) progressive mechanism : 원인에 관계없이 nephrons (renal mass) 감소 ~ ESRD까지의 진행 기전
① 남아있는 nephrons (사구체)의 보상성 hyperfiltration (혈류↑, 여과압력↑, 용적↑)
- hemodynamic injury : 사구체 비후, podocyte[발세포] injury/loss, FSGS 등의 병리소견을 보임
- 어느 정도 GFR을 유지하지만, 결국엔 보상(적응)에 실패함
- 관여인자 ; RAAS 활성화 (→ angiotensin Ⅱ), reactive oxygens, albumin, endothelin-1 등
↳ nonhemodynamic injury (염증 및 섬유화)도 매개
(e.g., renin → TGF-β↑/ angiotensin Ⅱ → 세포 증식, collagen 생산)
② proteinuria : 원인 질환에 의한 사구체 손상 or 보상성 hyperfiltration에 의해 단백뇨↑
- 단백뇨 자체가 사구체와 세뇨관 손상도 촉진함 ; mesangial toxicity, tubular overload & hyperplasia, 여러 염증물질 및 염증물질이 부착된 albumin, 염증반응 유도 등에 의해
- 따라서 단백뇨를 조절하면 CKD의 진행을 늦추고 부종 등의 증상호전에도 도움

③ cytokine bath ; IL-1, MCP-1, RANTES, IFN-γ, TNF-α, 여러 proteases 등
(monocyte chemoattractant protein)

④ 염증세포의 침윤 ; MCP-1 및 여러 chemokines에 의해 monocytes 등의 염증세포 침윤 발생

⑤ **epithelial-mesenchymal transition (EMT)** : renal (or tubular) epithelial cells이 염증 자극에 지속적으로 노출되면 섬유모세포(fibroblast)로 전환되는 것 → 신장 섬유화(scar)
- 촉진 ; TGF-β (m/i), EGF, FGF-2, FSP (fibroblast-specific protein)-1
- 억제 ; HGF (hepatocyte growth factor), BMP (bone morphogenetic protein)-7

⑥ fibrosis & glomerulosclerosis

3. 원인

Chronic kidney disease (CKD)의 원인	
DM (m/c, 44%) ; type 2 (41%), type 1 (3.9%) HTN (27.2%) : vascular diseases Subclinical primary glomerular dz.에서 HTN 동반 전신동맥경화성질환의 일환 Hypertensive nephrosclerosis Renal artery stenosis Glomerulopathies Primary glomerular diseases (8.2%) ; FSGS, MPGN, IgA nephropathy, Membranous nephropathy Secondary glomerular diseases ; Amyloidosis, Heroin abuse nephropathy, Post infectious glomerulonephritis, Collagen vascular diseases, Sickle cell nephropathy	Tubulointerstitial diseases (3.6%) Drug hypersensitivity Heavy metals Analgesic nephropathy Reflux/chronic pyelonephritis Idiopathic Hereditary or cystic diseases (3.1%) Polycystic kidney disease Medullary cystic disease Alport syndrome Obstructive nephropathies Prostatic disease Nephrolithiasis Retroperitoneal fibrosis/tumor Congenital

(1) 위험인자

- 당뇨병, 고혈압, 고령, 자가면역질환, 신질환의 가족력, AKI의 과거력 ...
- 신장손상 ; 단백뇨, 비정상 요침사, 구조적인 요로계 이상(e.g., VUR)

c.f.) reflux nephropathy (소아때 반복성 UTI 병력, 신장 크기 비대칭/scar) 의심시에는 VCUG 검사 고려
(but, CKD가 될 때까지 VUR은 대부분 호전됨 / 남아있는 VUR을 치료해도 신기능은 호전 안됨)

(2) 유전자 이상

- CKD의 원인
  ① ADPKD (m/c)
  ② Alport syndrome (hereditary nephritis, X-linked dominant 유전 등 → 7장 참조)
- ESRD로의 진행 예측
  ① ACE gene의 insertion/deletion polymorphism
  - cardiovascular dz.의 위험인자이기도 함
  - homozygous deletion (D/D) variant ; endogenous ACE activity 최대,
  CKD 악화 위험 최고 → ACEi 치료가 효과적

  ② angiotensinogen gene, angiotensin receptor
  → intraglomerular HTN이 지속적인 신손상에 중요함을 시사

Uremic syndrome의 병태생리

1. 요독물질(uremic toxins)의 체내 축적

┌ 신기능 감소(GFR↓)에 따라 신장으로 정상적으로 배출되지 못해 축적
└ CKD에 의한 대사 및 호르몬 변화에 의해 축적

단백질과 아미노산의 대사물 ; Urea (소변 배설 총 질소의 80% 차지) 등
Guanidine 화합물 (urea 다음으로 많은 단백대사물) ; creatinine, guanidinsuccinic acid (→ platelet factor Ⅲ 억제 → platelet dysfunction)
Urate 및 nucleic acid의 대사물
Advanced glycation end-products
Ligand-protein binding의 억제 물질
Glucuronoconjugates & aglycones
Somatomedin과 insulin 작용의 억제 물질
Peptides 호르몬들 ; PTH가 m/i

- 주로 단백질과 아미노산의 대사물 (∵ 대부분이 신장을 통해서 배설)
  - 식욕저하, N/V, 두통, 피로 등을 유발하는 것으로 추정됨
  - urea : 단독으로는 독성 강하지 않음, 다른 uremic toxin들의 혈중 농도를 간접적으로 반영
- peptides hormones : 신장에서 배설↓, 분해↓, 대사변화 등으로 인하여 PTH, FGF-23, insulin, glucagon, steroid hormones (e.g., vitamin D, sex hormones), prolactin 등의 혈중농도가 증가하는데 이들 모두가 요독소로 작용함 (PTH가 m/i)
- 중분자물질(middle molecules) : 과거에는 300~2,000 dalton으로 봤으나, European Uremic Toxin Work Group (2003년)에서는 500~60,000 dalton으로 정의함
- 단백결합물질와 중분자물질은 투석으로 잘 제거되지 않아 CKD 환자에서 더 중요함

Uremic toxins의 분류

Small water-soluble compounds	Protein-bound solutes	Middle molecules
<500 dalton	크기는 다양	>500 dalton
urea, creatine, ammonia, asymmetric dimethylarginine (ADMA), creatinine, guanidine, guanidino acetic acid, guanidino butyric acid, hypoxanthine, methylguanidine, myoinositol, uric acid, oxalate, trimethylamine-N-oxide (TMAO), xanthine, hypoxanthine	advanced glycation end products (AGEs), cresols (p-cresol, p-cresyl sulfate), CMPF*, 3-deoxyglucosone, hippuric acid, homocysteine, **indole-3-acetic acid, indoxyl sulfate, kynurenine**, kynurenic acid, leptin, melatonin, phenol, **phenyl acetic acid**, quinolinic acid	adrenomedullin, ANP, **β_2-microglobulin**, β-endorphin, CCK, complement factors, endothelin, FGF-23, **ghrelin**, ILs, leptin, retinolbinding protein, prolactin, PTH, TNF 등

*CMPF ; 3-carboxy-4-methyl-5-propyl-2-furanpropionic acid

2. Systemic inflammation

- CKD가 심해질수록 (특히 ESRD가 될수록) 염증반응도 심해짐 (∵ uremia, cytokines↑, oxidative stress, carbonyl stress, protein-energy wasting, 감염↑, 투석 등)
- MIAC (malnutrition, inflammation, atherosclerosis, calcification) syndrome 발생에 중요
  ↳ advanced CKD 환자의 혈관질환 및 심장위험 증가에 기여

- CRP, IL-6, ferritin 등의 acute-phase reactants (APR) 상승
- albumin, transferrin (TIBC), fetuin 등의 negative-APR 감소

3. Cellular function에의 영향

- cell membrane을 통한 ion transport의 장애 → intracellular Na^+↑, K^+↓
  → transcellular electrical potential↓
- Na^+-K^+-ATPase activity↓

진단

1. CKD와 true AKI의 감별 (우선)

■ CKD 진단에 도움이 되는 소견 (AKI와의 감별점) ★

① GFR 감소 : 3개월 이상
② 요독증상(uremic Sx.) : 3개월 이상
③ 양측 신장 크기의 감소(<8.5 cm) → renal US
④ renal osteodystrophy (secondary hyperparathyroidism)
  ; hyperphosphatemia, hypocalcemia, PTH↑, ALP↑
⑤ uremic neuropathy
⑥ moderate~severe normocytic normochromic anemia (↔ AKI는 대개 mild)
⑦ U/A ; inactive sediment, broad casts, proteinuria
(oliguria는 아님!)

■ 신장의 크기가 정상 or 증가되는 CKD

; diabetic nephropathy (증가), RPGN, malignant nephrosclerosis, obstructive uropathy, multiple myeloma, amyloidosis, polycystic kidney dz., HIV-associated nephropathy, scleroderma

2. CKD의 원인 파악

- 병력이 중요 - 주요 원인 질환의 임상적 특징 예

1. 당뇨병성 신질환 (m/c) ; 당뇨 병력, 단백뇨, 당뇨병성 망막증
2. 고혈압 ; 혈압↑, 요검사 정상, 고혈압의 가족력
3. 사구체 질환 ; nephritic or nephrotic 임상양상
4. 낭종성 신질환 ; 요로계 증상, 비정상 요침사, 영상검사 이상
5. 세뇨관간질성 신질환 ; UTI의 병력, 역류, 장기간의 약물 복용, 요로계 영상검사 이상, 세뇨관기능 이상 (요농축 장애, 요검사 이상)

- 중요한 drugs Hx ; 진통제, NSAIDs, gold, penicillamin, 항생제, 항바이러스제, PPI, lithium, ACEi
- heavy proteinuria (>3 g/day) → NS, DM, malignant HTN, collagen vascular dz., amyloidosis 등의 사구체병변을 시사

• RBC or RBC cast → RPGN, proliferative GN, malignant HTN, 전신질환에 의한 GN 등을 시사
• WBC, fine + coarse granular casts → interstitial nephritis 시사 (→ 신독성 약물 조사)
• 영상검사 ; US (m/g), 필요시 CT, MRI 등 (조영제를 사용하는 검사는 가능하면 피해야 됨)

* 특히 진단을 놓치지 않도록 주의가 필요한 질환
① bilateral renovascular ischemic dz. ; revascularization 치료로 신기능 향상 가능, ACEi 주의
→ Doppler US, CT, MRA 등
② analgesic-associated chronic tubulointerstitial dz. ; 약 중단하면 신기능 크게 향상
→ CT (papillary calcification & necrosis)

3. 신생검(renal biopsy)

• 적응 ; 신장 크기가 거의 정상이고, 원인질환의 가역(reversible) 가능성이 있고, biopsy 이외의 방법으로 진단이 어려울 때 (대개 early-stage CKD에서나 고려)
• tubulointerstitial scarring의 정도 - ESRD로의 진행 예측에 m/g 소견
• 금기 ; bilateral small kidney, polycystic kidney dz., uncontrolled HTN, urinary tract or perinephric infection, 출혈경향, 호흡곤란, 심한 비만

임상양상 및 합병증

1. 수분 및 전해질 이상

(1) Na^+ (sodium)

• Na^+ level은 GFR이 10 mL/min까지 감소되어도 잘 유지됨 (∵ 정상 nephron에서 Na^+ 배설↑)
• ESRD에서는 Na^+ retention or salt-losing nephropathy 생길 수 있음
① sodium retention → ECF volume↑, HTN, edema, pulmonary congestion, cardiomegaly ...
② sodium wasting (드묾) : salt-losing nephropathy
예) pyelonephritis, medullary cystic dz, hydronephrosis, obstructive nephropathy, interstitial nephritis, milk-alkali syndrome...
• 대부분의 stable CKD 환자는 total body sodium & water가 약간 증가되어 있음 (∵ sodium intake > excretion), ECF는 현저하게 증가×, hypernatremia는 드물다
┌ water 과잉 섭취 → hyponatremia, weight gain 발생/악화
└ sodium 과잉 섭취 → CHF, HTN, ascites 발생/악화
• 치료
① ECF volume이 증가된 경우 : Na^+ 섭취 제한 + loop diuretics
→ 반응 없으면 loop diuretics 증량 or metolazone 추가
→ 반응 없으면 (GFR <5~10 mL/min/1.73m^2) 대개 투석 필요
② ECF volume이 감소된 경우 : 조심스럽게 수액(N/S) 보충
③ salt-losing nephropathy : Na^+ 보충 / ④ hyponatermia : water 제한

(2) Hyperkalemia

- 신기능이 감소되어도 보상작용의 증가로 (∵ aldosterone에 의해 신장 배설, 위장관에서의 배설) distal flow만 유지되면 K^+ 배설은 거의 정상을 유지함 / total body K^+은 저하됨 (ICF내 K^+↓)
  ⇨ 대개 말기에 (GFR <10 mL/min) hyperkalemia 발생 (증상 발생은 5 mL/min 이하)
- CKD 환자에서 조기 hyperkalemia 발생의 유발인자
  ① 경구섭취↑(e.g., 녹즙), 세포에서 유리↑ (e.g., rhabdomyolysis, tumor lysis syndrome, 단백 분해, 용혈, 수혈, 출혈, 외상, 수술, 전신마취, 운동)
  ② ICF에서 ECF로 shift ; metabolic acidosis, insulin deficiency, nonselective β-blockers
  ③ distal nephrons의 K^+ 배설 감소
    - hyporeninemic hypoaldosteronism ; diabetic nephropathy, TID
    - 주로 distal nephron을 침범하는 신질환 ; obstructive uropathy, sickle cell nephropathy
    - aldosterone↓ ; ACEi/ARB, direct renin inhibitors, NSAIDs & COX-2 inhibitors
    - K^+-sparing diuretics (e.g., spironolactone, amiloride, eplerenone, triamterene), oliguria
- 치료
  ① K^+ 섭취 제한 : 50~77 mEq/day (2~3 g/day)
  ② K^+ 함유 수액/약물, hyperkalemia 유발 요인/약물(e.g., hypovolemia, NSAIDs) 등 회피/교정
    - ACEi/ARB : 장점(CKD 진행 지연)이 더 크므로 감량 및 kaliuretic diuretics 병용 먼저
    - metabolic acidosis → alkali 보충
  ③ kaliuretic diuretics (e.g., thiazide or loop diuretics) : 소변으로 K^+ 배설 증가
  ④ GI K^+-binding agents (e.g., SPS [Kayexalate®], patiromer, ZS-9) : 장으로 K^+ 배설 증가
  ⑤ intractable hyperkalemia (드묾) → 투석의 적응
  ⑥ severe hyperkalemia → calcium gluconate, insulin + glucose, alkali, albuterol (β_2-agonist)

* hypermagnesemia, hyperamylasemia, hypertriglyceridemia, mild carbohydrate intolerance 등은 치료를 필요로 하지 않는다

(3) Metabolic acidosis (MA)

- CKD **중기** : GFR 40~50 mL/min 이하가 되면 functioning nephrons의 감소로 인해 total ammonia 생산(excretion) 저하 (각 nephrons 당 ammonia 생산은 증가하지만)
  → 소변으로 H^+ 배설 감소 → H^+ **retention** → ECF에서 중화 (tissue buffers, bone의 완충작용)
  ⇨ hyperchloremic (normal-AG) metabolic acidosis & hyperkalemia : 대개 mild (pH >7.35)
  - titratable acid (주로 phosphoric acid) 생산(excretion) 저하도 MA 발생에 기여함

  * Bicarbonate 생산은 주로 ammonia excretion과 titratable acid excretion에 의해 이루어짐
  ↳ acid load를 완충(H^+를 소변으로 배출) ↳ 대개 ammonia 이외의 산을 의미함

  - hyperkalemia 동반시 ammonia 생산은 더욱 감소 (→ hyperkalemia 치료시 acidosis도 호전됨)
  - diabetic nephropathy, TID, obstructive uropahty 등은 초기(CKD stage 1~3)에도 type 4 RTA (aldosterone↓)에 의해 hyperchloremic normal-AG MA & hyperkalemia 발생 가능
- ESRD에 가까워져도 동반질환(e.g., diarrhea, RTA)이 없으면 bone의 완충작용으로 serum bicarbonate는 15~20 mEq/L 정도를 유지함 (→ bone에서는 renal osteodystrophy를 유발)
- **말기** : ESRD가 되면 organic acids (phosphate, sulfate, urate, hippurate 등)의 retention도 발생
  ⇨ high-AG metabolic acidosis

Chronic Metabolic Acidosis에 의한 영향
Bone turnover (resorption)↑, Muscle protein catabolism↑, CKD progression 전신염증↑, TG↑, Corticosteroids & PTH↑ (2ndary hyperparathyroidism 악화) Insulin 및 GH에 대한 저항성 (c.f., EPO는 관련×) 갑성선호르몬 이상 (갑성선호르몬들의 감소, 갑성선호르몬에 대한 저항성) 심근수축력↓(→ CHF), 저혈압, 권태감

⇨ MA 치료 (alkali 보충)로 호전됨

• 치료 : serum bicarbonate (HCO_3^-) 20~23 mEq/L 이하면 alkali 보충 필요

⇨ serum HCO_3^- 정상(23~29* mEq/L) 유지 권장 (*높으면 사망률이 증가되는 연구도 있어 불확실함)

① oral sodium bicarbonate or sodium citrate : sodium overload 위험

↳ aluminum-containing antacids 복용시엔 금기

② calcium citrate, calcium acetate, or calcium carbonate

③ veverimer (nonabsorbable sodium-free oral HCl binder) : GI에서 HCl 제거에 효과적 (연구 중)

④ 투석 환자에서는 투석액의 bicarbonate 농도를 높이는 방법도 가능

2. CKD-MBD (mineral & bone disorder)

* CKD-MBD의 정의 : 다음 중 하나 이상
(1) 칼슘(Ca), 인(Ph), PTH, FGF23, vitamin D 등의 대사 이상
(2) 뼈 이상 (bone turnover, mineralization, volume linear growth, or strength)
(3) Extraskeletal calcification

– 신성골형성장애/골이영양증(renal osteodystrophy) 용어는 뼈의 형태학적 변화에 사용

■ 병태생리 - Ca, Ph, PTH, FGF-23, vitamin D 등의 대사 이상

(1) Secondary Hyperparathyroidism

Secondary hyperparathyroidism 발생에 기여하는 인자 ★
1. Hyperphosphatemia (∵ GFR 감소에 의한 인산염 배설 감소) 2. Hypocalcemia (ionized Ca^{2+}↓), metabolic acidosis 3. Vitamin D (1,25(OH)$_2$D, calcitriol) 생산 장애 및 저항성 4. Fibroblast growth factor 23 (FGF-23) 증가 5. 부갑상선에서 vitamin D receptors (VDRs), calcium-sensing receptors (CaSRs), FGF receptors (FGFR) 및 Klotho 등의 발현 감소 (↳ FGF의 co-receptor로 FGFR:Klotho complex로 작용) 6. PTH에 대한 skeletal resistance (골 저항) 7. Autonomous parathyroid hyperplasia 8. 신장의 PTH의 분해 및 배설 감소

• CKD-BMD의 m/i 특징, 보통 CKD stage 3부터 발생 시작, GFR이 감소할수록 증가

• GFR↓ ⇨ serum phosphate↑ → PTH↑, FGF-23↑ → 신장에서 Ph 재흡수↓(배설↑)

↳ serum Ca^{2+}↓↗　　↳ 신장에서 calcitriol 합성↓ → serum Ca^{2+}↓

⇨ 보상기전으로 serum Ph & Ca^{2+}은 어느 정도 정상범위를 유지함 ("trade off hypothesis")

• PTH↑ ; osteoblast & osteoclast activity↑(→ serum Ca^{2+}↑), ALP↑ 등 → 뒷부분 참조

– CKD에서는 PTH에 대한 skeletal resistance도 발생 → PTH 더욱↑

– parathyroid nodular hyperplasia or adenoma도 발생 가능

(2) Hyperphosphatemia

- 인(Ph) : 체내에서 85%는 Ca-Ph 결합체로 뼈에 존재, 1% 정도만 ECF에 존재
- advanced renal failure의 특징, GFR이 20~30 mL/min 이하로 감소되면 발생 시작
  (그 전까지는 FGF-23 및 PTH 증가에 의한 보상작용으로 대개 정상 범위를 유지함)
- secondary hyperparathyroidism의 주요 원인임
  ① 간접적으로 유발 (∵ 신장에서 $1,25(OH)_2D$ 합성↓, serum Ca^{2+}↓)
  ② 직접 PTH 분비를 자극
- 심혈관계 사망률 증가와 관련 / hyperphosphatemia 및 hypercalcemia → 혈관/판막 석회화↑
- 석회화 정도는 연령 및 Ph↑ 정도와 비례, PTH↓ 및 low-turnover와 관련
  (∵ low-turnover 환자는 섭취한 Ca을 뼈가 이용 못해 연조직과 혈관에 침착↑)

(3) Hypocalcemia

- 발생기전 ; ① hyperphosphatemia → 뼈로 calcium 유입↑, calcium phosphate가 연조직에 침착
  ② PTH에 대한 skeletal resistance
  ③ 신장의 vitamin D 합성↓ → 장에서 Ca^{2+} 흡수 감소
- CKD 환자에서 흔하며 secondary hyperparathyroidism을 유발하는데 기여
- serum Ca^{2+}↓ → 부갑상선의 CaSRs에서 감지 → PTH 분비 자극

(4) vitamin D [$1,25(OH)_2D_3$, 간단히 $1,25(OH)_2D$, calcitriol] 결핍

- GFR↓ (renal mass↓) → <u>25(OH)D</u> 재흡수↓, 1α-hydroxylase↓ (25(OH)D ▷ $1,25(OH)_2D$↓)
  → <u>$1,25(OH)_2D$</u>↓ (active form)
  ↳ 사구체에서 여과된 뒤 근위 세뇨관에서 megalin receptor에 의해 재흡수됨 ($1,25(OH)_2D$↓ → 신장의 megalin 발현↓ → vatamin D 결핍 더욱 악화)
- CKD stage 3 or 더 일찍부터 감소, ESRD 때는 매우 낮음 (∵ 주로 FGF-23↑ 때문)
- secondary hyperparathyroidism 발생에 기여 (∵ Ca^{2+}↓, PTH gene transcription 억제의 감소)
- 골격계의 PTH에 대한 sensitivity도 감소시킴
- severe hyperplastic parathyroid에서는 vitamin D receptor도 매우 감소됨 (down regulation)

(5) Fibroblast growth factor 23 (<u>FGF-23</u>)

- CKD <u>초기</u>부터 증가 (주로 osteocytes에서 분비됨)
- serum phosphate level을 정상으로 유지하도록 작용
  ① 신장에서 phosphate 재흡수 억제 → phosphate 배설↑ PTH↑
  ② PTH 분비 자극 → 역시 신장에서 phosphate 배설↑ ↑
  ③ 신장의 1α-hydroxylase 억제 → $1,25(OH)_2D$ 합성↓ → 위장관에서 Ph & Ca 흡수↓
- FGF-23↑ : LVH의 독립적인 위험인자, CKD/투석/신이식 환자에서 사망률↑
  → serum phosphate level이 정상이라도 치료가(e.g., Ph 섭취제한) 필요함을 시사

■ 뼈질환의 조직학적 분류 (renal osteodystrophy, ROD)

(1) <u>High</u>-turnover osteodystrophy (<u>PTH ↑</u>) : osteitis fibrosa cystica[낭성섬유뼈염]

- persistent **secondary hyperparathyroidism**에 의해 발생 (CKD stage 2~3부터 발생 시작)
- bone formation↑, osteoid (unmineralized bone)↑, subperiosteal bone resorption (m/c 영상소견), bone & BM fibrosis (endosteal peritrabecular fibrosis), 말기에는.. <u>bone cysts</u> 형성, 때때로 출혈성 병변으로 인한 <u>brown tumor</u> 등
  ↳ osteitis fibrosa cystica

- severe hyperparathyroidism의 임상양상 ; bone pain & fragility, brown tumors, compression syndromes, EPO resistance (일부 BM fibrosis 때문) 등

* PTH 자체도 요독물질로 작용하여 심근 섬유화, CAD, LVH, muscle weakness, 비특이적 전신 증상 등을 일으킴

(2) Adynamic bone disease (ABD)

- low-turnover osteodystrophy, 증가 추세 (특히 DM 및 노인에서)
- 투석 환자에서는 m/c ROD (PD 환자의 60%, HD 환자의 36%에서 발생)
- 병인 (PTH의 과도한 억제) : PTH ↓ → bone turnover 감소 (osteoclast & osteoblast 감소)
  → 뼈의 Ca 이용 감소 → bone formation 속도 매우 느려짐, hypercalcemia
  → total bone volume 감소, osteoid 정상(~↓), mineralization defect는 없음
- 위험인자 ; vitamin D (e.g., calcitriol) or Ca-함유 phosphate binders 과다복용 (m/c), steroid, 고령 or DM (부갑상선기능↓), 투석액의 Ca 농도↑(요즘엔 드묾), aluminum (요즘엔 드묾)
- 임상양상 ; 무증상이 흔함, bone pain, 골절↑, 혈관/심장 석회화↑, 드물게 tumoral calcinosis (관절 주위 연부조직에 Ca이 침착된 것 ↵)
- ALP는 정상
- 치료 ; 적절한 PTH level 회복 … 위험인자 교정(e.g., vitamin D↓, Ca-함유 Ph binders↓ 등)

(3) Osteomalacia (골연화증, renal richets)

- low-turnover osteodystrophy, mineralization defect → 유골(osteoid)↑
- 원인 ; aluminum 과잉에 의한 뼈 축적 (m/i), vitamin D 결핍/저항, metabolic acidosis, Ph↓
- aluminum 제제 사용 감소에 따라 최근엔 드묾

■ 기타 임상양상

(1) β_2-microglobulin-derived (Aβ_2M) amyloidosis (dialysis-associated amyloidosis)

- 장기간 투석 받은 환자에서 발생 (주로 투석 5년 이후에)
- 원인 ; 배출되지 못한 β_2-microglobulin이 뼈와 관절에 축적되어 발생
- 증상 ; carpal tunnel syndrome (m/c), hands의 tenosynovitis, shoulder arthropathy, bone cysts, cervical spondyloarthropathy, cervical pseudotumors
- 진단 ; X-ray (carpal bone과 femoral neck의 cyst), US, CT
- 치료 ; high-flux hemodiafiltration, hemofiltration (NSAIDs, steroid, PT 등은 별 효과×)

(2) osteoporosis : 활동 감소, Ca 결핍, 단백 고갈, 고령/폐경 등 때문
  c.f.) chronic acidosis는 CKD 환자의 골질환 발생에 큰 기여는 안함

(3) osteosclerosis → "rugger jersey spine" (vertebra 상하연의 골밀도 증가)

(4) metastatic calcification ; subcutaneous, articular, periarticular tissues, myocardium, eyes, lungs

(5) vascular calcification

- ESRD에서 흔함 (모든 형태의 ROD에서 가능하나, 특히 ABD와 관련), 주로 동맥에 발생
- CAD, LVH, CHF 등의 심혈관질환 증가와 관련 → 사망률↑
- 투석 환자에서는 젊은 연령에서도 심한 혈관(특히 coronary artery) 석회화 발생 가능
- 판막 석회화는 주로 AV 및 MV에 발생 (mitral annular calcification → 사망률↑)
- 특별한 치료법은 없음 → 적절한 Ca & Ph balance 유지

  c.f.) 뼈의 Ca 이용이 감소되어도 혈관 및 연조직의 석회화 증가 ; ABD (PTH↓), 골다공증

(6) calciphylaxis : 대부분 2ndary hyperparathyroidism을 동반한 말기 신부전에서 발생, 증가 추세
- 말초 혈관(중막)의 급격한 석회화 → 혈류장애 → skin necrosis (특히 하지/발, 복부, 유방), livedo reticularis, 장기의 허혈성 손상 (→ 사망)
- 원인 (multifactorial) ; severe 2ndary hyperparathyroidism, vitamin D, oral calcium 제제 (phosphate binder), steroid, iron 과잉, aluminum toxicity, protein C 결핍, warfarin ...

■ 진단 및 monitoring

- 혈액검사 : serum Ca, Ph, PTH (골다공증 표지자는 routine으로 검사할 필요는 없음)

권장 검사 및 monitoring 주기

검사 \ CKD	Stage 3 (GFR <60)	Stage 4 (GFR <30)	Stage 5 (GFR <15)
Ph, Ca	6~12개월 마다	3~6개월 마다	1~3개월 마다
	(CKD-BMD 치료 중 or 검사 이상 환자는 더 자주)		
PTH	기저치와 CKD 진행 상태에 따라 검사 고려	6~12개월 마다	3~6개월 마다
		(CKD-BMD 치료 중이면 더 자주)	
ALP	-	12개월 마다	12개월 마다
		(PTH 상승한 경우 더 자주)	
25(OH)D*	12개월 마다 (PTH 상승했거나 vitamin D 치료 중이면 6개월 마다)		

* 25(OH)D (or calcidiol) : 1,25$(OH)_2D$의 비활성 전구체로, 대부분 vitamin D-binding protein (DBP)에 결합되어 있음. 혈중 vitamin D의 99.9%를 차지하므로 체내 vitamin D 상태를 잘 반영함

- 영상검사 : ESRD에서는 routine으로 필요 없음 (∵ PTH보다 sensitivity 떨어짐)
  - unexplained bone pain/fractures 시에는 고려
  - 혈관/판막 석회화 파악이 필요할 때는 CT, lateral abdominal X-ray, echocardiography 고려
- 골밀도검사 : CKD-MBD 증거 and/or 골다공증 위험인자 존재시 시행 → 골절 위험성 평가
- bone biopsy : 치료방침 결정을 위해 renal osteodystrophy의 확진이 필요할 때만 고려

■ CKD-MBD의 치료

- serum Ph, Ca, PTH, vitamin D의 연속 측정값 (변화양상)에 따라 치료 결정 (단일 값×)
- hyperphosphatemia : Ph의 점진적/지속적 상승시 **Ph 감소 치료** 시작 (Ph 정상 범위면 치료×) (KDOQI 3.5~5.5 mg/dL, KDIGO 2.5~4.5 mg/dL, 일본 3.5~6.0 mg/dL, 우리 2.4~5.0 mg/dL)
- PTH가 점진적/지속적으로 상승하면 교정가능인자인 Ph, Ca, vitamin D 등 평가
  - 교정가능인자의 치료에도 불구하고 150~200 pg/mL (UNL의 약 2.3~3배) 이상 or severe hyperparathyroidism이면 calcitriol or active vitamin D analog 치료 권장!

> Hyperparathryoidism을 너무 과도하게 치료하면 (PTH level을 너무 낮추면) ABD 발생이 증가되므로 serum PTH level은 **150~300** pg/mL (stage 5) (70~110 : stage 4) 정도로 약간 높게 유지해야 됨
> 투석 환자는 serum PTH level을 UNL의 2~9배로 유지 권장

  - hypercalcemia 예방을 위해 투석액 Ca 농도는 1.25~1.50 mmol/L (2.5~3.0 mEq/L) 권장

① 인(Ph) 섭취 제한 : 800~1000 mg/day (17 mg/kg^{IBW}/day) 이하로 제한
- 식이제한으로는 불충분하면 oral phosphate binders 투여
- hyperphosphatemia 치료는 renal osteodystrophy와 신부전의 진행 예방 효과

② oral phosphate-binding agents : 장내에서 인과 결합하여 흡수 방지, 식사중/직후 복용
- Ca-함유 Ph binders ; calcium carbonate[탄산칼슘] or calcium acetate[초산칼슘]
  ↳ hypercalcemia 발생 가능 (특히 low-turnover bone dz. [ABD] 환자에서) → 투여량 제한
- Ca-비함유 Ph binders ; sevelamer (Renagel, Renvela), lanthanum (Fosrenol)
  ↳ hypercalcemia 부작용 없어 선호되지만 비쌈 ↳ Cx ; 드물게 뼈/간에 축적, GI 폐쇄
  → 혈관 석회화가 동반된 경우에는 Ca-비함유 Ph binders 권장!
- 기타 ; sucroferric oxyhydroxide (Velphoro), ferric citrate, nicotinamide, tenapanor, aluminum hydroxide (aluminum toxicity 발생 위험으로 잘 안 씀, 단기간만 사용)
- 투석 환자는 투석을 통한 Ph 제거, 투석액의 aluminum 오염방지 등도 시행

③ active **vitamin D (calcitriol)** : PTH 분비를 직접 억제 + Ca^{2+}↑를 통해 간접적으로 억제
- hyperphosphatemia가 조절된 후에도 hyperparathryoidism이 지속되면 사용
- 장에서 Ca & Ph 흡수 증가로 Ca↑ and/or Ph↑ 발생 위험 (Ph↑ 때에는 사용 금지)
- **calcitriol analogues (e.g., paricalcitol)** : calcitriol과 효과 같으면서 Ca↑, Ph↑ 발생 위험 적음

④ **calcimimetics (CaSR[calcium-sensing receptor] agonists) ; cinacalcet, evocalcet**
- 부갑상선의 CaSRs에 작용하여 Ca에 대한 sensitivity를 증가시킴 → PTH, Ca, Ph 등을 낮춤
- 혈관의 CaSRs를 통해서는 혈관석회화 억제 작용 (∵ MGP↑, BMP-2↓ 등)
- hyperparathyroidism의 새로운 치료제로 PTH를 효과적으로 낮춤, 다른 치료에 반응 없으면 고려
- hyperphosphatemia와 hypercalcemia가 모두 동반된 경우 유용
- Cx ; hypocalcemia, N/V 등의 GI 증상 (→ 자기 전에 투여하면 도움)
  ↳ close Ca monitoring이 필요하므로 외래 환자에서는 어려울 수 있음

⑤ 부갑상선절제술(parathyroidectomy) : 위 치료들에 반응 없으면 고려 (→ 생존율↑)

(1) 내과적 치료에 반응 없는 symptomatic severe hyperparathyroidism (지속적으로 PTH >800 pg/mL)
  Hypercalcemia & refractory hyperphosphatemia
  Bone pain and/or fractures, severe muscle weakness, pruritus
  Calciphylaxis (calcific uremic arteriolopathy) 등
(2) 내과적 치료에 반응 없는 asymptomatic severe hyperparathyroidism (지속적으로 PTH >1000 pg/mL)
  ↳ 대개 동반질환이 적은 65세 미만에서 고려

3. 심혈관계 이상

* CKD 환자의 m/c 사망원인 (투석/신이식 환자 사망 원인의 약 50% 차지)
  - CKD 단계에 따라 일반인에 비해 cardiovascular dz. 위험 10~200배 증가
  - CKD stage 5 환자의 30~45%는 advanced cardiovascular dz.를 가지고 있음
  - 투석을 시작하게 되면 증상에 관계없이 모든 환자는 심장초음파검사를 받아야 됨
* 심혈관질환 중 관상동맥질환(CAD)은 일반인(>50%)보다 적은 부분을 차지함 (<20%)
  - atherosclerosis에 추가로 다른 기전이 더 관여 ; 혈관 석회화, 중막(media) 비후(→ 벽 두께↑), endothelial dysfunction 등 → "arterial stiffness" → pulse pr.↑ → HF, stroke, MI 위험↑
    (↳ pulse wave velocity로 측정)
  - 투석 환자는 AMI 보다는 부정맥, CHF에 의한 사망이 더 많음
    (그래도 atherosclerosis에 의한 IHD 위험은 일반인보다 훨씬 높음)

(1) 고혈압

- CKD와 ESRD의 m/c Cx., 심실비대 및 renal failure의 진행을 더욱 촉진
- 원인 및 악화인자
  ① 체액증가 : Na+ & water retention (chronic ECFV overload) … 주된 원인
  ② RAAS 활성화 (renin↑→ secondary hyperaldosteronism), 교감신경계 활성화
  ③ anemia, 혈액투석시 AV fistula → CO↑
  ④ ESA (erythropoiesis-stimulating agent) 투여
- 치료 (목적 : CKD의 진행 지연, 심혈관질환 및 뇌졸중 예방)
  ① volume control : sodium & water 제한, diuretics
  ② antihypertensive drug ; ACEi or ARB 우선
    - hyperkalemia 발생 위험으로 흔히 kaliuretic diuretics (e.g., metolazone) 병용
    - 반응 없으면 CCB or β-blocker도 추가 가능 (K+-sparing diuretics는 가능한 피함)
- 목표 혈압 : <140/90 mmHg
  c.f.) CVD/CKD 고위험군은 (e.g., proteinuria ≥1 g/day) ≤130/80 mmHg
- HTN의 치료는 신기능 악화를 방지하는데 protein restriction 만큼 중요함!

(2) 허혈성 심혈관질환

- CKD는 허혈성 심혈관질환의 주요 위험인자임 (GFR↓ 및 proteinuria 모두 위험을 증가시킴)
- 전통적(traditional) 위험인자 ; 고령, HTN, hypervolemia, dyslipidemia, hyperhomocysteinemia, sympathetic overactivity 등 ⋯ CKD 초기에 중요
- CKD (uremia)-관련 위험인자 ; hyperphosphatemia, hyperparathyroidism, calcium load↑, 심혈관 석회화, FGF-23↑, 전신 염증, 영양실조, proteinuria, anemia, sleep apnea 등
- 기타 허혈성 심질환의 악화인자 ; LVH, microvascular dz., HD (hypotension, hypovolemia)
  (NS에 의한 dyslipidemia, hypercoagulability도 폐쇄성 혈관질환을 촉진함)
- CKD 환자에서는 ischemia 없이도 troponin이 증가된 경우가 많음 → 연속 측정이 중요
- 치료 (일반인에 비해 전통적 위험인자의 치료 효과는 약함)
  ① 혈압 및 혈당의 조절 (→ 뒤의 치료 부분 참조)
  ② dyslipidemia … CKD stage 3~4 (eGFR 15~59)는 dyslipidemia의 risk-enhancing factor임
    - 치료시 target LDL level은 고려 안함, LDL level monitoring도 권장 안됨
      (∵ LDL level과 예후와의 관련성 부족, 염증/영양상태의 영향, 측정 오차 등)
    - 40~75세, LDL 70~189 mg/dL, 10-year ASCVD risk ≥7.5%, 투석 중이 아닌 CKD
      ⇨ moderate-intensity statin therapy ± ezetimibe 치료 권장
    - 투석이 필요한 CKD 환자는 statin 치료 효과 無 → 새로 시작× (기존에 사용 중이면 계속)
    - severe hypertriglyceridemia (≥500 mg/dL) → 치료적 생활습관개선 권장
  ③ antiplatelet therapy ; 금기가 없으면 low-dose aspirin
  ④ 금연, IBW 유지, 신체활동 등

(3) 심부전(heart failure)

- 위험인자 ; LVH (초기부터 발생, ESRD에는 약 75%에서 동반), cardiomyopathy, myocardial ischemia
  + CKD-관련 위험인자(e.g., Na+ & water retention(volume overload), anemia, sleep apnea)

- advanced CKD 환자에서는 "low-pressure pulmonary edema"도 발생 가능
  - volume overload 없이도 발생 가능, PCWP는 정상 or 약간 증가
  - 원인 ; uremia에 의한 alveolar capillary membrane의 permeability 증가
  - 호흡곤란, CXR에서 박쥐 날개 모양의 폐부종 ⋯→ 투석 치료에 반응

(4) Pericarditis

- ESRD에서 발생 가능, 적절한 투석 치료 시에는 드묾, fluid overload 시에도 발생↑
  (투석을 시작하는 환자보다, 투석이 부족하거나 잘 안 지키는 환자에서 발생 위험↑)
- 증상 ; fever, pericardial pain (누울 때, 호흡시 심해짐), friction rub, diffuse ST elevation
- pericardial effusion도 발생 가능 ; viral보다 혈성 심낭액 흔함 (but, cardiac tamponade는 드묾)
- 치료 ⋯ uremic pericarditis는 응급 투석의 적응임
  ① intensive hemodialysis / heparin은 사용 안함 (∵ hemorrhagic effusion 발생↑)
  ② pericardial drainage : 투석이 효과 없거나, 반복 재발되거나, 심하면 (tamponade 의심되면)
  ③ pericardiocentesis : 빠르게 진행하는 중간 크기의 effusion에서만 고려
  ④ 모두 실패한 경우에는 수술 고려 (pericardiotomy or pericardiectomy)
- non-uremic pericarditis도 발생 가능 ; viral, malignant, TB, autoimmune, post-MI, minoxidil

4. 혈액학적 이상

(1) Anemia

- CKD stage 3부터 발생 증가, stage 4면 매우 흔해짐(33~67%), ESRD에서는 대부분 발생
- 대부분 normocytic normochromic anemia
  (IDA가 합병되면 microcytic hypochromic anemia일 수도 있음)
- 원인
  ① relative erythropoietin (EPO) deficiency (m/i)
    - 신장에서 생산 감소 (주원인!) : 대개 CKD stage 4 이상에서
    - uremic toxin에 의한 BM에의 EPO 작용 억제
    - EPO inhibitor 존재
  ② iron deficiency (folate or vitamin B_{12} deficiency는 드문 편)
  ③ chronic inflammation (AOI) : iron 이용 장애, hepcidin↑ (→ serum iron↓)
  ④ severe hyperparathyroidism (→ BM fibrosis)
  ⑤ RBC 수명 감소 (circulating inhibitor)
  ⑥ blood loss (∵ 출혈 경향, HD, 잦은 채혈 등 때문)
  ⑦ microangiopathic hemolysis
  ⑧ 동반질환 ; hemoglobinopathy, hypo/hyperthyroidism, 임신, AIDS, 자가면역질환, 면역억제제
- 임상양상 ; 조직 산소화↓, CO↑ → 심실 확장/비대 (→ 심부전), host defense↓(감염↑),
  인지력↓, 소아의 성장장애 ...
- 치료
  - 치료 목표 : **Hb 10.0~11.5 g/dL** (c.f., KDIGO guideline : Hb 10~11 g/dL)
  - CKD 환자는 Hb을 완전히 정상화하는 것은 (Hb >13 g/dL) 금기임!! (∵ ESA 부작용)

① ESA (erythropoiesis-stimulating agent) – m/g!
- 적응 : Hb <10 g/dL (c.f., nondialysis 환자는 GFR 30 mL/min/1.73㎡ 미만이어야 보험 인정)
- IV보다 피하주사(SC)가 더 좋음 (∵ 10~50% 요구량 감소 효과)
- 적정 치료 속도 : 4주간 Hb 1~2 g/dL 상승
* EPO에 의해 erythropoiesis가 촉진되면 iron이 많이 필요하므로, EPO 투여 전 iron status가 적절한지 반드시 확인해야 됨! (serum iron, TIBC, ferritin 측정)
  - transferrin saturation <20%, ferritin <100^{PD}~200^{HD} ng/mL이면 iron 투여!
  - transferrin saturation >50%, ferritin >800 ng/mL이면 중단

② iron, folate, vitamin B_{12} 등의 보충
↳ - nondialysis or PD 환자 : oral iron (e.g., ferrous sulfate) → 복용 못하면 IV로
  - HD 환자 : 투석 중에 IV iron 투여 (c.f., active infection 시에는 IV iron 연기)

③ transfusion : ESA에 반응이 없는 증상 있는 환자에서만 수혈
↳ 부작용 ; EPO↓, 수혈전파성 감염, hemosiderosis, 과민반응, alloAb↑(→ 이식 방해)

④ dialysis로도 교정됨

(2) 출혈경향(bleeding tendency)

- 원인 ; 혈소판 기능장애 (m/i), 파괴 증가, platelet factor Ⅲ 감소, prothrombin 제거 감소
- 임상양상 ; 수술 창상 출혈, menorrhagia, GI 출혈, hemorrhagic pericarditis, ICH, subdural hematoma ...
- BT 연장, PT & PTT는 정상, platelet count는 대개 정상임
- 혈소판 기능장애의 치료 : active bleeding이 있거나 수술 예정이면
  ① DDAVP (desmopressin), IV conjugated estrogens, ESA, cryoprecipitate 등
  - FFP는 volume overload 위험이 있으므로 피함
  - 혈소판 수혈은 일반적으로 권장 안됨 (∵ 수혈 되어도 uremia에 의한 기능장애 발생)
  ② 적절한 투석 실시 (→ uremia 환자의 약 2/3에서 BT 약간 교정됨)
  ③ 빈혈 교정 (→ 혈소판 기능장애 호전에 도움) ; ESA, transfusion

ESA가 Uremic bleeding tendency를 호전시키는 기전
혈중 적혈구 양 증가 → 혈소판이 좀더 vascular endothelium에 가까워짐
Reticulated (metabolically active) 혈소판 증가
혈소판 aggregation 증가
혈소판 signaling 호전 (→ 자극에 대한 반응 향상)
Hb에 의한 nitric oxide 포집 증가 → 혈소판 adhesion 증가

* CKD 환자는 thromboembolism 위험도 높음 (특히 nephrotic-range proteinuria 환자에서)
- 개별적으로 필요한 경우에만 항응고제(e.g., UFH) 사용
- LMWH : 사용을 피하거나, factor Xa activity monitoring 하에 저용량으로 사용
- warfarin : 혈관 석회화를 악화시킬 수 있으므로, 석회화 의심시 사용 중단 & 약제 교체

* WBC count는 대부분 정상임 (or 염증에 의해 증가 가능)
- uremia 및 혈액투석에 의한 WBC 기능장애 → cellular immunity↓(→ 감염↑)
- 혈액투석 중에는 일시적으로 WBC count 감소 가능
- ESRD 환자 일부는 mild lymphocytopenia 발생 가능 (c.f., 감염 위험은 다른 ESRD 환자와 비슷함)

5. 소화기계 및 영양 이상

(1) CNS 이상에 의해 ; anorexia (m/c), N/V, hiccups
(→ 단백 제한이 증상 호전에 유용하지만, 영양결핍이 발생되지 않도록 주의)
(2) 요독성 구취(uremic fetor) : 타액에서 urea가 ammonia로 분해되어 오줌 비슷한 냄새가 남
(불쾌한 금속 맛도 흔히 동반됨)
(3) gastritis, PUD, mucosal ulceration → 복통, N/V, 위장관 출혈
(4) constipation : calcium 및 iron 제제 복용시 악화
(5) gastroparesis (DM 환자에서), diverticulosis (특히 polycystic kidney dz. 환자에서), pancreatitis
(6) **단백질 에너지 소모(protein-energy wasting, PEW)** : malnutrition 대신하여 사용 권장
- advanced CKD 환자에서 흔함 → 신대체 요법의 적응!
- 원인 ; 섭취↓ (주로 anorexia 때문), 장 흡수 및 소화 장애, insulin 등의 호르몬에 대한 저항성, metabolic acidosis 및 염증 (→ 단백 분해↑) 등
- CKD stage 3면 반드시 malnutrition에 대한 평가 시작!
  - 식사력, edema-free body weight, serum albumin, pre-albumin, cholesterol, urinary protein nitrogen appearance (PNA = protein catabolic rate[PCR]), 피부주름 두께, 팔 중앙근육 둘레 등
  - DEXA로 제지방체중(lean body mass) 측정이 흔히 이용됨
  - serum albumin : 낮으면 사망률↑, 간편하기는 하지만 (-)APR이기도 해 변동이 많음

6. 신경-근육 이상

(1) CNS 이상 증상 (CKD stage 3부터 발생)
① 초기 ; 경미한 기억 및 집중력 장애, 수면 장애
② 중기 ; 흥분성 증가 → 딸꾹질, 경련, 근수축,
③ 말기 ; asterixis (flapping tremor), myoclonus, chorea, 경련, 혼수 ...

(2) peripheral neuropathy (CKD stage 4부터 발생)
- sensory → motor / 하지 → 상지 / distal → proximal 등의 순서로 침범
- stocking-glove sensory neuropathy (m/c)
- **restless leg syndrome (RLS)** : ESRD 환자의 20~40%에서 발생
  - 수면/휴식시 발이 저리고 아파서 가만히 있을 수 없는 증상, distal이 더 심함,
  - 불면증, 불안, 경미한 우울증 등도 흔히 동반 (신경학검사나 EMG는 대개 정상)
  - 수면부족, alcohol, caffeine, 흡연, 만성 폐질환, 혈관 질환, IDA 등이 증상을 악화 가능!
  - 운동하면 호전, 투석이나 신이식으로도 호전됨
  - Tx ; benzodiazepines, dopamine agonists (ropinirole, pramipexole), $\alpha_2-\delta$ ligands (e.g., gabapentin enacarbil, pregabalin, gabapentin), opioids (오남용 위험 & 내성 유발), carbamazepine 및 levodopa (내성이 빨리 발생) ...
- motor 침범 ; 근력 약화, DTR 소실

(3) 치료 : RRT (투석, 신이식)
- sensory 이상 발생 즉시 투석 시작 (∵ 늦으면 motor 이상으로 진행)
- 대부분의 증상이 호전되지만, 경미한 비특이적 이상은 지속 가능 (→ 신이식으로 모두 호전 가능)

7. 내분비-대사 이상

(1) pituitary, thyroid, adrenal gland 기능은 비교적 정상

(2) 주로 reproductive organ을 침범

- 男 : plasma testosterone↓, libido 감소, impotence, oligospermia, germinal cell dysplasia
- 女 : estrogen↓, menstrual irregularity, amenorrhea, infertility, pregnancy loss
  (→ dialysis 해도 성공적인 임신은 어렵다)
- 강력한 투석 or 신장이식으로 많은 경우에서 호전 or 정상화 가능

(3) glucose intolerance

- 원인 : insulin 작용에 대한 peripheral resistance (m/i) … metabolic acidosis 등 때문
- 대부분의 uremia 환자에서 혈중 insulin level 증가 (∵ 신장에서 분해 및 배설 감소로)
  → DM 환자는 insulin 및 경구혈당강하제(SGLT2i, DPP-4i 포함) 용량 감량 필요
- 일부 ESRD 환자에서는 hypoglycemia도 발생 위험 (∵ renal gluconeogenesis↓, insulin↑)
- 경미한 glucose intolerance는 치료 필요 없음 → 뒤의 치료 부분도 참조

(4) lipid metabolism ; TG↑, HDL↓, cholesterol 정상 (→ premature atherosclerosis↑)

(5) hypothermia

* 신장에서 peptide hormones (e.g., PTH, insulin, glucagon, GH) 분해/배설 감소로 혈중 level↑

8. 피부 이상

- anemia → 창백
- hemostasis 장애 → 반상출혈, 혈종
- calcium-phosphate 침착 & PTH↑ → 소양증, 표피박리
- 색소성 대사산물(urochrome) 침착 → 노란색 피부

- 소양증(pruritus)
  - hyperparathyroidism, calcium-phosphate 침착, IDA 등도 원인이 될 수 있음
  - Tx ; 투석 치료로 호전 안 됨! (hyperphosphatemia 치료, EPO, 보습제, topical steroids, antihistamines, UV 등이 도움이 될 수 있음)
- uremic (urea) frost : 땀에 포함되어 있던 고농도의 urea가 수분이 증발된 뒤 피부에 하얀 가루로 남는 것으로 생선비린내가 남
- 피부석회증 : 딱딱한 결절들 (serum Ca × phosphate >70 이면 발생)
- **nephrogenic systemic fibrosis** (NSF, 이전의 nephrogenic fibrosing dermopathy)
  - MRI 조영제인 gadolinium과 관련 (GFR 감소로 신장에서 배설되지 못해)
  - advanced CKD or AKI 환자에서 발생 가능 (2.5~5%에서), 간 질환 동반시 발생 위험↑
  - 대칭적인 피부(특히 팔, 다리) 침범이 특징 (폐, 심근, 근육 등에도 fibrosis 발생 가능)
  - 진단 ; 임상양상, ^{18}F-FDG PET, skin biopsy (e.g., spindle cells↑↑, thick collagen bundles)
  - 치료 ; 특별히 효과적인 치료법은 없음 (photopheresis, UV-A1, plasmapheresis 등 시도 가능), 모든 환자에서 강력한 물리치료 권장 (joint contractures에 의한 장애 예방/호전을 위해)
  - 예방이 중요 ; CKD stage 3 (GFR 30~59) 환자는 gadolinium 노출 양을 최소화, CKD stage 4~5 (GFR <30) 환자는 가능한 노출을 피함 (꼭 필요하면 촬영 직후 혈액투석)

치료

┌ 근본적인 치료는 신이식 (신기능의 70~80% 정도 회복 가능)
└ 불가능한 경우 신대체요법 : HD, PD (신기능의 20~30% 유지 가능)

- 전체적인 예후(survival)는 지속적으로 향상되고는 있음 (투석 환자도 예후 향상되고 있음)
- CKD stage 3 (eGFR <60 mL/min/1.73m²)부터 기대 수명이 의미 있게 감소함
  ; stage 3 이상은 일반인 대비 사망률 약 3.5배↑, stage 5 (ESRD)는 약 6배 이상↑
- m/c 사인 : 심혈관질환

1. CKD 진행의 지연 (악화인자의 교정)

- 악화인자를 반드시 찾아 교정해서, ESRD로의 진행을 지연시켜야 됨!

(교정가능한) 신기능의 악화 요인

1. HTN (m/i)
2. Nephrotic proteinuria
3. ECF volume 감소
  Absolute ; 이뇨제 과다 사용, GI fluid loss, dehydration
  Effective ; low CO, renal hypoperfusion + atheroembolic dz, LC + ascites, NS, CHF
4. Urinary obstruction (→ bladder catherization, renal US 시행)
  Tubular ; uric acid, Bence Jones protein ...
  Post-tubular ; prostatic hypertrophy, papillary necrosis, ureteral stones
5. Infections ; sepsis, UTI
  (특별한 원인이 발견되지 않는 급격한 신기능 감소시 반드시 urine culture 시행)
6. Drugs & toxins ; AG, NSAIDs, diuretics (volume depletion), 방사선조영제, lead,
  alcohol, opiate, caffeine, smoking ...
7. Metabolic ; DM, dyslipidemia, hypercalcemia, hyperphosphatemia, hypokalemia, 비만
8. 기저 질환의 악화 또는 활성화 (e.g., lupus, vasculitis)
9. 기타 ; Hypoadrenalism, Hypothyroidism, 고단백 식이(→ 신기능 악화 및 proteinuria↑)

* 교정 불가능한 악화 요인 ; 연령, 인종, 유전적 요인, renal mass 소실

- 신기능의 악화를 예방할 수 있는 치료
  ① 고혈압 치료 ┐→ hyperfiltration injury 완화
  ② 저단백 식이 ┘
  ③ DM 환자에서 엄격한 혈당 조절   ④ 고지혈증의 치료

CKD의 단계별 치료 전략

Stage	GFR* (mL/min/1.73m²)	조치	혈액/소변검사 간격
1.	≥90	고위험군 선별/관리, 원인 및 동반질환의 진단/치료 심혈관계 위험인자 관리	매년
2.	60~89	+ 진행속도 평가(단백뇨, eGFR), 적극 치료로 회복 유도	
3.	30~59	+ ESRD로의 진행 지연 ; HTN, DM, 단백뇨, 지질 조절 등 합병증 평가 및 예방/치료	3개월
4.	15~29	+ ESRD 준비 교육, 신대체요법 준비	1개월
5.	<15 or 투석	+ 신대체요법 시작	

(1) HTN은 철저히 치료!

- 신기능의 악화를 지연시킴
  - intraglomerular HTN & hypertrophy↓ → nephron 손상 지연
  - proteinuria↓ → renoprotective effect
- 조절 목표 혈압 : <140/90 mmHg (DM 환자 <140/85 mmHg)
  ⇨ 단백뇨(albumin >30 mg/day)가 발생하면 **<130/80** mmHg
- 항고혈압제의 선택
  ① **RAAS inhibitors** : 신기능 악화 지연에 m/g, DM & non-DM CKD 환자 모두에서
  - ACEi, ARB, direct renin inhibitor (aliskiren) : 신장보호 효과 있으며, 모두 효과는 비슷함
  - RAAS 억제 → efferent arteriole 확장 → intraglomerular pr.↓ & proteinuria↓
  - ACEi + ARB 병용, ACEi/ARB + aliskiren 병용 : 단백뇨는 더 낮출 수 있지만, AKI, hyperkalemia, 심질환 등의 위험이 증가되므로 병용 금지
  - 부작용 ; Cr 상승 (GFR↓), hyperkalemia, 심한 기침 & angioedema (ACEi) 등
    *치료 초기의 Cr 약간(<30~35%) 상승은 대개 몇 개월 이내에 안정화됨 → 투약 계속!
    ⇨ 치료시작 및 용량조절 1~2주 이내에 serum Cr, K^+ 검사 (고령 환자는 정기적으로)
    - K^+ ≤5.5 mEq/L & Cr 약간 상승은 ACEi/ARB 치료 계속
    - hyperkalemia (>5.5) → K^+ 제한, 이뇨제(e.g., furosemide), bicarbonate 등
      → Cr이 많이 상승하거나 severe hyperkalemia시에는 ACEi/ARB 중단

  ② non-DHP CCB ; dilitazem, verapamil (→ 심장 전도장애 환자에서는 금기)
  - 부작용 등으로 ACEi/ARB를 사용하지 못할 때 2nd choice (edema 없는 환자에서)
  - 단백뇨 감소 및 신장보호 효과 우수 (c.f., DHP-CCB는 효과 검증이 부족하므로 권장×!)
  - 투석으로 제거되지 않으므로 투석환자에서 용량조절이 필요 없음

  ③ **diuretics** : edema/hypervolemia (Na^+ & water retention) 시 ± ACEi/ARB와 병용
  ↳ 효과↑
  - 신기능의 저하로 대개 높은 용량이 필요함
  - eGFR <30 ml/min에서는 thiazides의 효과가 떨어지므로 loop diuretics가 권장됨
  - loop diuretics ; furosemide, torsemide (작용기간이 긴 장점) 등
    → 효과 없으면 thiazides (e.g., metolazone) 추가 (∵ 작용 부위가 다름)

  ④ aldosterone antagonists ; spironolactone or eplerenone
  - 다른 항고혈압제들에 반응 없을 때 고려, 단백뇨 감소 및 심장보호 효과도 있음
  - Cx ; 신기능 저하, hyperkalemia (특히 ACEi/ARB와 병용시) → K^+ 정상 이하에만 사용
    ↳ eGFR 30 ml/min

  ⑤ β-blockers ; 다른 약제대비 mortality↑, CAD or 부정맥의 치료에만 사용
- 염분 제한(→ 많은 항고혈압제의 효과↑) 및 생활습관개선도 수행

(2) Protein 제한

- 신기능의 악화를 지연하는데 다소 도움, metabolic acidosis 및 요독물질 감소에 도움
- CKD 4 (eGFR <30 mL/min/1.73m²)부터 0.8 g/kg/day로 제한 권장 (1.3 g/kg 이상은 피함)
  - 지나친 단백섭취 제한은 오히려 영양실조 위험 증가로 장기 예후 더 나쁨
  - protein-energy malnutrition 시에는 0.9 g/kg/day, NS 환자는 제한 안함

Stage	eGFR (mL/min/1.73m²)	Protein (g/kg/day)
1, 2	≥60	제한 안함
3	<60	제한 안함
4, 5	<30	0.8
투석	-	≥1.2 (HBV ≥50%)

- 50% 이상은 EAA가 풍부한 고급(high biologic value[HBV]) 단백 권장 ; 계란, 고기, 생선, 우유 등
- 충분한 칼로리 공급이 이루어지는 상태에서 영양결핍이 발생하지 않는 범위 내로 이루어져야 함 (∵ 부족하면 endogenous protein catabolism↑) ⇨ 권장 총열량 35 kcal/kg/day
- DM 환자도 단백의 과다한 섭취나 제한(e.g., 0.8 g/kg/day 이하)는 피함
- 투석 환자는 단백소실이 증가하므로 섭취를 증가시킴 (e.g., HD 1.2, PD 1.3 g/kg/day)
- low protein diet를 통해 얻는 이익
  ① 신질환의 진행을 늦출 수 있음 (신혈류 감소 → proteinuria 감소)
  ② 요독증(uremia)의 정도를 줄일 수 있음
  ③ phosphate의 섭취를 줄일 수 있음 (→ hypocalcemia 방지)
  ④ metabolic acidosis를 줄일 수 있음

(3) 당뇨병의 조절

- diabetic nephropathy : CKD의 m/c 원인, 예후 나쁨 (∵ 심혈관계 질환↑)
- 철저한 혈당 조절 : type 1 & 2 DM 모두에서 신장질환(단백뇨) 발생 및 진행 감소
  ⇨ HbA_{1C} 7% (투석전 CKD), 공복 혈당 80~130 mg/dL, 수면중 평균 혈당 110~150 mg/dL
    ↳ 더 낮게 엄격한 조절은 권장× (∵ 대혈관합병증 발생 차이 없고, 저혈당/사망률↑ 위험)
  * 투석중인 CKD 환자 ; 젊고(≤50세) 주요 동반질환이 없는 환자는 HbA_{1C} 7~7.5%, 고령 or 심각한/여러 질환 동반시 HbA_{1C} 7.5~8%로 더 높게 유지 권장
- 신기능(GFR) 저하에 따라 insulin 및 많은 경구혈당강하제의 용량도 감량이 필요함
- metformin : CKD 환자에서 lactic acidosis 유발 가능하지만 드묾, GFR <60이면 신기능을 자주 (3~6개월마다) monitoring하며 사용, <45이면 주의 (새로 시작은×), <30이면 중단
- sulfonylurea 중에서는 소변으로 대사되지 않는 glipizide(투석시도 안전), gliclazide(투석시엔 주의)가 권장됨
- thiazolidinediones (e.g., rosiglitazone, pioglitazone) : 일부 신장보호 및 혈압 강하 효과가 있음, 간에서 대사되므로 용량조절은 필요 없지만, 부작용으로 salt & water retention을 증가시켜 hypervolemia/edema를 악화시키고 cardiovascular event 위험을 높일 수 있으므로 주의 필요
- SGLT2i, DPP4i[일부], GLP-1 agonists[일부] 등 : 혈당강하 효과 외에 독립적인 신장보호 효과도 있음

> 특히 SGLT2 inhibitor는 신장 및 심장 보호효과가 우수함
> : 근위세뇨관(SGLT2)에서 glucose 재흡수를 억제함 → glycosuria로 배출됨 → 혈당↓
>   ↳ glucose 재흡수의 90% 담당, type 2 DM 환자에서 발현 증가
>   ⇨ 원위세뇨관으로 Na 전달↑ → tubuloglomerular feedback (TGF)에 의해 afferent arteriole 수축
>   → GFR↓ → hyperfiltration에 의한 신장 손장 억제
> ∴ diabetic nephropathy 발생 및 악화 감소, albuminuria 악화 감소 / 심혈관질환에 의한 사망률도 감소

- 말기 신부전 환자는 insulin 치료가 우선 권장됨

- 혈압(대부분의 type 2 DM 환자에서 동반)의 조절도 중요 → ACEi/ARB (혈압 정상이면 권장×)
- microalbuminuria (GFR↓에 선행, 신질환 및 고혈압/심혈관계 합병증과도 관련) → ACEi/ARB

■ 신장 손상 및 CKD 진행/치료반응의 monitoring

① estimated GFR (eGFR) → 1장 참조!

② proteinuria (albuminuria) ⇨ 조절 목표 : <1000 mg/day (PCR 500~1000 mg/g Cr)

- 24-hr urine collection : gold standard
- spot urine albumin/Cr ratio (ACR) or protein/Cr ratio (PCR) : 간편해서 더 선호됨

- 의의 ; GFR 감소 속도에 대한 추가 정보 제공 (albuminuria가 심해질수록 GFR 감소↑), 심혈관질환 위험↑, 신기능 상실 지속, albuminuria 감소되면 심혈관질환 및 CKD 진행↓
- "clinically significant" proteinuria = ACR ≥300 mg/g Cr → ACEi/ARB 치료의 적응! (DM 환자에서는 microalbuminuria [ACR >25 (여자는 35) mg/g]부터 의미 있음)
- microalbuminuria : GFR↓보다 선행, 모든 DM 환자에서 검사 권장 (→ 1회/년 이상), 명백한 단백뇨로 진단된 환자에서는 검사 필요 없음
- 단백뇨가 매우 심한 NS 환자는 50~60% 감소 & <3.5 g/day 목표
- IgA nephropathy 환자는 신손상 진행위험이 높으므로 <500 mg/day 목표

③ $1/P_{Cr}$: 신기능의 저하를 F/U 하는데 유용 → 3개월에 1회 이상 plasma Cr 측정 권장

- 투석 필요 시기의 예측
- 원래 질병 경과에 의한 것인지, 악화요인 때문에 더 빨리 진행된 것인지를 감별 가능 (직선의 기울기가 갑자기 급해지면 악화인자에 의한 급격한 진행을 의미)

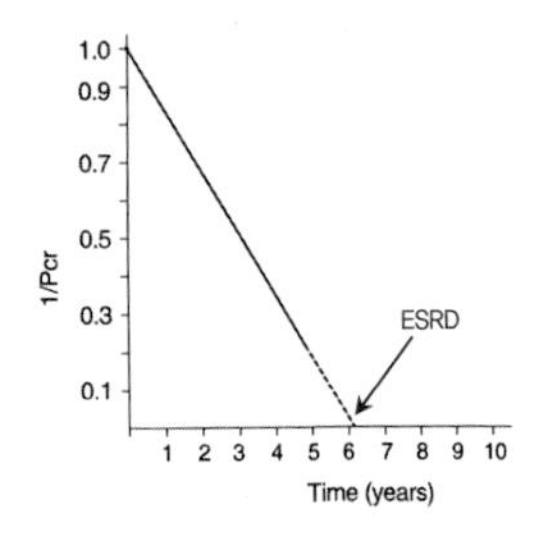

2. 식이요법 및 일반적 관리

(1) **protein 제한** (m/i)

(2) 적절한 에너지 공급 : protein-sparing (anticatabolic) effects
⇨ 30~35 kcal/kg/day (예; 체중 70 kg → 하루 2100~2450 kcal)

(3) Na^+ 제한 : edema, CHF, HTN 등 total body Na^+가 증가된 경우에만
⇨ NaCl 5 g/day (sodium 2 g/day)

(4) K^+ 제한 (콩, 두부, 감자, 고구마, 줄기/뿌리 채소, 참외, 커피, 초콜릿 등에 多)

[(3), (4): 너무 엄격히 할 필요 없다. 지나치게 하면 오히려 위험]

- 대개 말기에 (GFR <10 mL/min) 50~77 mEq/day (2~3 g/day)로 섭취 제한
- ACEi/ARB 치료 중이거나 다른 hyperkalemia 위험인자가 있는 경우에는 좀 더 일찍 (GFR <30 mL/min) 제한 시작

(5) 인(phosphorus) 제한 (견과류, 고기, 오징어, 굴, 계란, 치즈, 콩류, 탄산음료 등에 多)
- 고인산혈증이 진행 중이거나 지속될 때만 800~1000 mg/day (17 mg/kg^IBW/day) 이하로 제한
  ↳ serum phosphorus >4.5~5.5 mg/dL (CKD stage 4 이후엔 대부분 발생)
- GFR <25 (sCr >5)면 식이제한으로는 불충분하므로 phosphate binders도 투여 → 앞부분 참조

(6) magnesium 제한
- 식사 이외의 Mg 섭취는 피한다
- CKD시 magnesium-containing antacids or laxatives 금기

(7) calcium 섭취 증가 (e.g., calcium carbonate)
(8) 수분섭취 = 전날 요량 + 불감소실량 (500 mL/day)
(9) vitamins 보충 ; B, C, folate (D는 renal osteodystrophy시에)

c.f.) malnutrition의 지표
- serum albumin (<3.8 g/dL)
- prealbumin (<18 mg/dL)
- transferrin (<180 μg/dL)

3. 각 장기별 합병증의 예방/치료

→ 앞의 임상양상 및 합병증 부분 참조

투석치료로도 호전되지 않는 합병증 ★	
Hypertriglyceridemia, Lp(a)↑, HDL↓	Accelerated atherosclerosis
성장 및 발달 지연	Vascular calcification
불임 및 성기능 장애	Renal osteodystrophy
무월경(amenorrhea)	Lymphocytopenia
소양증(pruritus)	Splenomegaly
수면장애, 두통, 근육경련, 근육병증	β_2-microglobulin 관련 amyloidosis

4. 신대체요법 (투석, 신이식)

- 절대적 적응(absolute Ix)
  ① pericarditis or pleuritis
  ② progressive uremic encephalopathy (e.g., confusion, asterixis, seizures)
  ③ 치료에 반응하지 않는 neuropathy (e.g., muscle cramping, RLS), 영양실조
  ④ 교정 가능한 원인에 의한 것이 아니고 저단백식이에 반응하지 않는 N/V, anorexia
  ⑤ uremia가 원인인 임상적으로 심각한 출혈 경향
  ⑥ 내과적 치료에 반응하지 않는 fluid & electrolyte 이상
  ; volume overload (e.g., 폐부종), metabolic acidosis, Na↓, K↑, Ca↑/↓, Ph↑ 등
- pericarditis/pleuritis, seizures, 심한 출혈 등은 urgent Ix.임!
- severe uremia가 발생하기 전 or eGFR 8~15 mL/min/1.73m^2 정도인 조기에 신대체요법을 시작(early-start)하는 것이 late-start (e.g., eGFR <7~10)보다 survival이 더 향상되지는 않음
  → but, early-start가 선호됨!
  (∵ 투석 시술에 따른 문제↓, eGFR 10 이하로 떨어지면 금방 uremic Sx 발생)

6
신대체 요법(Renal replacement therapy, RRT)

■ 투석 방법(HD-PD)의 선택

복막투석이 선호되는 경우	혈액투석이 선호되는 경우
소아 및 작은 청소년, 고령 심혈관계질환 (예; CAD, PAD, 심부전, 저혈압) 출혈성 경향 or 출혈 상태 심한 빈혈, 최근의 두부/심장 수술 혈관 확보가 어려운 환자 (예; DM 환자, 말초혈관질환) 여행의 자유를 많이 필요로 하는 환자 가정에서의 투석을 원하는 경우	신한 비만, 요통 환자, 최근의 복부 수술 복강내 유착 (과거 여러 번의 복부수술) 탈장 환자, 다낭성신질환(ADPKD) 심한 염증성 장질환, 임신 심한 폐질환 (폐기능 저하) 책임감이 적고 위생관념이 부족한 환자(noncompliance) 간병인이 없는 노인, 시력 장애, 정신과적 질환 No residual renal function

- 투석 환자의 사망률 : 일반인의 6~8배, 연령이 증가할수록 증가
- 원인 질환에 따른 5YSR ; DM (32%) < HTN (38%) < GN (48%)
- 사인 ; 심혈관질환(m/c: MI, SCD, storke 등), 감염(2nd m/c)

■ 혈액투석(Hemodialysis, HD)

1. 원리

① 확산(diffusion) : 반투막 사이의 농도차에 의한 **용질**의 수동적 이동 … HD의 주기전
→ 작은(<500 Da) 수용성 물질의 제거에 효과적 ; urea, Cr, Ph, uric acid 등

② 한외여과(ultrafiltration) : 투석막을 경계로 한 수압 차이에 의해 **수분**이 이동하여 제거되는 것

③ 대류(convection) … hemofiltration or hemodiafiltration의 주기전
: 물 분자가 ultrafiltration에 의해 투석막을 통과할 때 **용질**들도 함께 이동하여(solvent drag) 제거되는 것 (물질의 크기에 큰 영향을 받지 않음)
→ 큰(>500 Da) 물질 제거에도 효과적 ; β_2-microglobulin, albumin, bilirubin, cytokines 등

* 흡착(adsorption) : 특수한 투석막에 물질이 흡착되어 제거되는 것 … hemoperfusion의 주기전
- 일반적인 HD로 잘 제거되지 않는 지용성 highly protein-bound toxins 제거에 효과적
  예) paraquat 중독, sepsis의 cytokines (polymyxin B, polystyrene divinylbenzene copolymer)
  ↳ 다른 약물들은 high-flux HD 권장 (∵ 효과 빠르고 부작용 적음)
- 부작용 ; 혈소판 감소(m/i), hypocalcemia, hypoglycemia, 일시적 WBC↓ (저혈압은 드묾)

분자량에 따라 물질이 제거되는 기전

분류 (MW: dalton)	예 (분자량)	효과적인 제거 기전
Small (<500)	Urea (60), Cr (113), Ph (95), K, Na, uric acid (168), glucose (180), amino acids	Diffusion, Convection
Middle (500~5000)	Vitamin B_{12} (1355), PAF, vancomycin, inulin	Convection
High (5000~50000)	β_2-microglobulin (11800), myoglobin, IgG, TNF, IL-6, IL-8, IL-1β, heparin	Convection, Adsorption
Large (>50000)	Albumin (66000), Hb	Convection, Adsorption

2. HD의 종류 및 구성

① conventional HD

② high-efficiency HD : 저유량(low-flux) 혈액투석막 (작은 구멍) 이용, 투석기 표면적↑, 혈류량↑
→ 작은(저분자량) 물질의 제거에 효과적 (e.g., urea)

③ high-flux HD : 고유량(high-flow) 혈액투석막 (큰 구멍) 이용, 투석양↑, 투석시간↓
→ 수분과 중분자량 물질의 제거에 효과적 (e.g., β_2-microglobulin, vitamin B_{12})
↳ albumin 보다는 작고 urea 보다는 큼

* 필수 구성요소
(1) dialyzer (투석기/투석막)
(2) dialysate (투석액) : 500~800 mL/min (혈액과 반대 방향)
(3) blood delivery system (혈액전달체계) : 250~450 mL/min

* 투석막(dialyzer membrane)의 생체적합성(biocompatibility)
: 투석막이 환자의 complement system을 활성화시키는 정도
(a) 합성막 : polysulfone 등, 생체적합 … 현재 거의 대부분 사용
(b) cellulose : 생체부적합 → complement 활성화 ; 알레르기반응, 면역변화, hypoxemia, transient neutropenia, 조직손상, anorexia, inflammation 등 유발 가능

3. 장점

① 더 효과적 (특히 urea등 저분자량의 물질 제거시) ⇨ AKI와 ESRD에서는 대개 HD를 이용함
② short time, 급속한 혈장 용질 조성 변화와 과잉체액을 보다 빨리 제거 가능
③ lift cycle interruption이 최소화

4. 단점

① 체액과 용질 균형의 변화가 빠름 → 혈역학적으로 불안정한 환자에게는 사용하기 어렵고, 저혈압, 근경련, 투석불균형 증후군 등이 발생 가능
② 체외 순환회로에서의 혈액응고를 막기 위해 항응고제(heparinization) 필요
③ vascular access를 위한 invasive procedure 필요

5. 혈관 접근로 (vascular access)

(1) AV fistula (AVF, 동정맥루) – m/c

- 수술시기 ; C_{Cr} <25 mL/min, serum Cr >4 mg/dL, 1년 이내에 HD 시작이 예상될 때
- 위치 – nondominant arm에 시행 ; 손목의 radial-cephalic AVF (Brescia-Cimino fistula) 우선 (∵ 합병증과 중재술 비율 가장 낮음), 손목이 어려우면 상완에 시행(e.g., brachial-cephalic)
- 장기 개통률(patency)이 가장 좋음
- maturation 시간이 필요하므로 수술 후 3~4개월 (최소한 1개월) 동안은 사용 금지
- 효과적인 투석을 위해서는 혈류량 300 mL/min 이상이 좋다
- 폐쇄 및 감염 위험 가장 낮음 (단점 ; 미성숙에 의한 1차 실패율이 높음)
- stenosis와 thrombosis는 정맥 쪽에서 더 호발

(2) AV graft (AVG, 인공혈관)

- polytetrafluoro ethylene (PTFE) 같은 인공혈관을 이용하여 동맥과 정맥 사이를 연결
- maturation 시간이 짧다 (2~3주 미만)
- 이용되는 경우 (AV fistula가 일차적으로 권장됨)
  ① 환자의 의뢰가 늦어져 AV fistula의 성숙 시간 부족
  ② 잦은 채혈로 인해 환자의 정맥이 이미 손상/폐쇄된 경우
  ③ DM 환자 (microvascular dz.) 증가 ④ 시술이 AV fistula보다 더 쉬움
- 합병증(e.g., thrombosis, infection) 발생↑ → 실패율은 AV fistula보다 높다

(3) double-lumen catheter (도관)

- 급하게 투석이 필요하거나 (e.g., AKI), AV fistula/graft 불가능/실패시 이용
- 위치 ; 대부분 internal jugular vein을 선호 (몇 주간 사용 가능)
  - subclavian vein : 활동하기 편하고 flow도 우수하지만, 합병증(stenosis)이 가장 많아 선호×
  - femoral vein : 감염 발생률이 높아 3일 이상 사용 불능
- catheter tip은 caval atrial junction or SVC에 위치시킴
- polyurethan 재질
  - 장점 ; 체온에서 부드러워져 혈관벽의 손상 감소
  - 단점 ; 소독용 alcohol에 취약

6. 혈액투석시의 일반적 치료

① protein 섭취는 약간만 제한 (1.2 g/kg/day) (c.f., CAPD : 1.3 g/kg/day)
② salt, K^+ 강력히 제한
③ monitoring ; clinical well-being (영양상태 포함), BUN, serum electrolyte (Ca^{2+}, Ph 포함)
④ predialysis : serum HCO_3^- > 20 mEq/L
⑤ 혈액투석만으로는 적절한 혈중 phosphorus level 유지에 부족하므로 Ph 섭취 제한, Ph-binding agents, vitamin D 등도 고려
⑥ 수용성 vitamins (B, C, folic acid) 보충 : 투석 중 소실되므로
⑦ iron (∵ 투석 때마다 계속 소량의 blood 소실) ⑧ erythropoietin (ESA)

* ESRD 환자는 대개 매주 9~12시간을 3회로 나누어 HD를 시행함 (보통 하루 3시간, 3회/주)

7. 혈액투석의 적절도 평가

(1) URR (urea reduction ratio)요소감소비 = PRU (percent reduction of urea)

- 측정이 용이하고, 분자량이 작아(60 dalton) 투석으로 잘 제거되어 urea를 이용
- $\frac{\text{투석전 BUN} - \text{투석후 BUN}}{\text{투석전 BUN}} \times 100(\%)$ … 1회 투석 동안의
- acceptable : 최소 65% 이상 (target : 70% 이상 유지 권장)
- Kt/V와의 연관성이 좋음, urea 제거율뿐 아니라 생성률도 파악 가능(→ 단백 섭취량 평가)

(2) Kt/V

Kt/V [K = 투석기의 urea clearance rate (L/hr), t = 투석시간(분), V = 요소분포용적(L, 체중의 약 55%)]

K (투석막 요소 제거율) : 혈류속도, 투석액속도, 투석기효율(K_oA) … 보통 제조사 값의 80%가 유효 제거율임

- spKt/V (single-pool urea kinetic modeling)로 측정 (매월 정기적으로 측정할 것을 권장)
  - acceptable : 최소 1.2 이상 (target : 1.4 이상 유지 권장)
  - Daugirdas 공식 : 투석중의 urea 생성 및 용적 감소 보정, 간편하고 정확해서 많이 이용됨

$$spKt/V = -\ln(R - 0.008 \times t) + (4 - 3.5 \times R) \times UF/W$$

ln (LN) : 자연로그(natural logarithm) R : $BUN^{투석후}/BUN^{투석전}$ (= 1 − URR)
t : 투석 시간time (hours) UF : 한외여과(ultrafiltration) 용적(L)
W : 투석후 체중weight(kg)

- eKt/V (equilibrated Kt/V) : urea rebound를 보정하기 위해 투석 30~60분 뒤 BUN을 직접 측정하거나 예측 공식으로 보정한 것 (∵ 투석 직후 평형 전의 BUN은 Kt/V 과대평가 가능)
  → 특히 large Kt/V 일 때 투석량(적절도)을 잘 반영
- Kt/V가 낮을 때의 조치 → 1회 투석시간 (T) 연장, 혈류속도 (K) 증가

8. 합병증

(1) 투석 중 저혈압 (intradialytic hypotension, IDH)

- m/c acute Cx (5~30%)
- 원인 ; 과도한 한외여과(ultrafiltration), 혈관/자율신경 반응 장애, 좌심실 기능장애, 체액량 부족, osmolar shift, 항고혈압제 과용, 음식 섭취, 투석액 온도↑, 투석액 Na^+ 농도↓, 투석기에 대한 알레르기반응, acetate buffer (→ 혈관확장 및 심장억제 효과) 포함 투석액 ...
  (└ 현재는 투석액 buffer가 대부분 acetate에서 bicarbonate로 바뀌어서 괜찮음)
- 위험인자 ; DM, 고령, 여성, 투석시간↑, 투석전 낮은 혈압, 비만(BMI↑)
- 다른 원인으로 MI, cardiac tamponade, sepsis, allergy, 출혈 등을 꼭 R/O해야 됨
- 치료 : Trendelenburg position, 한외여과(ultrafiltration) 감소/중단, IV volume replacement (N/S, hypertonic glucose, 5% dextrose, albumin 등), 산소 공급 등

(2) 투석 중 고혈압

- HTN 환자는 매우 흔하고 투석 중 혈압 상승도 가능, 심혈관계 사건/사망률 증가와 관련
- 치료/예방 ; volume control, 투석 시간 and/or 횟수↑(→ volume removal↑), dry weight 재산정, 항고혈압제(β-blocker), ESA를 IV로 투여 받던 환자는 SC로 투여 등

(3) 근육경련(muscle cramps)

- 5~20%에서 발생 (투석기의 volume 및 Na^+ 농도 조절로 발생 빈도는 감소하였음)
- 다리(m/c), 팔, 손에서 발생, 투석을 조기 중단해야 하는 원인의 약 15% 차지
- 원인 ; 잘 모르지만 투석 후반부에 호발하는 것을 보면 주로 ECFV↓ and/or osmolality↓ 관련 (plasma volume↓, hypoNa, tissue hypoxia, hypoMg, carnitine 결핍, serum leptin↑ 등)
  - 위험인자 ; 고령, non-DM, 불안증, PTH↓, CK↑
  - 유발인자 ; 저혈압, hypovolemia, 투석간 체중↑↑(→ 과도한 한외여과), 투석액 Na↓
- 치료 ; plasma osmolality↑ (hypertonic saline, mannitol, 50% DW 등 모두 효과적), 저혈압도 동반된 경우는 midodrine
  ↳ Na 증가가 없어 더 좋음 (non-DM에서)
- 예방 ; 투석간 체중증가 최소화 (투석 중 제거되는 volume↓), 저혈압 예방, 투석액 Na^+ 농도↑, stretching, massage, carnitine 보충, vitamin E 등 (quinine은 TMA 유발 위험으로 ×)

(4) 투석기에 대한 과민반응

- 생체비적합 cellulose 투석막에서 생체적합 합성 투석막(e.g., polysulfone)으로 대치되면서 빈도↓
- type A : 멸균에 사용되는 ethylene oxide에 대한 IgE-mediated 과민반응, 투석 시작 직후 발생, 증상이 심하면 steroid or epinephrine 투여
- type B : 비특이적인 가슴/허리 통증, 보체 활성화 및 cytokine 분비 때문, 투석 계속하면 호전됨

(5) 투석불균형 증후군(dialysis disequilibrium syndrome, DDS)

- 기전 : 혈액투석을 high-flux, large surface area, 과도하게 하는 경우 혈액중의 요소, 전해질, pH 등의 급격한 교정으로 혈액 삼투압이 낮아져 수분이 세포 내로 이동하여 세포 부종 발생, 특히 뇌부종이 문제 (처음 투석하는 환자, 투석량이 갑자기 증가된 환자에서 호발)
- 위험인자 ; young age, severe azotemia, dialysate Na↓, 기저 신경질환(e.g., stroke, SDH, head trauma, malignant HTN)
- 증상 ; 의식저하, 두통, N/V, confusion, seizure, arrhythmia, coma
- D/Dx ; CVA, 대사 이상(e.g., hypoglycemia), 저혈압, 부정맥, 뇌신경질환 ...
- 대개는 self-limited (완전 회복에는 며칠 소요)
- 심각한 경우에는 즉시 투석 중단, 23% saline or hypertonic mannitol 12.5 g 투여
- 예방
  - 조기에 RRT 시작, 처음에는 target urea reduction (URR)을 30% 이내로 제한
  - 순차적 투석(sequential dialysis), 짧게(≤2시간) 자주 투석, blood flow rate↓, surface area↓
  - bicarbonate 투석액, Na^+ 농도가 높은 투석액 사용하다가 서서히 농도를 낮춤
  - mannitol이나 anticonvulsants의 예방적 사용은 권장 안 됨

(6) 출혈 및 응고장애

(7) vascular access와 관련된 합병증

- infection (m/c 원인균 : *Staphylococcus aureus*) → 폐의 septic embolism도 발생 가능
- stenosis, thrombosis → limb ischemia (steal syndrome) : 수술 후 언제라도 발생 가능 (1~8%)
  - 위험인자 ; graft, DM, atherosclerosis, 고령, 이전의 vascular access 등
  - 중심 정맥 협착 여부도 R/O해야 됨

(8) 공기색전증(air embolism)

- 증상 ; agitation, cough, dyspnea, chest pain
- 치료 ; 100% O_2, 좌측와위(→ 공기가 우심실에 머무르게 함)

(9) 혈액투석과 관련된 유전분증(amyloidosis)

- β_2-microglobulin의 침착이 원인 (→ 앞 장 CKD 편 참조)
- 치료 : high-flux HD (고분자량 물질 제거에 용이), hemofiltration

(10) 투석 치매(dialysis dementia)

: aluminum이 CNS에 축적되어 발생하는 진행성의 치매 증후군

* *Aluminum intoxication*

- 만성신부전 환자에서
  ① 투석액(특히 HD에서)의 aluminum 오염 (→ 최근엔 無) or
  ② aluminum 함유 제제 (e.g., 제산제, phosphate binder) 섭취 등으로 인해 발생
- acute dementia (encephalopathy)
- aluminum-induced osteomalacia : unresponsive & severe osteomalacia
- microcytic hypochromic anemia
- 확진 : bone biopsy → aluminum에 대한 특수 염색 (혈중 aluminum level은 가치 없다)
- 치료
  ① aluminum 및 phosphate 제한
  ② hyperphosphatemia의 치료에 $Al(OH)_3$ 대신 calcium carbonate 사용
  ③ deferoxamine (chelating agent) with high-flux dialysis

■ 장기간 투석을 받는 환자에서 발생하는 새로운 문제들

① dialysis dementia, or aluminum intoxication
② accelerated atherosclerosis syndrome
③ acquired cystic disease
④ hemodialysis-related amyloidosis

■ 지속적신대체요법(Continuous renal replacement therapy, CRRT)

(1) 개요

- 장점 (intermittent HD보다 좋은 점)
  ① 혈역학적으로 안정 (m/i) → 혈역학적으로 불안정한(e.g., 저혈압 위험) 환자도 시행 가능
  ② 큰 분자량의 노폐물 제거도 가능
  ③ 지속적으로 한외여과가 일어나므로 HD보다 훨씬 많은 양의 수분/용질 제거 가능
  ④ 생화학적 이상의 "점진적" 교정 ; HD와 달리 urea, Cr, Ph가 동일한 속도로 제거됨
  ⑤ 뇌압에 미치는 영향이 적어 IICP 환자에서도 안전하게 사용 가능
  ⑥ 체액량 조절에 효율적 → 영양공급 및 수액/약물 투여 용이
  ⑦ HD보다 기계가 간단하고 사용하기 편리

- 특히 유용한 경우
  ① intermittent HD로 hypervolemia, uremia, acidosis 등의 조절 실패시
  ② 환자가 intermittent HD를 견디지 못할 때 (e.g., 저혈압)
  ③ PD가 불가능할 때 (e.g., 복부 수술)
- 단점
  ① prolonged immobilization & anticoagulation 필요 (→ 외상/수술 환자는 사용 어려울 수 있음)
  ② 수분평형 상태를 주의 깊게 감시해야 (ICU에서나 가능)
  ③ synthetic dialysis membrane에 혈액이 장기간 노출됨

(2) Continuous arteriovenous hemodialysis (CAVHD)

- 환자의 동맥 혈압에 의해 blood flow 결정 (혈액펌프가 필요 없음)
- very slow dialysatc flow rate (→ 체외 응고 위험), high-efficiency dialyzer 사용
- 단점 ; 큰 동맥에 큰 catheter를 사용하는데 따른 부작용 → 현재는 이용 안함

(3) Continuous venovenous hemodialysis (CVVHD)

- arterial access 필요 없음 (venous access는 덜 위험하고 쉬움)
  ; 대개 internal jugular or femoral vein에 double-lumen catheter 사용
- 혈액펌프를 사용 (대개 150~180 mL/min 속도), diffusive clearance, 투석액만 사용
  → CAVHD보다 "clearance rate"를 높일 수 있음
- CAVHD보다 장점이 많기 때문에 현재는 대부분 CVVH or CVVHDF를 이용함

(4) CVVH (CVV hemofiltration)

: CVVHD에서 dialysis 과정(diffusive clearance)이 생략되고 hemofiltration (convective clearance)만 시행되는 형태, 보충액만 사용
↳ 큰(>500 Da) 물질의 제거에도 효과적

(5) CVVHDF (CVV hemodiafiltration)

: dialysis와 filtration 방법이 결합된 hybrid 형태, 투석액과 보충액 모두 사용, 가장 효과적

(6) SCUF (slow continuous ultrafiltration)

- hemofiltration만 시행해 수분만 제거하는 것 (투석액과 보충액 모두 사용 안함), 별로 이용 안됨
- 대개 (심한 신부전은 없는) 심부전에 합병된 refractory edema 환자에서 이용

* 신장 이외의 CRRT 적응증 ; sepsis 및 기타 염증질환, ARDS or 폐부종, cardiopulmonary bypass, CHF, crush syndrome, severe metabolic acidosis (pH<7.1), hyperkalemia (K^+>6.5 mmol/L), progressive severe dysnatremia (Na>180 or<115), hyperthermia (>39.5℃), drug overdose 등

CRRT에서 molecular transport mechanism

	Ultrafiltration	Diffusion	Convection	Adsorption
CVVHD	○	○		○
CVVH	○		○	○
CVVHDF	○	○	○	○

복막투석(Peritoneal dialysis, PD)

1. 원리

: 약 1.5~3 L의 복막 투석액(dialysate)을 주입하고 몇 시간 저류 후 배액함

① 확산(diffusion) : 반투막(복막 모세혈관)을 통해 농도가 높은 곳에서 낮은 곳으로 용질 이동

② 삼투현상(osmotic pr.) : 투석액은 혈액보다 훨씬 높은 농도의 삼투성 물질(e.g., glucose) 함유
　⇨ 혈액의 수분이 삼투압차로 인해 복강으로 빠져 나옴 (한외여과, ultrafiltration[UF])
　　→ glucose가 혈액으로 역확산되기 때문에 저류시간에 따라 삼투압 차이는 감소됨
　　→ 한외여과량은 투석 초기에 가장 많고 시간이 지날수록 감소됨
　c.f.) 혈액투석 : 정수압 차이에 의해 ultrafiltration 발생 → 혈액투석기에서 일정한 정수압
　　　유지 가능 → 투석 동안 일정한 한외여과량 유지

③ 대류(convection) : ultrafiltration으로 수분이 복강액으로 빠져 나올 때 전해질과 노폐물도
　함께 빠져나옴 (요독 물질 제거에는 convection보다 diffusion[확산]이 더 많이 관여함!)

* 투석액의 삼투성 물질(osmotic agents)
　(1) 저분자 물질 ; glucose (dextrose) - m/c (∵ 저렴, 안전, 오랜 사용 경험), amino acids
　　↳ 60~80%가 복강에서 혈중으로 흡수됨 → 여러 대사성 부작용
　(2) 고분자 물질 ; icodextrin (glucose polymer → 더 효과적인 ultrafiltration), polypeptides
　　↳ 20~35%만 흡수됨, 장기간 저류 가능, 복막 투과성 증가된 경우도 효과적

* dual/multi-chambered PD bag (성분별로 bag을 구분한 뒤 사용할 때 혼합)
　- glucose degradation products (GDPs) 감소 : A bag (pH↓ → GDP↓) + B bag (pH↑ buffer)
　　↳ glucose-함유 투석액의 열소독 or 보관 중 발생 증가 → 복막 손상/섬유화, 잔여신기능↓
　- buffer로 bicarbonate 사용 가능 : A bag (bicarbonate 함유) + B bag (calcium 함유)
　　↳ 가장 좋지만 보관 중 탄산칼슘(calcium carbonate, $CaCO_3$)을 형성해 침전되는 문제

2. 복막투석의 방법

(1) 지속적 왜래 복막투석(continuous ambulatory PD, CAPD)

- 가장 기본 (과거 m/c), 하루 3~4회 투석액 교환 (수동으로), 1회 주입량은 대개 1.5~2.5 L
- 장점 ; 야간 활동이 자유로움, middle molecules 제거에 유리, 저렴 / 단점 ; 주간에 불편함
- DAPD (daytime ambulatory or automated PD) : 낮에만 투석액을 시행

(2) 자동복막투석(automated or automatic PD, APD)

- 기계(automated cycler)에 의해 자동으로 투석액이 주입/배출되는 것
- CCPD (continuous cycling PD) : 밤에 8~10시간 동안 5~15 L (3~4회 교환)의 투석을 하고,
　낮에는 복강 내에 남아있는 약 2 L의 투석액을 저류한 채 생활(wet day) ↔ CAPD의 반대
　- 충분한 한외여과량 및 투석적절도를 얻을 수 있어 m/c APD
　- 야간에는 기계와 연결되어 있어 활동이 곤란

- NIPD (nocturnal intermittent PD) : 밤에만 8~10시간 동안 투석을 하고 (4~10회 교환), 낮에는 복강을 비운 채로 생활 (dry day)
  - 기계적 합병증(e.g., 복부팽만감, 탈장) 적음, 복막의 기능 손상 적음
  - 투석시간↓ → 잔여신기능이 없으면 불가능 / 잔여신기능이 남아있는 환자의 초기 투석에 유용
- tital PD : 투석액 일부를 남겨둔 채 자주 교환함, 투석액 교환 시간↓, 주입초기/배액말기 복통↓
- 장점 ; 자주 교환 가능(→ 용량↑, high transport에서 한외여과량↑), 저분자 물질의 청소율 우수, 복막염↓, 복강내 압력↓(→ 탈장↓), 주간에 자유로움 (삶의 질 향상)
- 단점 ; 잔여 신기능의 빠른 감소, 주로 밤에만 짧은 투석액 저류 시간으로 인한 나트륨 체현상 (ultrafiltration↑ → sodium sieving↑ → hypernatremia) … 실제로는 CAPD와 별 차이 없음

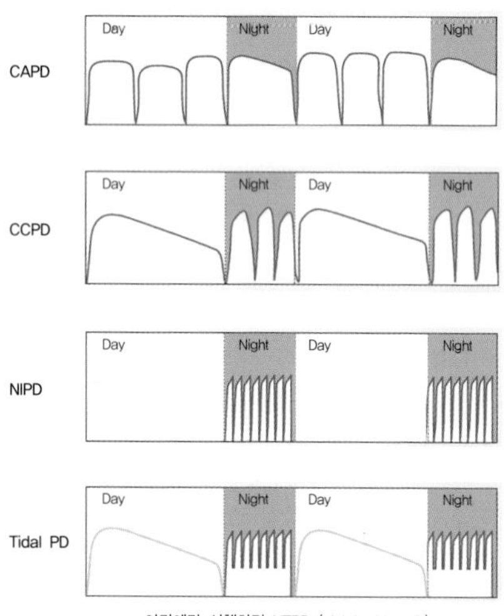

야간에만 시행하면 NTPD (nightly tidal PD)

3. 장점

① 혈액투석에 비하여 분자량이 큰 중간분자량 물질을 제거할 수가 있어서 요독증의 증상이 덜함
② 지속적인 투석 상태 → 혈중 요소치가 거의 일정하게 유지됨 / 투석간 체액량의 변동이 없음
→ 체액량이 거의 일정 수준으로 유지됨 ← <u>잔여 신기능</u>이 오랫동안 보존됨
③ slow clearance rate → less cardiovascular stress → 혈역학적 불안정 환자에서 유리
(c.f., 심혈관계 질환에 대한 예후는 PD or HD 어느 한쪽이 더 좋다고 할 수는 없음)
④ 항응고제와 vascular access가 필요 없음
⑤ DM 환자에서는 dialysate에 insulin을 첨가하여 혈당조절도 가능

⑥ K & Ph의 지속적인 배출 → HD에 비해 식사 자유로움 → 영양상태 양호
⑦ 말초 신경염이 HD에 비해 호전, 빈혈 호전, 대개의 환자가 쾌적감을 느낌, 자가 치료 가능

- 경비 : 전체적으로 드는 경비는 혈액투석과 비슷함
- 치료의 효과(장기 예후)도 PD와 HD 비슷 (but, 고령, DM, 동반질환 등에서는 PD가 사망률 높음)
- 초기(약 ~3.5년까지) 생존율은 PD가 높음

4. 단점

① 혈액투석에 비해 물질교환이 비효율적, 긴 치료 시간
② extensive abdominal surgery나 pulmonary dz.시는 사용할 수 없다
③ scleroderma, vasculitis, malignant HTN, peritoneal dz.시는 투석의 효과가 감소
④ peritonitis에 걸리기 쉽다 (··· CAPD의 최대 문제!)
⑤ 혈액투석 때보다 꽤 큰 물질도 통과 → 단백질(albumin), 비타민, 아미노산 등의 소실 증가
⑥ 투석액의 glucose가 흡수되어 혈당에 영향 or 대사장애 유발 가능 → 비만, 고지혈증(특히 TG↑)
(↳ DM 환자에서는 insulin 요구량 증가)
⑦ low-turnover bone dz. (e.g., ABD) 발생 위험 더 높음
⑧ 의료인과의 접촉 감소로 인한 고립감 발생 가능

* 복막 투석액의 생체 부적합 요소 ; pH↓, osmolality↑, glucose↑, lactate, 당 분해 산물

5. 복막투석의 적절도 평가

(1) 요소 제거율: 요소 동력학 지표 (urea kinetic parameter)

- 24시간 동안 사용된 투석액과 소변을 모아서 계산
  - weekly Kt/V_{urea} (PD에서 $Kt = V_{dialysate} \times D/P\ urea$)
  - weekly C_{Cr} (creatinine clearance) → Kt/V에 비해 추가적인 이득이 없어 권장 안 됨
    (c.f., APD의 경우에만 weekly C_{Cr} >45~50 L/week/1.73m² 권장)
- target 기준 ; weekly Kt/V_{urea} >1.7 (복막 + 신장)
- Kt/V가 낮을 때의 치료 ⇨ exchange volume↑, exchange 횟수↑, 투석액의 tonicity↑

(2) 복막평형검사 (peritoneal equilibration test, PET) ★

- 복막을 통한 Cr 청소율과 포도당 흡수율을 측정하는 검사
- 방법 ; 2.5% glucose 투석액 2 L를 주입한 후, 4시간 뒤에 D (dialystate) Cr, P (plasma) Cr, D_4 glucose와 교환 시작 전의 D_0 glucose를 측정하여 복막 이동능(투과성)을 분류

Transport	D/P Cr	D_4/D_0 glucose	Ultrafiltration	Clearance
High	>0.81	<0.26	Poor	Adequate
High average	0.65~0.81	0.26~0.38	Adequate	Adequate
Low average	0.5~0.65	0.38~0.5	Good	Adequate
Low	<0.5	>0.5	Excellent	Inadequate

- D/P Cr = Dialysate Cr/Serum Cr
- D_4/D_0 glucose = 4시간 후의 dialysate glucose 농도/시작 전의 dialysate glucose 농도

• high (rapid) transport

┌ D/P Cr ↑ : 혈중 Cr이 투석액으로 빨리 빠져나옴 → urea와 Cr 평형에 빨리 도달
└ D_4/D_0 glucose ↓ : 투석액의 glucose가 혈중으로 빠르게 흡수되어 삼투압 경사가 빨리 소실되어 평형을 이루고 한외여과량도 감소됨 (poor ultrafiltration)

• PET의 임상적 이용

① PD의 종류 선택, 용량 조절 (e.g., high transport → 짧게 자주 시행, auto-cycler 권장)
② 복막 기능의 평가
③ 급성 복막 손상의 진단
④ inadequate ultrafiltration의 원인 진단
⑤ inadequate solute clearance의 원인 진단
⑥ 어떤 용질의 D/P 계산
⑦ early ultrafiltration failure 진단
⑧ 전신질환에 의한 복막의 영향 평가

■ **Peritoneal membrane transport의 분류/치료방침**

(1) high (rapid) transport (15%)

• 원인 ; peritonitis, inherently hyperpermeable membrane, 장기간의 PD
• 노폐물 제거는 가장 많이(빨리) 되지만 단백 소실도 가장 많음, 적절한 체액 유지 어려움
• PD 방법 선택 ; dwell time↓, frequency↑ ⇨ APD (NIPD, DAPD) or icodextrin 투석액

(2) average transport

┌ high average (50%) ⇨ NIPD, CAPD
└ low average (25%) ⇨ high-dose CAPD, high-dose CCPD

(3) low (slow) transport (10%)

• 원인 ; adhesion, peritoneal sclerosis
• ultrafiltration↑↑ → sodium sieving↑ (sodium removal↓)
• PD 방법 선택 ; dwell time↑, 투석액의 양↑ ⇨ high-dose CCPD (or HD)

■ **한외여과 장애(ultrafiltration failure[UFF], membrance failure)**

• 복막을 통한 수분 이동(ultrafiltration) 감소로 수분 배출 불충분 → 부종 악화, 사망률↑
• 정의 : 4시간 PET 뒤 한외여과량 <400 mL (4.25% glucose 용액) [2.5% 용액 <200 mL]
• 발생↑ ; peritonitis 반복, 장기간 PD (>2년), 고농도 glucose 투석액, DM, β-blocker
• D/P sodium curve의 initial decrease 상실
(정상 : D/P sodium curve에서는 초기 한외여과↑로 initial decrease 보임)
• type 1 UFF (m/c) ; very rapid/high solute transport → 삼투압 차 금방 소실 → 수분 배출↓
⇨ 투석액 저류 시간↓, 교환↑(e.g., APD), icodextrin 투석액 사용, 일정기간 PD 중단
→ 모두 실패하면 혈액투석(HD)으로 전환
• type 2 UFF ; aquaporins 기능 장애 → isolated water transport↓
• type 3 UFF ; sclerosis or adhesions로 인한 복막 유효 표면적↓ → solute & water transport↓
⇨ type 2 & 3는 특별한 치료방법이 없음 → HD로 전환

6. 합병증

(1) 복막염(peritonitis) – m/c

- 투석액 교환시 무균적 조작을 하지 못해서 발생하는 경우가 대부분
- 다른 형태의 복막염과 달리 피부의 세균이 주원인
- 원인균 (거의 다 세균, 주로 single organism)
  - 대부분 G(+)균 ; CoNS (e.g., *S. epidermidis*, m/c), *S. aureus*, *Streptococci*, *Enterococci* (e.g., VRE), GNB (e.g., *Pseudomonas*), fungi (매우 드묾, 주로 *Candida*) ...
  - 여러 장내세균 or G(+)/(−) 중복감염시에는 다른 복강내 병변 동반 의심
- 복막의 투과성이 증가되어 단백 소실이 증가됨 (>10 g/day)
- 진단 (다음 3가지 중 2가지 이상 존재시)
  ① 복막자극(peritoneal inflammation) 징후 ; 발열, 복통/압통
  ② 투석액 ; 혼탁, WBC >**100**/μL & neutrophil >**50%** (최소 2시간 저류 후)
  ③ 투석액 ; 그람염색이나 균 배양검사에서 세균 검출
  ↳ 대부분 음성 ↳ 80~95%에서 양성 (투석액 50 mL을 원심분리한 뒤 침전물로 배양)
- 치료 ; 사망률 2~6%
  ① 즉시 경험적 항생제 투여 : G(+)/(−)에 대응, 균이 동정되면 감수성 있는 항생제로 교체
    - 1세대 cepha. (e.g., cefazolin) [or MRSA 의심시 vancomycin]
      \+ 3세대 anti-pseudomonal cepha. (e.g., ceftazidime) [or AG, aztreonam] 복강내 투여
    - 복강내 투여가 더 효과적, 심한 경우에는 IV 항생제도 추가
    - 48시간 이내에 호전되지 않으면 cell count & culture를 반복
    - 균이 동정되지 않으면 경험적 항생제 투여를 유지하고, 총 2주를 넘기지 않음
    - *Pseudomonas* → cefazolin 중단, ceftazidime + AG (or ciprofloxacin, pipercillin 등)
  ② 투석액 복강 세척 (→ 복통 완화) : 심한 복통 or 매우 혼탁한 투석액일 경우만 1~2회 시행
  ③ fibrin clot (매우 혼탁한 투석액)으로 도관 협착 우려시 투석액에 heparin도 섞음
  ⇨ 대부분 위의 치료로 신속히 호전됨 (예외 ; *Pseudomonas*, 혐기성균, 진균)
  ④ catheter 제거의 적응 (약 20%는 catheter 제거가 필요하게 됨)

> Refractory peritonitis : 감수성 있는 항생제로 5일간 치료에도 반응이 없는 경우
> Relapsing peritonitis : 치료 완료 후 4주 이내에 동일 균에 의한 감염 발생
> Recurrent peritonitis : 치료 완료 후 4주 이내에 다른 균에 의한 감염 바랭
> Refractory exit-site & tunnel infection : 도관의 피부출구/피하통로 감염 3주 이상 지속
> 배양 음성이고 증상이 4일 이상 지속될 때
> 복강내 농양이 합병, 장파열로 인한 복막염
> 진균성 or 결핵성 복막염 (multiple 세균 감염은 아님!)

c.f.) 새로운 catheter의 재삽입
- Relapsing peritonitis → 투석액이 깨끗하면 기존 catheter 제거와 동시에 시행 가능
- Refractory peritonitis, 진균성, 다른 복강내 병변 → 기존 catheter 제거 후 최소 3~4주 뒤에 재삽입 (catheter 제거 후 최소 2주 이상 oral or IV 항생제 치료)

- PD의 catheter 교환 시스템 ; double-bag과 Y-set systems 만이 복막염 발생 감소에 효과적
- 복막염 예방을 위한 예방적 항생제 사용 (위내시경은 필요 없음)
  - 대장내시경 ; 투석액을 비우고 ampicillin + AG (e.g., tobramycin) IV
  - 발치 시술 ; 2시간 전에 oral amoxicillin

(2) 복막염 이외의 catheter 관련 감염

- 피부출구(exit-site) or 피하통로(tunnel)의 감염
- *S. aureus*가 대부분 (*S. aureus*와 *Pseudomonas*는 복막염을 흔히 동반함)
- 치료
  - G(+)균 → oral cloxacillin or 1세대 cepha → 균 동정/감수성 결과에 따라 조절
    → 1주 후에도 호전되지 않으면 rifampin (rifampicin) 추가
  - G(-)균 → oral ciprofloxacin → 균 동정/감수성 결과에 따라 조절
    → 1주 후에도 호전되지 않으면 AG or ceftazidime, cefepime, piperacillin, imipenem 등 추가
  - 항생제 치료는 출구 외형이 정상으로 보일 때까지 최소 2주간 치료 (*Pseudomonas*는 3주)
  - 3주간의 적절한 항생제 치료에도 호전되지 않거나 복막염 동반시는 catheter 제거
    (예외 ; coagulase-negative *Staphylococcus* - 항생제에 잘 반응)
- 예방 ; mupirocin 연고 → 피부출구 및 코에 (∵ nasal carriage)

(3) Pleural effusion (hydrothorax, pleuroperitoneal leak) 투석액의 흉강 누출

- 복강내 압력↑로 투석액이 횡격막의 미세 결손 or lymphatics를 통해 pleural space로 이동
- 대개 PD 초기에 발생, 대부분 <u>우측</u>에 발생, 무증상~호흡곤란, 투석 배액양↓(ultrafiltration↓) ...
  (hypertonic dialysate : 복강내 압력↑ → 증상 악화)
- 진단 ; 흉수검사(e.g., glucose↑, transudate), 투석액 조영제 CT (<u>CT peritoneography</u>, CTP),
  MR peritoneography (CTP와 정확도는 비슷하나 gadolinium 부작용), peritoneal scintigraphy
- 치료 ; <u>PD 일시 중단</u> (→ 필요시 HD 시행), thoracentesis, pleurodesis, VATS, thoracotomy 등
  ↳ 자연치유 되어 PD 재시작 가능은 1/2 미만 (small volume, supine position시 재발↓)
  (but, 대부분의 환자는 결국 HD로 전환하게 됨)

* 지속적인 PD를 받고 있는 환자에서 발생한 pleural effusion의 원인
; volume overload, heart failure, infection (결핵, empyema 등), malignancy,
uremic pleural effusion, pleuroperitoneal leak (peritoneal dialysate의 누출)

(4) Encapsulating peritoneal sclerosis (EPS)

- 복막의 염증에 의한 복막 비후 및 섬유화(유착) → ultrafiltration failure, bowel encasement

PD-관련 위험인자	기타 위험인자	
PD duration (m/i) : 8년 이후 ↑ Severe peritonitis (특히 *S. aureus*, *Pseudomonas*, fungus) High transport status (ultrafiltration↓) Dialysate ; glucose↑, acetate buffer Chlorhexidine disinfectant Plasticizers	Inflammatory conditions SLE, Sarcoidosis Familial Mediterranean fever Exposure <u>β-blockers</u>, calcineurin inhibitors Talc, Asbestos, Intraperitoneal CTx	Gastrointestinal disease Hepatic ascites Intraabdominal malignancy Reproductive organs의 질환 Luteinizing thecoma Endometriosis Ventriculoperitoneal shunt

- PD를 중단한 이후에도 발생 가능 ; repeated peritonitis, ultrafiltration failure, 신장이식 후
  (c.f., EPS가 신장이식의 금기는 아님)
- 감염 이외에 가장 무서운 PD의 합병증, 드묾(0.5~2.5%에서 발생), 사망률 35~50%
- 임상양상 : 서서히 진행하며 무증상이 흔함, 대개 5년 이후 발생, 심한 복막염 병력 多
  - 초기 (비특이적 증상) ; A/N/D, 간헐적 복통, 체중↑, blood-tinged dialysate/ascites
  - 후기 (ileus/복막유착, 심하면 flank GI obstruction) ; 심한 복통, 구토, 복부종괴 ...

• 대개 임상양상 + CT로 진단 (laparotomy/laparoscopy는 위험해서 거의 안 쓰임)
• 치료 ; tamoxifen + steroid 3~4개월 이상 (→ survival ↑)
  - 일부에서는 복막 휴식 or PD 일시 중단 고려 (일부는 영구 중단 & HD로 전환도 필요)
  - TPN은 경구 섭취가 불가능하거나 영양실조가 발생한 경우에만 시행
  - 유착에 의한 acute obstruction → mechanical obstruction처럼 수술적 치료

(5) 대사 합병증

• 투석액의 glucose 흡수↑ → hyperglycemia, 체중증가, insulin resistance, dyslipidemia
• hyponatremia (∵ fluid overload, 낮은 투석액 Na^+ 등) → Tx ; 투석액의 Na^+를 약간 높임
• protein loss & malnutrition

신장 이식 (kidney transplantation, KT)

1. 개요

• 신장 이식은 대부분의 ESRD 환자에서 TOC임 (∵ 투석보다 생존율↑, 삶의 질 향상)
• 신장이식 후 사망률은 처음 1년이 가장 높음 (고령일수록 더 높음), 생체 공여자가 생존율 더 높음!
• 면역검사/치료의 발전으로 현재 acute rejection은 드물지만, 대부분 다양한 정도의 만성 합병증은 발생함(e.g., interstitial fibrosis, tubular atrophy, vasculopathy, glomerulopathy)

신장이식의 절대 금기	신장이식의 상대적 금기
Reversible renal failure 활동성 감염 활동성 악성종양 약물중독자 심한 정신질환자 지시에 잘 따르지 않는 환자 기대 수명이 짧은(<1년) 환자	고령(절대적 연령 기준은 없지만 대략 65세 이상이면 심사숙고), 비만, 정신질환 HIV, HBV, HCV 감염(과거 절대 금기였으나 항바이러스 치료의 발전으로 일부 가능) 심한 심혈관/폐/간 질환, 활동성 궤양, 뇌졸중, 악성종양(2~5년 관찰 뒤 이식 가능) 신이식후 재발률이 높은 질환 ; MPGN (특히 type II), FSGS, MN, IgA nephropathy Severe hyperparathyroidism (parathyroidectomy 이후 이식 가능) Primary oxalosis (신장-간 동시이식) Systemic amyloidosis (심장을 침범한 경우엔 사망률이 높아 신장이식 곤란) Anti-GBM dz., SLE, vasculitis, TMA 등 (activity가 낮아져 치료가 필요 없으면 가능)

* ABO or HLA 부적합 및 PRA 양성은 과거 금기였으나 현재는 탈감작치료 등으로 이식 가능

생체 신장 공여자의 금기 사항 ★

절대 금기	상대적 금기
신장 손상의 증거; GFR <80 mL/min/1.73m2, Proteinuria and/or Hematuria 심각한 신장/비뇨기계 질환, 신장석회증, 재발성/양측성 신장 결석 고혈압(≥140/90 mmHg, 조절되지 않거나 복합 약물치료 필요, 표적장기손상 有) 당뇨병, 전파 가능한 감염질환(e.g., HBV, HCV, HIV), 활동성 악성종양 인지장애, 조절되지 않는 정신질환, 약물중독자 수술이 곤란한 만성질환(e.g., 심한 심혈관/폐/간 질환), 임신	18세 이하, 65세 이상 비만: BMI ≥35 kg/m^2 신기능 저하는 없는 소변검사 이상 (evaluation 이후 일부 가능) 잠복결핵 (e.g., PPD 양성)

- 전파/재발 가능성 있는 악성종양의 과거력도 제외함 ; melanoma, choriocarcinoma, hematologic malignancies, monoclonal gammopathy, 고환암, 유방암, 폐암 등
- 완치되고 전파/재발 가능성이 매우 낮은 악성종양은 case-by-case로 공여 가능 (e.g., 자궁경부암, 피부암)
- AD polycystic kidney dz. (ADPKD) 환자의 가족 → 30세 이후에 영상검사에서 신장 낭종이 없으면 공여 가능

2. 면역

(1) Lymphocytes

- kidney allograft rejection의 핵심
- B lymphocytes : circulating antibody 생성 (→ hyperacute rejection을 일으킴)
- T lymphocytes : cell-mediated immunity (→ acute cellular rejection을 일으킴)
- helper (CD4+) T cells : 이식된 조직의 foreign antigen을 처음 인식하여 cytokines을 분비, 다른 cytotoxic T & B lymphocytes의 성장과 분화를 유도

┌ 직접인식 ; 이식 초기, donor APCs (dendritic cells)의 HLA Ag & donor MHC 분자(I → CD8, II → CD4 cell) 인식
└ 간접인식 ; 이식 후기, recipient APCs의 HLA Ag & donor MHC 분자를 인식

- IL-2 : 활성화된 T-cell (주로 Th1 cell)에서 분비되어 T & B cells, macrophage 등을 활성화시킴

(2) HLA (human leukocyte antigens, MHC)

	Class I	Class II
항원	HLA-A, B, C	HLA-DR, DQ, DP
분포	모든 유핵세포와 혈소판 (RBC엔 無)	B cells, activated T cells, macrophages, dendritic cells, 미성숙 조혈세포, 혈관내피세포
기능	CD8+ cytotoxic T cells과 상호작용	CD4+ helper T cells과 상호작용

- HLA 유전자는 6번 염색체 단완에 위치
- genetics : group으로 유전됨
  - 형제간에는 ┌ 2-haplotype matches (25%)
    │ 1-haplotype matches (50%)
    └ 0-haplotype matches (25%)
  - 친부모와 자식은 항상 1-haplotype matches (50%)
- 보통 장기이식시 HLA-A, HLA-B, HLA-DR 3개의 유전자좌를 검사함 (모두 적합하면 6/6)
  - 검사의 해상도(resolution) 수준
    예) HLA-A*02 (= HLA-A2) … 저해상도 ; 혈청학적 수준
    HLA-A*02:01~ … 고해상도 ; 대립유전자 수준(allele level)
  - HLA의 심한 다형성 때문에 비혈연간에는 대립유전자 수준의 적합한 공여자 찾기 매우 어려움
- HLA 모두 일치해도 약 5%에서는 거부반응 발생 (∵ non-HLA Ag에 대한 prior sensitization)

c.f.) 장기이식에서 ABO와 HLA matching의 필요성

	신장	간, 심장, 폐	췌장	조혈모세포	각막
ABO	○	○	○	×	○
HLA	×*	×	×*	◎	×

*HLA가 일치할수록 생존율이 증가하지만, 필수는 아님 (탈감작 후 이식 가능)
**But, ABO 불일치도 탈감작(desensitization) 후 이식을 많이 하는 추세임

3. 면역검사(histocompatibility tests)

(1) ABO 혈액형

- ABO Ag : RBC 외에 혈관내피세포(AMR에서 중요), 신장, 간, 췌장, 폐 등에도 존재함
- O형 → A, B, AB형 / A or B형 → AB형 등에는 공여 가능(compatible) : 수혈과 동일
  (O형 : universal donor, AB형 : universal recipient)
- ABO 불일치(incompatible) : anti-ABO Ab가 해당 Ag을 공격하면 hyperacute rejection 가능
  ↳ 탈감작(desensitization) 치료 후 이식 가능 (절대적 금기 아님!!), 장기 예후도 거의 차이 없음
    - 대개 ABO isoagglutinin titer ≤1:128~256이면 탈감작 후 ≤1:8로 감소하면 이식 시행
    - 순응(accommodation) : 이식 이후에 새로 만들어지는 anti-ABO Ab들이 이식된 신장을 공격하지 않는 것 (첫 2~3주 동안만 Ab titer를 낮게 유지하면 이후는 거의 문제 안됨)

    c.f.) HLA와 ABO 모두 불일치면 보통 이식이 권장되지 않으나, 일부 기관에서는 시행 가능
- Rh 항원은 이식 조직에서 표현 안 됨 (문제×)

(2) HLA typing (Ag matching)

- HLA-A, -B, -DR 각 2개씩 총 6 Ag으로 계산 (중요도: DR > B > A> C)
- 5YSR 비교 ; LRD [living-related donor] (6 Ag 모두 일치) > living unrelated donor
  > LRD (3/6 Ag 일치) > cadaver (6 Ag 모두 일치) > cadaver (3/6 Ag 일치)
  > LRD (0/6 Ag 일치) > cadaver (0/6 Ag 일치)
- 6 Ag이 모두 불일치해도 이식의 금기는 아님!! (∵ 면역억제제의 발달)
- 검사법 (점점 혈청검사에서 분자검사로 대치되고 있음)
  ① 혈청학적(Ag) 검사 : complement-dependent cytotoxicity (CDC) 원리를 이용
  ② 분자생물학적(DNA) 검사 ; PCR을 이용하여 HLA gene을 증폭시킨 뒤 여러 기법으로 판별
    - PCR-SSO (sequence specific oligonucleotide) 등 … Luminex®를 많이 사용함
    - 최근에는 sequencing or NGS의 사용도 증가추세 (더 고해상도)

(3) HLA Ab 검사

- 타인의 HLA Ag에 감작되면 anti-HLA Ab를 갖게 됨 (약 30%) ; 수혈, 임신, 이전의 이식 등
- 대부분의 anti-HLA Ab는 IgG Ab임 (c.f., autoAb는 IgM Ab)
- DSA (donor specific Ab) : 환자(recipient)의 anti-HLA Ab 중 donor HLA Ag과 반응하는 Ab (넓은 의미로는 HLA 이외의 Ab도 포함)
  → PRA 검사에서 동정된 Ab 중 donor Ag과 반응하는 것 or HLA 교차시험 (+)일 때를 의미
- PRA (panel reactive Ab) test (≒ HLA Ab screening & identification test)
  - 환자 혈청에서 HLA Ab 존재 유무를 검출하고, 존재하면 그 종류를 동정하는 검사
    ⇨ 적합한 공여자를 찾을 가능성 (이식 대기 시간) 예측, 면역위험도 분류(→ 억제치료 강도)
  - PRA % (HLA sensitization 정도)가 낮을수록 이식 성적이 좋음
  - 이식 예정 환자는 정기적으로 PRA screening 검사 필요
  - virtual crossmatch : 동정된 환자의 HLA Ab와 공여자들의 HLA Ag을 비교해보는 것
  - 검사법
    ① CDC (과거) : HLA를 아는 수십 명의 림프구로 구성된 패널 이용, 반응 림프구 %로 표시
    (≤10% : non-sensitized, 11~50% : sensitized, >50% : highly sensitized)

② solid-phase assay ; flowcytometric multiplex immunoassay (Luminex®)가 주로 사용됨
(1) pooled Ag beads (screening)
(2) single Ag beads (SAB) assay : 가장 정확한 Ab 동정 및 반정량MFI도 가능해 선호됨
┌ HLA-DQ, DQA, DPA, DPB 및 MICAMHC class I chain-related Ag A 항체도 검출 가능
└ calculated panel reactive antibody (cPRA), virtual crossmatch 등에 적용
→ 이식 이후 DSA (de novo 포함) monitoring에도 사용됨

- HLA crossmatch (XM) test교차시험 : donor lymphocytes + recipient serum을 반응시켜봄
  - donor Ag에 대한 환자의 preformed DSA (anti-HLA Ab)를 검출하는 최종적인 방법
  - 목적 : 초급성거부반응(hyperacute rejection) 예측 및 기타 면역학적 위험 항체의 검출
  ┌ T lymphocyte XM (+) ⇨ class I (HLA-A, B, C) IgG Ab 존재
  → hyperacute rejection 발생 위험 → 이식의 상대적 금기
  └ B lymphocyte XM (+) ⇨ anti-class Ⅱ (HLA-DR) Ab ··· class I보다 중요도는 떨어짐
  → titer가 높지 않으면 이식의 금기는 아님 (재이식 환자에서는 이식 위험인자로 작용)
  - 검사법 ; CDC → FCXM (flowcytometry)으로 대치되는 추세
  - HLA Ab 이외에 IgM Ab, autoAb, non-HLA Ab (e.g., MICA)에 의해서도 XM (+) 가능
  - SAB (virtual crossmatch)는 음성이었지만 이식 전 crossmatch에서는 양성으로 나올 수도 있음

SAB (PRA)	CDC XM	FCXM	
+	+	+	High DSA, **hyperacute rejection** 고위험
+	−	+	Moderate DSA, non-complement-fixing DSA
+	−	−	Low DSA, 오래전 SAB 검사 시행, 공여자에 없는 HLA에 대한 Ab, SAB 검사 위양성 (검사전 오류, 기술적 요인 등)
−	+	+	Non-HLA IgG Ab, SAB 검사에는 없는 type에 대한 Ab, 오래전 SAB 검사 시행 (새로운 DSA 발생, DSA titer 증가), 약물간섭(e.g., rituximab, ATG, alemtuzumab, IVIG), SAB 검사 위음성 (e.g., inhibitors, low-level anti-HLA Ab)
−	+	−	IgM Ab (anti-HLA or non-HLA)
−	−	+	Low-level IgG non-HLA Ab, SAB 검사 위음성

* XM(+)/HLA incompatible ⇨ 이식 전 탈감작 치료를 통해 DSA를 미리 제거한 뒤 이식 가능!
  - 탈감작 치료 ; IVIG, plasmaphersis (or immunoadsorption), rituximab (anti-CD20) 등
  - XM(−)/HLA compatible 이식보다는 AMR, rejection, graft loss, 사망률 조금 증가
  ┌ SAB(+) & XM(−) → graft loss 및 사망률 HLA compatible 경우와 비슷
  └ XM(+) → HLA compatible보다 graft loss 1.65~1.8배, 사망률 1.32~1.51배
  - 그럼에도 불구하고 탈감작 후 이식하는 이유 ; 고도로 감작된 환자는 적합한 공여자 찾기가 매우 어려움, XM(−) 공여자를 찾을 때까지 이식이 지연되는 것보다는 survival 우수

4. 면역억제요법

(1) 유도 면역억제요법(induction)

• 목적 : 이식 초기에 강력한 면역억제로 early acute rejection 예방
(+ 이후 유지요법에서 부작용이 심한 calcineurin inhibitor 및 steroid의 사용 최소화)

저위험군	고위험군 ★
첫 번째 신이식 & Low PRA <10%, HLA mismatch 없음 & Donor : living donor (연령 15~35세) CIT (cold ischemia time) <12시간 생리기능 정상	두 번째 신이식 (3개월 이내에 첫 이식이 실패) High PRA (>10%), ABOi (ABO incompatible), HLA mismatches, HLA-XM(+) Donor CIT (cold ischemia time) >24시간 or 60세 이상 or HTN을 가진 50세 이상 or 신생검에서 glomerulosclerosis >20%
Basiliximab (anti-IL2-R) + 표준면역억제요법*	rATG* + 표준면역억제요법*

* Methylprednisolone (수술 1일 후부터 감량) + MMF + CNI
** HLA incompatible 이식 ⇨ 이식 당일 Alemtuzumab 1회 IV, 1~2주 뒤 IVIG + Rituximab

• lymphocyte-depleting agents
- anti-thymocyte globulin[ATG] ; rabbit ATG (rATG, Thymoglobulin®), equine ATG (Atgam®)
: polyclonal Ab로 rATG가 acute rejection 예방 및 graft survival에 가장 우수함
- alemtuzumab (anti-CD52) ; rATG 사용 못하는 경우 (e.g., WBC <2000, platelet <75,000, rATG에 대한 allergy 병력, 토끼와 밀접한 접촉력) *or* HLA incompatible 이식에서 고려
(CD52 : B cells, T cells, NK cells, macrophages, 일부 과립구 등 여러 면역세포에 존재)

• non-depleting agents : IL-2 receptor (activated T cells에서만 발현됨) Ab (anti-CD25)
- basiliximab (Simulect®), daclizumab (Zenapax®)
- 저위험군에서는 acute rejection 예방 효과 동일하면서, 부작용 적음 (치료로 사용하지는 않음)
- rATG 사용 못하는 고위험군에서도 고려(e.g., WBC <2000, platelet <75,000, hypotension)

(2) 유지 면역억제요법(maintenance)

3제요법 : Calcineurin inhibitor (tacrolimus) + Antimetabolite (MMF) ± Steroid (prednisone)

• 원칙 : 작용기전이 다른 약제를 병합 → 효과↑, 부작용↓ (특히 CNI에 의한 신독성이 문제)
c.f.) 면역억제의 발달로 acute rejection은 크게 감소되었으나, 만성 부작용이 문제

• 일반적으로 acute rejection 위험이 높은 이식 초기에는 고용량으로 유지하다가, 점차 감량

• calcineurin inhibitor (CNI) ; cyclosporine, tacrolimus
① cyclosporine A (CsA) → 대부분 tacrolimus로 대치되었음
- 기전 : calcineurin pathway 억제 ("calcineurin inhibitor") → helper T cells에서 IL-2 합성 억제 (but, TGF-β 합성은 촉진) → T cells 증식 억제
- steroid와 병용하면 서로의 용량을 줄이는 (double block) 효과

② tacrolimus (과거 FK506)
; 기전과 신부작용은 cyclosporine과 비슷함, cyclosporine보다 더 효과적인 편이라 선호됨!
┌ hirsutism, gingival hyperplasia, HTN → cyclosporine에서 더 흔함
└ new-onset DM after transplant (NODAT), 신경 독성(e.g., 두통, tremor), alopecia, dyspepsia, vomiting, diarrhea 등 → tacrolimus에서 더 흔함!

- **antimetabolites** (anti-proliferative agents)
  ; azathioprine, MMF, enteric-coated mycophenolate sodium (EC-MPS)
  ① azathioprine (Imuran®) : 과거의 m/c 면역억제제 (→ 대부분 MMF 등으로 대치되었음)
    - 기전 : lymphocyte 분열/활성화 억제 (DNA 및 RNA 합성 억제)
  ② mycophenolate mofetil (MMF, Cellcept®)
    - azathioprine과 기전 비슷하면서 부작용은 적음 (더 선택적으로 lymphocytes에 작용)
    - 장점 ; BM suppression 적고, rejection 예방/치료 효과 더 뛰어남, allopurinol과 병용 가능
- **glucocorticoid** (e.g., prednisone) : 면역억제치료의 중요 보조제
  - 기전 : monocyte-macrophage system의 IL-6와 IL-1 분비 억제, 염증반응 억제
  - 부작용 감소를 위해 일부 저위험군에서는 steroid-free 요법도 시행함
- mTOR inhibitor (mTORi) ; sirolimus (과거 rapamycin), everolimus
  tacrolimus와 구조적으로 유사하지만 기전은 다름, graft 및 환자 survival은 차이 없음
  - 기전 : 세포내 신호전달 pathway 중 mTOR에 결합하여 IL-2 등의 cytokines이 T cells을 사극하는 것을 억제함 → T cells의 증식 억제 (calcineurin pathway와 무관)
  - cyclosporine, tacrolimus, MMF 등과 병용 가능
  - Kaposi's sarcoma (면역억제치료 받는 이식환자에서 호발)를 억제시키는 효과도 있음
- belatacept (CD80/86-CD28 costimulation blocker)
  - CTLA-4의 extracellular domain과 IgG1의 Fc fragment의 fusion protein
    ↳ T cells의 CD28과 상동성을 가지지만 CD28과 달리 T cells을 억제하는 기능
  - antigen presenting cells (APCs)의 costimulatory ligands (CD80 & CD86)에 결합하여 APCs과 T cells의 CD28의 결합을 방해함 → T cells anergy & apoptosis
  - CNI보다 신장/심혈관 부작용은 적지만, acute rejection과 lymphoproliferative disorders 많음

* mTORi or belatacept는 nephrotoxicity, TMA 등으로 CNI를 복용 못하는 경우 주로 사용함

(3) 임신과 면역억제제

- CNIs ; 대개 안전, 태아의 혈중 농도는 엄마의 약 1/2, 기형 발생 위험은 일반인과 거의 비슷함
  - preeclampsia 및 low birth weight 위험은 증가
  - 임신 중 CNIs 용량은 20~25% 증가 필요 (∵ 분포용적↑, CYP3A4 activity↑)
- azathioprine ; category D이지만 대개 안전 (∵ 태아에는 독성 대사를 유도하는 효소가 적음), 골수억제는 발생 가능하지만 엄마 WBC >7500/mm³이면 드묾
- steroids ; 안전 (90% 이상이 태반에서 대사되어 태아로의 전달은 10% 이하), 드물게 태아의 부신부전 발생 가능, 엄마는 HTN 및 PROM 발생 위험 증가
- MMF ; category D이며 금기 → 임신 6주 전에 중단
- sirolimus ; category C이지만 자료가 부족해 금기 → 임신 6주 전에 중단
- 모유 수유는 안전함 (∵ 자궁 내보다 노출 농도 훨씬 낮음)
- 신장이식을 받은 여성은 대개 이식 1~2년 뒤에 임신이 권장됨 (1~2년 이내에는 graft loss↑)

c.f.) 임신 가능의 조건 ; 이식 후 1년 이상 양호한 신기능의 유지, 쉽게 조절되는 HTN, proteinuria (≤mild), serum Cr <2 mg/dL, 요로확장 소견 無, prednisone <15 mg/day, azathioprine <2 mg/kg/day, 분만을 견딜 수 있는 신체조건

5. 거부반응(rejection)

(1) Hyperacute rejection (hyperacute AMR)

- 이식수술 중 ~ 수술 후 수시간 내에 발생 (요즘엔 이식전 면역검사/전처치의 발달로 거의 없음!)
- 기전 : 환자의 preformed anti-HLA Ab or anti-ABO Ab → 이식신의 혈관내피세포를 공격
- 임상양상 : 신장이 청색으로 변함, 무뇨/핍뇨, Doppler US에서 신장으로 가는 혈류가 안 보임
- biopsy : 사구체와 모세혈관의 미세혈전, 염증세포 침윤, 세뇨관 괴사 등
- Tx : heparin, plasmapheresis (거의 실패) → 결국 이식된 신장을 다시 떼어내는 것 뿐

(2) Acute T cell-mediated rejection[TCMR] (acute cellular rejection)

- 이식 후 1주일 ~ 3개월 이내에 발생 (1~3주에 m/c), 면역억제제의 발달로 크게 감소(<10%)
- 급성 거부반응 : acute allograft dysfunction의 주요 원인, TCMR과 AMR로 나뉨 (공존도 가능)
- 위험인자 ; pre-sensitization (DSA+), PRA↑, XM(+), HLA 불일치, ABO 불일치, 소아, 흑인, cold ischemia time↑, delayed graft function (DGF), 2회 이상의 이식 (이전의 거부반응)
- 임상양상 ; 갑작스런 신기능 감소 (sCr↑, 요량↓), fever, swelling, pain, tenderness, BP↑ 등
  ⇨ 면역억제제의 발달로 최근엔 대부분 증상이 없음! (sCr↑ or proteinuria 뿐)
- Dx ┌ renal Doppler US, CT 등 (비특이적) → 혈류이상, 폐쇄병변 등 다른 질환을 R/O!
  └ biopsy (gold standard) : 세뇨관과 간질의 lymphocytes 침윤 (tubulitis, arteritis)
- D/Dx ; ATN, CNI nephrotoxicity, vascular thrombosis, 요관 폐쇄, 급성 감염 등
- Tx ① 고용량 steroid pulse (methylprednisolone 0.5~1.0 g/day, 3~5일간 IV) → 70% 반응
  ② steroid pulse에 반응이 없거나 심한 경우(Banff grade Ⅱ~Ⅲ)
    (a) rATG (thymoglobulin) : 1.5~3 mg/kg/day, 7~14일간 IV *or*
    (b) alemtuzumab (anti-CD52) : 30 mg 1회 IV, rATG 사용 못하는 경우(→앞부분 참조)
  ③ 기존 면역억제치료의 강화 (e.g., tacrolimus 용량↑, sirolimus 추가/대치)
  ⇨ 반응 없으면 biopsy 재검 (acute humoral rejection 등 다른 원인 R/O)

* mixed acute rejection (TCMR + AMR)의 치료
  ; steroid pulse, plasmapheresis, IVIG, rATG 등

(3) Acute antibody-mediated rejection[AMR/ABMR] (acute humoral rejection)

- 신이식의 3~30%에서 발생, acute rejection의 12~37% 차지
- chronic AMR↑ 및 graft loss↑와 관련, TCMR보다 예후 나쁨!

Active (acute) AMR의 진단기준	
1. 조직소견	미세혈관 염증, Intimal/transmural arteritis, TMA, acute tubular injury (다른 원인이 없는)
2. 혈관내피세포와 항체의 반응	Peritubular capillary에 linear C4d 침착*, moderate 이상의 미세혈관 염증, Molecular markers (e.g., ENDAT expression)
3. 혈청 DSA	anti-HLA Ab (e.g., Luminex SAB assay), anti-ABO Ab, 기타 non-HLA Abs

* C4d 음성이어도 나머지 기준이 합당하면 AMR로 간주함 (C4d-negative AMR)

- Tx (existing DSAs 제거 및 Ab를 생산하는 B cells or plasma cells 박멸이 목표)
  - 1st line ; steroid pulse, plasmapheresis, IVIG, anti-CD20 (rituximab) 등의 병합요법
  - 2nd line ; bortezomib (proteasome inhibitor), eculizumab (anti-C5 → MAC 생성 억제)
    ↳ differentiated plasma cells의 apoptosis 유도

(4) Chronic rejection (≒ chronic allograft nephropathy, CAN[만성이식신병증])

- 이식 3~6개월 이후 나타나는 이식신의 기능적/형태적 손상 증후군
- chronic allograft dysfunction의 m/c 원인 (정의, 용어, 진단기준들이 명확하지는 않음)
- 원인 ┌ 면역학적 ; HLA-mismatch, acute rejection, hyperimmunization ...
  └ 비면역학적 ; glomerular hyperfiltration & hypertrophy, delayed graft function, CNIs, 고령, 신실질질환의 병발, HTN, hyperlipidemia, proteinuria ...
- 임상양상 (서서히 진행하는 신기능 소실) ; sCr↑, proteinuria↑, BP↑
- 진단(biopsy, 신장 전체를 침범) ; interstitial fibrosis & tubular atrophy (IF/TA), arterial fibrosis & intimal thickening, glomerular capillary walls thickening
- D/Dx ; original renal dz. (e.g., GN)의 재발, de novo GN 발생, hypertensive nephropathy, CNI nephrotoxicity, 2ndary FSGS, RAS, BK-induced nephropathy 등
- Tx : 확립된 치료법은 없음 (면역억제제의 강화/변화는 대개 효과 없음)

6. 이식환자의 경과/합병증

(1) Renal allograft dysfunction ★

시기	Allograft dysfunction의 원인(D/Dx)
1주 이내 (= DGF)	**Acute tubular necrosis (ATN)**, Hyperacute rejection, Acute CNI toxicity, Urologic obstruction, Urine leak, Volume contraction, Vascular thrombosis/occlusion (renal artery or vein), TMA
1주~3개월	**Acute rejection**, CNI toxicity, Volume contraction, Urologic obstruction, Interstitial nephritis, Recurrent dz., Infection (bacterial pyelonephritis, viral infections)
3개월 이후	**Chronic allograft nephropathy**, CNI toxicity, Recurrent dz., Renal artery stenosis, Delayed acute rejection, Volume contraction, Urologic obstruction, Infections, Post-transplantation lymphoproliferative disorder (PTLD)

- acute renal allograft dysfunction의 정의 (아래 중 하나 이상)
  ① 1~3개월 동안 serum Cr이 기저치보다 25% 이상 상승
  ② 이식 이후 serum Cr 하락×
  ③ proteinuria >1 g/day (→ recurrent or de novo FSGS일 수도 있음 → renal biopsy 시행)
- delayed graft function (DGF) : 이식 첫 1주 이내에 신기능 부족으로 투석이 필요한 경우
  - 대개 이식 후 oliguria가 지속되거나 serum Cr이 하락하지 않는 양상으로 나타남
  - 위험인자 ; 사체 신이식, 건강하지 못한 공여자(e.g., 고령, 심혈관질환), CNI level↑, DSA+
  - 이식신 생존율 감소의 중요 원인이므로 즉시 원인을 감별하는 것이 중요함!
    (a) Foley catheter obstruction R/O → catheter irrigation
        * 갑작스런 anuria는 방광/배뇨관 내의 blood clot이 m/c 원인임
    (b) volume status 파악 → hypovolemia 의심시 fluid challenge (N/S) & IV furosemide
        (hypervolemia 의심시에는 IV furosemide만)
    (c) 발열, 복통/압통 → pyelonephritis 등의 감염 or acute rejection 의심
    (d) calcineurin inhibitor (CNI) 약물 농도 측정

* acute CNI toxicity : CNI 용량을 줄이면 대개 1~2일 이후 sCr 감소됨

(e) Duplex/doppler US → vascular thrombosis, hydronephrosis (obstruction), leaks 등 R/O

↳ 정상, 말초관류↓, 신피수질구분 소실 등 → renal biopsy 시행 ; rejection, ATN R/O

* US 정상이고 DSA 음성이면 post-ischemic ATN일 가능성이 가장 높음

(f) renal biopsy ; sCr 25% 이상 상승 or proteinuria 발생시

- acute tubular necrosis (ATN) ··· DGF의 m/c 원인
  - allograft의 reversible ischemic damage 때문
  - 대개 3주 이내에 자연 회복됨, CNI 사용시 ATN 기간↑
  - acute rejection과 같이 발생할 수도 있음
- surgical complications ; vascular thrombosis, perinephric hematoma, urinary leak (urinoma), lymphocele, urinary tract obstruction 등 ⇨ renal doppler US, radionuclide renal scan

(2) Glomerulonephritis

① glomerulonephritis의 재발

- MPGN type II (90%), FSGS (50%), HS purpura (38%), IgA nephropathy (35~50%) 등이 재발률 높음
- 이식 후 발생하는 NS의 m/c 원인, chronic rejection과 감별해야 됨

② 새로운 (de novo) glomerulonephritis의 발생

- MGN이 m/c (성인 2%, 소아 9.3%) : 수술 후 1~2년 사이에 발생
- FSGS, anti-GBM dz. ...

(3) 악성종양

- 이식 후 장기 생존 환자가 증가하면서 장기 면역억제에 따른 악성종양이 주요 사인으로 부각됨
- 면역억제 치료중인 환자의 5~6%에서 발생 (일반인의 15~30배, 고령에서는 2배)
- 특히 virus 감염과 관련된 악성종양의 발생이 증가
- 발생 위험은 투여된 면역억제제 총량과 이식 후 경과된 시간에 비례
- 이식 환자에서 훨씬 흔한 종양

① post-transplantation lymphoproliferative disease (PTLD) : 대부분 EBV가 원인

- benign polyclonal B-cells 증식 ~ malignant lymphoma (대개 B-NHL) 까지 다양
- extranodal involvement 많고, 치료에 반응이 안 좋고, 예후 나쁨

② skin & lips의 cancer ③ Kaposi's sarcoma : HHV-8 감염과 관련

④ HPV 관련 ; uterine cervix의 CIS (carcinoma in situ), vagina, penis ...

- 종양 발생시 면역제제제는 감량 권장 (종양 종류에 따라 다름)

(4) 감염

- 시기별 흔한 감염의 원인

① 이식 1개월 이내 : 주로 수술과 관련된 감염 (대부분 세균), 드물게 공여자의 감염 전파

; 수술부위 상처감염, UTI (주로 Gram 음성균), 세균성 폐렴, HSV, oral candidiasis

② 1~6개월 : 면역억제제에 의한 바이러스 및 기회감염이 대부분

; 바이러스(e.g., CMV, HHV, EBV, HBV, HCV, VZV, RSV, BKV, adenovirus),

진균(e.g., *Aspergillus, Pneumocystis jirovecii*), *Legionella, Listeria, Nocardia, T. gondii* 등

* TMP-SMX 예방치료 ⇨ *Pneumocystis, Listeria, Nocardia, T. gondii* 등의 감염 억제/감소

③ 이식 <u>6개월 이후</u> : 환자 상태에 따라 감염 위험도 분류
(a) 적합한 신기능군 (70~80%) ; 면역억제제 적게 사용, 일반인과 비슷한 감염
(b) 만성 바이러스 감염군 (약 10%) ; HBV, HCV, CMV, EBV, BKV, papillomavirus 등
(c) multiple rejection & 강한 면역억제군 (약 10%) ; 만성 바이러스 감염 + 기회감염
(e.g., *Pneumocystis, Listeria, Nocardia, Cryptococcus*, coccidioidomycosis, histoplasmosis)

- CMV infection
  - 이식 첫 1개월 이내에는 드묾, 때때로 rejection과 동반되거나 혼동될 수 있으므로 주의
  - anti-CMV(-) 환자가 CMV(+) 신장 이식시 가장 위험 (사망률 15%), 재활성화도 가능
  - tissue invasion은 위장관과 폐에서 흔함, 치료하지 않으면 말기에는 retinopathy도 발생 가능
  - Tx ; ganciclovir, valganciclovir → 반응 없으면 foscarnet or cidofovir
- BK polyoma virus (BKV) ; 이식 후 약 7개월 전후에 호발
  - 성인의 60~90%에서 보유 (주로 비뇨생식기에 잠복) → 면역억제 치료시 재활성화됨
    → 30~40%에서 BK viuria, 10~20%에서 BK viremia, 1~10%에서 <u>BK nephropathy</u> 발생
    (이중 20~40%는 progressive fibrosis & graft loss 발생)
  - 재활성화는 면역억제제의 종류보다 전체 면역억제수준과 관련
  - 주로 tubulointerstitial nephritis, 대부분 무증상, sCr 상승 & UA 이상 … 거부반응과 유사
  - Dx ; real-time PCR (권장, 소변보다 혈액이 BK nephropathy 더 잘 예측), 소변의 decoy cells (비특이적), 조직검사(intranuclear inclusion, focal tubular necrosis, 확진)
  - Tx ; 면역억제제 감량! / IVIG (BKV neutralizing Ab 함유), leflunomide, cidofovir 등

(5) 심혈관계 합병증

- 심혈관계질환(e.g., AMI, HF, stroke) ; 신이식 환자의 m/c 사인 (40~55%)
  - 대부분 DM 환자에서 발생 (↔ non-DM 환자에서는 감염과 악성종양이 주요 사인)
  - 위험인자 ; CNI, glucocorticoid, sirolimus, HTN, dyslipidemia 등
- 고혈압 ; 심혈관계 합병증의 위험인자 및 이식신 기능악화의 주요 원인
- 항고혈압제
  ① CCB (e.g., amlodipine, nifedipine, isradipine) : 면역억제제로 CNI를 사용하는 경우 선호됨
    - CNI에 의한 혈관수축 억제에 ACEi/ARB보다 훨씬 효과적임
    - non-DHP CCB (verapamil, diltiazem)는 CNI와 mTORi의 농도를 높일 수 있으므로 주의
      (c.f., 일부에서는 비싼 면역억제제를 절약하기 위해 일부러 사용하기도 함)
  ② ACEi/ARB : 이식 초기에는 sCr 상승 원인에 혼동을 줄 수 있으므로 금기, 3개월 이후 권장
- 고혈압 치료 목표 : <140/90 mmHg (DM or proteinuria 있으면 <130/80 mmHg)
- renal artery stenosis (RAS)
  - 이식 후 3개월~2년 사이에 호발 (6개월 째 최고), 고혈압 환자의 약 12%에서 차지
  - 임상양상 ; 조절 안되는 고혈압, ACEi/ARB 투여 후 GFR 감소, 이식신 주위 잡음, 폐부종 등
  - Dx ; doppler US, CTA, MRA, arteriography
  - Tx ; percutaneous angioplasty or bypass surgery
- dyslipidemia : 이식 후 약 1/2 이상에서 발생 → CAD 및 이식신 기능장애의 위험 증가

(6) 기타 내과적 합병증

- persistent hyperparathyroidism ; 이식 후 ~50%에서 동반 가능
  - hypercalcemia ⇨ cinacalcet (calcimimetics) → 반응 없으면 subtotal parathyroidectomy
  - hypophosphatemia ; 이식 초기에 흔함, 특히 이식신의 기능이 좋을 때 (∵ 소변으로 Ph 배설)
    ⇨ hyperparathyroidism의 치료, 고인산식이, Ph 보충, vitamin D 등
- hyperkalemia ; 신장 기능이 양호할 때도 약물 등에 의해 호발 가능
  - 위험인자 ; 이식신의 기능부전, CNIs, ACEi/ARB, β-blockers, TMP-SMX 등
  - Tx ; 원인 약물 감량/중단, 반응 없으면 조심스럽게 loop diuretics or mineralocorticoids
- osteoporosis ; 이식 후 6개월에 호발 → 그 전부터 예방적 치료가 중요
  - 이식 후 초기부터 급격히 bone loss 발생
    ↳ 위험인자 ; steroids 및 면역억제제, hyperparathyroidism, vitamin D 결핍, DM 등
  - 이식전 & 이식 2~4주 뒤부터 골밀도검사(DXA), PTH, vitamin D, Ca, Ph 등 측정
  - 일반 osteoporosis (척추 골절이 m/c)와 달리 사지 골절이 더 흔함
  - 예방 ; weight-bearing exercises, steroid 최소화, calcium & vitamin D3 (cholecalciferol) 등
- aseptic/avascular necrosis (osteonecrosis) ; femur head에서 m/c
  - 위험인자 ; 기존의 hyperparathyroidism, steroid (m/i) 및 면역억제제
  - D/Dx ; CNI에 의한 bone pain (드묾, 하지에 심한 통증, MRI에서 통증 부위의 골수 부종, CNI 감량 & CCB로 대부분 호전됨)
- new-onset diabetes after transplantation (NODAT, 과거 post-transplantation DM[PTDM])
  - 신이식 후 DM 발생 증가 (이식 몇 개월 이후에 호발)
  - 기전 ; 이식신에 의한 insulin 대사/배설↑ 및 gluconeogenesis↑, 면역억제제의 영향
  - 위험인자 ; 고령, 비만, 흑인, DM의 가족력, GDM 병력, HCV 감염 등

7
사구체질환/토리병

개요

1. 사구체(토리)의 구조

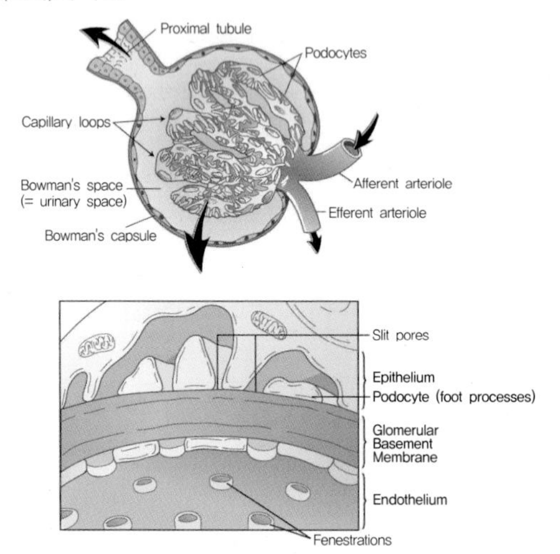

Glomerular capillary membrane (filtration barrier) 단면/구조

* glomerular basement membrane (GBM)
  - lamina rara externa (LRE) : heparan sulfate (→ 음전하), entactin, fibronectin, glycoprotein
  - lamina densa (LD) : type Ⅳ collagen (GBM의 m/c 성분)
  - lamina rara interna (LRI) : laminin
- mesangium과 혈관 사이에는 GBM이 없다

2. 사구체 질환의 용어

(1) LM (light microscopy)

- diffuse / focal → 신장 전체로 보아서
  - diffuse : 전체 사구체 수의 50% 이상을 침범
  - focal : 전체 사구체 수의 50% 미만만 침범

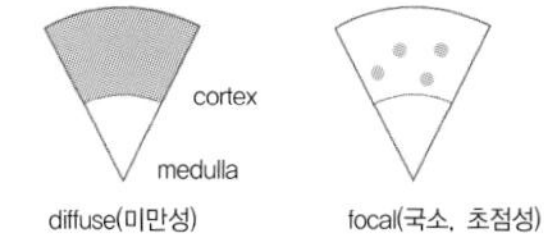

- global / segmental → 한개의 사구체 안에서
  - global : 사구체의 대부분 (50% 이상)을 침범
  - segmental : 사구체의 일부 (50% 미만)에 병변이 국한

global(generalized)
전엽성

segmental(local)
분절성

- proliferative (증식성) : 세포의 수가 증가시
  - 염증세포(WBC)의 침윤
  - 사구체 구성 세포의 증식
  - intracapillary : endothelial cells의 증식
  - endocapillary : mesangial cells의 증식
  - extracapillary : Bowman's space 내의 cells 증식
- crescent : Bowman's space 내 세포의 반달 모양의 축적
- membranous : immune deposit에 의해 GBM이 두꺼워진 것
- sclerosis : homogeneous nonfibrillar extracellular material의 증가
- fibrosis : type Ⅰ, Ⅲ collagens의 침착

(2) EM (electron microscopy)

: immune deposition 위치 및 GBM 병변을 자세히 관찰 가능

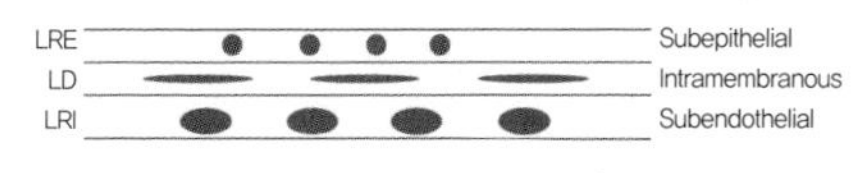

(3) IF (immunofluorescence) study

- granular : circulating IC (immune complex)가 침착
- linear : anti-GBM, anti-TBM dz.에서 Ab.가 침착
- homogenous : IC가 mesangium에 침착

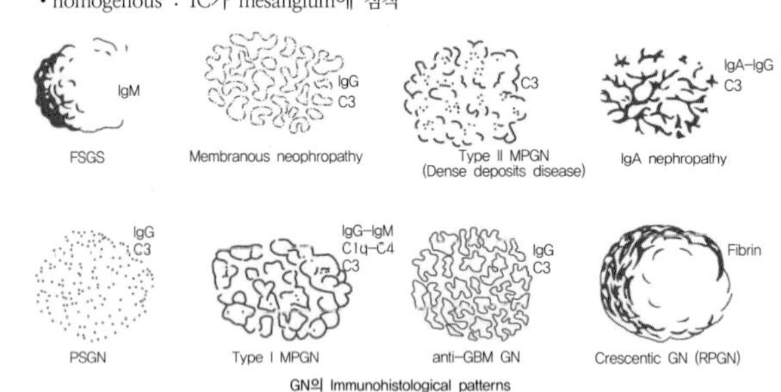

GN의 Immunohistological patterns

■ 손상(침착) 부위

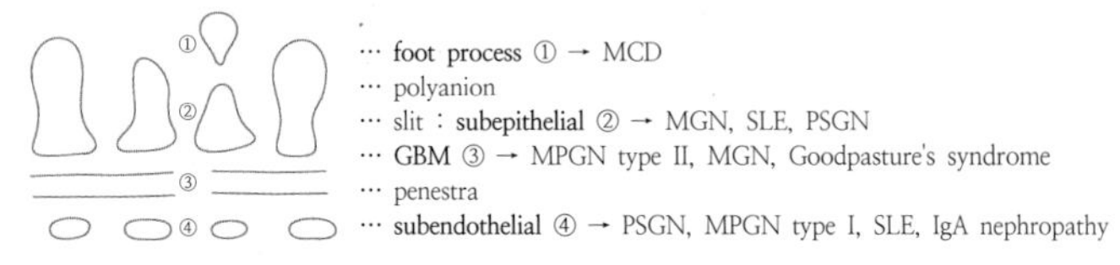

- **mesangium** → IgA nephropathy, HS purpura, FSGS, SLE, MPGN type I
- **subepithelial & subendothelial** → SLE, MPGN type II, PSGN

3. 사구체 손상의 기전

(1) 면역학적 기전

① antibody-mediated injury

- Ag-Ab 결합 (Ag은 모르는 경우가 대부분) → 보체 활성화 → 염증세포 침윤 → 사구체 손상
- 사구체 정상 성분이 Ag으로 작용 (in situ IC) ; anti-GBM Ab (e.g., Goodpasture's dz.)
  (target Ag : type Ⅳ collagen의 $\alpha 3$ chain의 NC1 domain)
- circulating immune complex (IC)가 사구체에 침착 ; IgA nephropathy, HS purpura, acute postinfectious GN, MGN, MPGN type I, lupus nephritis 등

c.f.) MPGN type II (dense deposit dz.) : Ig은 거의 없이 alternative complement 경로만 관여

② cell-mediated injury (특히 lymphocytes, macrophages)
; pauci-immune GN, MCD, FSGS, crescentic GN

(2) 비면역학적 기전

; 대사성 손상, 혈역학적 손상, 독성 손상, 이상단백의 침착, 감염, 유전적 손상 등

4. 사구체 질환의 분류

• 사구체질환(glomerulopathy) ≒ 사구체신염(glomerulonephritis)

┌ primary : 병변이 신장에만 국한되고 다른 특별한 원인이 없는 경우(idiopathic)
└ secondary : 전신 질환의 한 부분으로 사구체질환이 발생한 경우

┌ acute : 수일~수주 사이에 사구체 손상이 발생
│ subacute or rapidly progressive : 수주~수개월 사이에 사구체 손상이 발생
└ chronic : 수개월~수년 사이에 사구체 손상이 발생

사구체질환의 주요 5 임상양상

Category	혈뇨	단백뇨	고혈압/부종	GFR⇩
1. Asymptomatic urinary abnormalities	±	±	−	−
2. Nephrotic syndrome (NS)	±	++	±	±
3. Acute nephritic syndrome	++	+	+	+
4. RPGN	+	+	+	++(급격히)
5. Chronic glomerulonephritis	±	±	±	++(서서히)

* 같은 사구체질환이라도 임상양상은 다양하게 나타날 수 있음!

대표적인 사구체질환의 현미경 소견

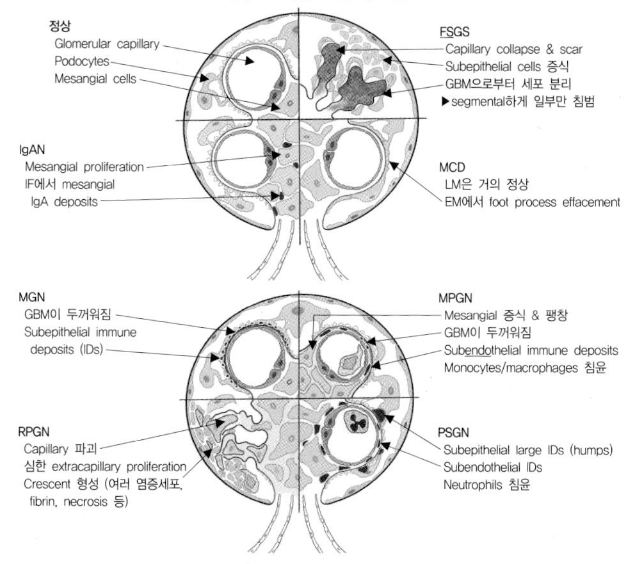

무증상 소변 이상 (Asymptomatic urinary abnormalities, AUA)

AUA의 원인

Hematuria with/without Proteinuria
1. Primary glomerular disease
   IgA nephropathy - m/c
   Thin basement membrane (TBM) disease (benign hematuria)
   MPGN
   기타 mesangial proliferation을 일으키는 질환
2. Multisystem or heredofamilial diseases
   Alport syndrome 및 기타 benign familial hematuria
   Fabry disease
   Sickle cell disease
3. Infections ; PSGN의 회복기, 기타 postinfectious GN

Isolated non-nephrotic Proteinuria
1. Benign proteinuria ; transient/functional proteinuria, postural/orthostatic proteinuria
2. Persistent isolated proteinuria → 1장 참조
   Glomerular proteinuria ; MCD 등 거의 모든 사구체질환, 전실질환(e.g., DM, amyloidosis)
   Overflow proteinuria, Tubular proteinuria, Post-renal proteinuria

1. IgA 신증/신장병 (IgA nephropathy, IgAN)

(1) 개요

- 사구체 mesangium에 IgA가 침착되는 질환, 1968년 Berger와 Hinglais에 의해 처음 보고됨
- 현재 전세계적으로 primary glomerulopathy의 m/c 원인 (15~40%), 진단 증가 추세
- 아시아태평양 지역, 유럽/미국의 백인 등에서 호발 (흑인은 상대적으로 드묾)
- 모든 연령에서 발생 가능하지만, 10~20대에 호발, 남:여 = 2:1 (우리나라는 1:1)
- 대부분은 가족력 없음! / ~10-15%에서는 가족력 존재 (familial IgA nephropathy)

(2) 원인/관련질환

① primary/idiopathic (대부분) ; 원인 모름, 신장에만 국한 or HS purpura의 일부분으로
- renal-limited IgA nephropathy
- HS purpura (IgA nephropathy의 전신적인 형태로 보기도 함, 소아때 주로 발병)

* 다른 사구체질환 ; 일부에서 MCD or membranous nephropathy와 겹쳐서 나타날 수도 있음

② 다른 질환 or 약물에 동반 (→ 대개 실제 사구체질환 발생은 드묾)

만성 간질환 ; alcoholic cirrhosis (m/c), non-alcoholic LC, HBV, schistosomiasis 등
소화기 ; celiac disease, UC, CD
폐 ; sarcoidosis
피부 ; dermatitis herpetiformis
자가면역질환 ; granulomatosis with polyangiitis (Wegener's), ankylosing spondylitis, RA, Reiter syndrome, uveitis 등
기타 ; HIV 감염, monoclonal IgA gammopathy

* 대부분 사구체의 IgA 침착은 관찰되나, 사구체의 염증이나 신기능저하는 거의 없음 (c.f., 정상인의 3~16%에서도 조직검사 상 mesangial IgA deposition이 관찰됨)

* 병인 : 유전적 경향 + 점막감염 or 음식항원 + 면역조절 장애 등에 의해 발병

(3) 임상양상

- 40~50% : URI (pharyngitis)와 동시/직후에 gross hematuria로 발생 (proteinuria 동반도 흔함)
  - 소아~청소년 환자에서 흔함, 감기 같은 전신증상 or 옆구리 통증도 잘 동반
  - URI 3일 이내에 hematruria 발생 (↔ PSGN : URI 1~3주 뒤에 발생)
- 30~40% : 검사 중 우연히 microscopic hematuria and/or proteinuria로 발견
  ; 30세 이상 성인에서 흔함, HTN 잘 동반, 20~25%는 결국 gross hematuria 발생
- <10% : nephrotic syndrome (heavy proteinuria) or acute rapidly progressive GN로 발현
- mild hematuria and/or proteinuria가 있었지만 모르고 지내다 ESRD로 진행된 경우도 많음
- 드물게 AKI로 발현 할 수도 있음 (∵ crescentic IgA nephropathy, heavy glomerular hematuria)
- protein excretion : 정상 ~ 약간 증가 (1~2 g/day 이상은 드뭄)
- 20~50%에서 serum IgA ↑ (dz. activity 와는 관련 없음!), serum complement level은 정상

(4) 진단/병리소견

① LM : 매우 다양 (거의 정상 ~ diffuse mesangial proliferation)
② EM : mesangial dense deposit
③ IF (IF로 확진하는 유일한 GN) : diffuse mesangial IgA deposits
  - 약 1/3에서는 IgG (± IgM) 침착도 동반 → poor Px
  - C3 침착은 90% 이상에서 관찰 (C1q는 거의 없음) → alternative and/or lectin pathways

* skin biopsy : dermis-epidermis 경계에 IgA 침착 (15~55%에서)

(5) 치료

- 확립된 치료법은 없음, GFR 정상이고 proteinuria 0.5~1 g/day 미만이면 경과관찰
- 비면역억제치료 : persistent proteinuria (>0.5~1 g/day) & GFR 약간 감소 (빨리 악화×) & renal biopsy에서 mild~moderate 소견 환자 → 신기능 악화 지연
  - 목표 : proteinuria <0.5~1 g/day, BP <130/80 mmHg (proteinuria >1 g/day면 <125/75)
  - ACEi/ARB : proteinuria & BP 감소 (신장 보호 효과)
  - fish oil (>3.3 g/day) : 효과는 확실하진 않지만, 부작용이 없고 심혈관계에는 도움
- 면역억제치료 : active disease & progression 환자
  - 고용량 steroid ; IV methylprednisolone & oral prednisolone 6개월
    or prednisolone 6개월 → proteinuria 감소 및 신기능 보호 효과

    > 적응: Hematuria + 다음 중 하나 이상 존재시
    > ① serum creatinine (sCr) 상승, GFR 감소
    > ② 최대한의 비면역억제치료 이후에도 persistent proteinuria >1 g/day
    > ③ renal biopsy에서 active disease (e.g., proliferative or necrotizing changes)
    > (sCr의 만성적 상승 or glomerulosclerosis, tubulointerstitial atrophy/fibrosis는 적응 아님)

  - severe/progressive dz. or crescentic RPGN ⇨ 면역억제제 복합요법
    ; steroid + cyclophosphamide, azathioprine, MMF 등 (CNI, rituximab은 권장×)
- ESRD → 신 이식 (약 30%에서 재발하지만, 신기능의 상실은 드뭄)

(6) 예후

- 5~30%는 자연관해, 25~30% (최대 ~50%)는 서서히 진행하여 20~25년 뒤 ESRD로 됨, 나머지는 mild hematuria and/or proteinuria 반복되는 경과

- 예후가 나쁜 경우 ★
  ① 신기능 저하 : GFR↓, serum creatinine↑
  ② HTN (>140/90 mmHg) 동반
  ③ 지속적인(>6개월) proteinuria (>0.5~1 g/day)
  ④ episodic gross hematuria가 없을 때 (microscopic hematuria)
  ⑤ 고령에서 발병, 남성
  ⑥ 신장 조직검사상
    (a) severe inflammation ; endo-/extracapillary proliferation (crescent formation), (mesangium을 벗어난) capillary loops의 IgA deposits, mesangial hypercellularity
    (b) chronic fibrosis ; glomerulosclerosis, interstitial fibrosis, tubular atrophy

2. Thin basement membrane [TBM] disease (= benign familial hematuria)

- EM에서 GBM이 얇아진 것이 특징 (LM 및 IF 소견은 정상), 일반인의 5~10%에서도 관찰됨
- IgA nephropathy 비슷하지만 persistent or intermittent asymptomatic microscopic hematuria
  - 일부에서는 dysmorphic RBCs, RBC casts, episodic gross hematuria (<10%)도 발생 가능
  - gross hematuria ; URI 및 IgAN 선행 가능, flank (loin) pain 및 hypercalciuria도 동반 가능
- 가족력 흔함 (30~50%), AD 유전, 소아 때 발현
  ; type Ⅳ collagen α3 or α4 chain gene (*COL4A3* or *COL4A4*)의 mutations
  (→ 추가적인 손상이 관여해야 Alport syndrome[AS]으로 발현)
- Alport syndrome과 달리 신장외 이상, 단백뇨, HTN, 신기능저하 등은 거의 없음! → 예후 양호
  (c.f., 매우 드물게 AS처럼 ESRD로 진행할 수도 있으므로 AS의 일종으로 포함하자는 주장도 있음)
- 치료 ; proteinuria (>0.5~1.0 g/day) 동반시에만 ACEi/ARB

c.f.) isolated hematuria를 주로 나타내는 사구체질환 ; IgA nephropathy, TBM, Alport syndrome

3. Alport syndrome (AS, hereditary nephritis)

(1) 원인/분류

- m/c progressive inherited glomerular disease
- type Ⅳ collagen (→ basement membrane의 주로 collagen 성분) α3, 4, 5 chains의 결함에 의한 사구체, 눈, 귀 등의 기저막(basement membrane) 이상 질환
- 4 forms
  ① X-linked dominant AS (XLAS, "classic AS", 약 85%) ; Xq22-24의 type Ⅳ collagen α5 chain gene (*COL4A5*)의 mutations (몇 백가지 이상, missense mutations이 m/c)
  - 주로 남아에서 발병, 아빠에서 아들로는 유전 안됨 (∵ 정상 Y 염색체만 물려줌)
  - 여자는 거의 다 heterozygote ; 대부분 약간의 hematuria 발생 (신부전 발생은 매우 드묾)
  ② X-linked의 subtype (AS + leiomyomatosis, 드묾) ; *COL4A5* + *COL4A6* genes의 deletions
  - AS 증상 외에 식도, 위, 호흡기, 생식기 등의 광범위한 평활근 증식도 동반
  ③ autosomal recessive AS (ARAS, 약 15%) ; 2q35-37의 *COL4A3* or *COL4A4*의 mutations
  - XLAS와 증상/경과 비슷함, 여자도 남자와 똑같이 심한 classic AS 증상 발생

④ autosomal dominat AS (ADAS) ; AS의 5% 미만으로 보였으나 NGS 연구 결과 20~30%
- *COL4A3* or *COL4A4*의 heterozygous mutations, classic AS보다 경미한 증상
- 대개 asymptomatic hematuria / 난청, 눈 병변, CKD로의 진행은 드묾 (TBM dz. 비슷)

(2) classic AS의 임상양상

- microscopic hematuria 반복/지속 → 신기능저하, 단백뇨, HTN → 서서히 ESRD로 진행
- 감각신경성 난청 (~60%에서) ; 고주파에서 시작되어 진행되면 음성대역까지 난청 발생
- 눈 병변 ; bilateral anterior lenticonus[원추수정체] (20~30%), recurrent corneal erosions 등

(3) 진단

- AS의 임상양상 (hematuria and/or ESRD의 가족력) + 유전자검사 or 조직검사
- 유전자검사 (가장 정확) ; *COL4A3, COL4A4, COL4A5* genes의 NGS (DNA or mRNA)
- 조직검사 (LM은 거의 정상)
  ① EM : GBM이 얇아짐 → GBM의 variable thickening, thinning, basket weaving, lamination
  ② IHC/IF : 신장 or 피부의 기저막에서 type Ⅳ collagen α3, 4, or 5 chains의 결핍 확인
- D/Dx. ; IgA nephropathy, TBM disease ...

(4) 치료/예후

- 특별한 치료법은 없음 ; 고혈압 조절, ACEi/ARB (→ 단백뇨↓, 신기능저하 지연)
- 90%가 40세 이전에 ESRD로 진행 → 투석, 이식 (이식 후 AS 재발은 없음)

신증후군/콩팥증후군 (Nephrotic syndrome, NS)

1. 정의

- heavy **proteinuria** : nephrotic-range proteinuria (>3.0~3.5 g/day)
- **hypoalbuminemia** (<3.0 g/dL)
- generalized **edema**

- **hyperlipidemia** (hypercholesterolemia), thrombosis도 흔함

2. 임상양상 및 합병증

(1) proteinuria

- 원인 : glomerular filtration barrier (GBM, podocytes, slit membrane)의 permeability 증가로 발생
- NS의 다른 합병증들은 소변으로 여러 단백이 소실됨에 따라 이차적으로 발생
- proteinuria가 심할수록 신기능(GFR) 감소 속도도 빨라짐

(2) hypoalbuminemia

- 원인 ; 소변으로의 소실, 근위세뇨관에서 여과된 albumin의 대사, 체내 albumin의 재분포
- 간에서 albumin 등의 단백 합성은 증가되나, renal loss/catabolism을 따라가지 못해 발생
- 여과된 albumin의 일부는 세뇨관에서 대사되므로 소변으로 배설되는 albumin은 여과량보다 적음
- secondary FSGS (e.g., reflux nephropathy)에서는 hypoalbuminemia가 없거나 경미함

(3) edema의 원인

① underfilling hypothesis : albumin↓ → 혈관내 삼투압(oncotic pr.)↓ → 혈관 외로 fluid 누출 → intravascular volume↓ → renin-angiotensin-aldosterone 활성화, 교감신경계 활성화, vasopressin [AVP]↑, ANP↓ → renal salt & water retention

② primary renal salt & water retention : 호르몬(e.g., ANP)에 대한 신장의 반응성 증가 때문 (renin-angiotensin-aldosterone은 억제되어 있음)

(4) dyslipidemia

- LDL과 cholesterol 증가 : 간에서 apo B 포함 lipoproteins 및 cholesterol 합성 증가 때문 (∵ ① plasma oncotic pr.↓ → 간의 apo B gene 전사 자극, ② lipoproteins catabolism 감소)
- 심한 경우엔 TG와 VLDL도 증가 (∵ 주로 LPL에 의한 VLDL→IDL로의 대사 감소 때문)
- AS와 신질환의 진행 악화, 심혈관 위험이 증가하므로 반드시 lipid-lowering agents로 치료

(5) hypercoagulability (thromboembolism)

- 특히 albumin <2 g/dL or proteinuria >10 g/day 일 때 발생 증가
- 원인 ① 분자량이 큰 factor V, Ⅷ, fibrinogen 등의 간 합성 증가 (소변으로 소실×)
  ② 응고억제인자인 antithrombin Ⅲ, protein C, S 등은 분자량이 작아 소변으로 소실↑
  ③ 혈소판 활성화 & aggregability↑ (∵ vWF↑, thromboxane↑, LDL↑)
  ④ fibrinolysis 장애 ; plasminogen 활성화 억제 (∵ PAI↑, albumin 감소로 인한 plasminogen-fibrin 결합↓), high-molecular-weight fibrinogen↑
- peripheral arterial & venous thrombosis (특히 DVT, RVT), pul. embolism 발생 증가
- RVT (renal vein thrombosis)
  - Sx ; flank/abdominal pain, Lt-sided varicocele, gross hematuria, proteinuria↑, GFR↓
  - Dx ; CT angiography (1st choice), MR venography (doppler US는 CT/MRI 못할 때에만)
  - MGN, MPGN, amyloidosis 등에서 호발 (~40%) → 11장 참조

(6) 기타 proteins 소실

① thyroxine-binding protein 소실 → TFT 이상 (T_4↓, RT_3U↑) (thyroxine의 투여는 필요 없다)

② cholecalciferol-binding protein 소실 → vitamin D deficiency → hypocalcemia & secondary hyperparathyroidism (vitamin D 보충해야)

③ transferrin 소실 → iron-resistant microcytic hypochromic anemia

④ metal-binding protein 소실 → zinc & copper deficiency

⑤ protein malnutrition

⑥ albumin등 많은 약물 결합단백의 소실 → 약물의 pharmacokinetics와 toxicity 변화 가능

* α- & β-globulins은 증가

(7) infection 호발

- 원인 : IgG와 complement의 소변으로의 소실(→ 특히 encapsulated bacteria 감염 위험↑), 부종 조직(→ 세균 침입/증식↑, 국소방어↓), zinc or transferrin 소실, 면역억제치료 등
- 특히 소아에서 호발 (→ 과거 NS의 주 사망원인)
- 흔한 원인균 : *S. pneumoniae* (m/c), *E. coli*, β-hemolytic streptococci 등
- primary peritonitis, 폐렴, 봉와직염(cellulitis), sepsis, meningitis 등

(8) AKI (acute kidney injury)

NS에서 갑작스런 신기능 저하(AKI)의 원인
Volume depletion (e.g., diuretics 남용)에 의한 pre-renal AKI
Volume depletion and/or sepsis에 의한 ATN
Intrarenal edema (nephrosarca)
Bilateral acute RVT (renal vein thrombosis)
MCD에 합병된 crescentric GN (RPGN)
NSAIDs 및 ACEi/ARB에 대한 혈역학적 반응(pre-renal AKI)
약물에 의한 acute allergic interstitial nephritis (특히 diuretics, 감기약, 한약)
UTI, obstruction (urinary tract, vascular), uncontrolled HTN, 전해질 이상, 수술

→ proteinuria와 hypoalbuminemia가 심할수록 발생↑

3. 원인

① Primary (idiopathic) NS
Minimal change disease (MCD) Membranous nephropathy/glomerulopathy (MGN) Focal segmental glomerulosclerosis (FSGS) Membranoproliferative GN (MPGN) Mesangial proliferative glomerulonephritis (IgA nephropathy 포함) 기타 드문 경우 1. Crescentic glomerulonephritis (RPGN) 2. Focal and segmental proliferative glomerulonephritis 3. Fibrillary-immunotactoid glomerulopathy
② Secondary NS
전신질환 ; DM, SLE, amyloidosis, vasculitic-immunologic dz. (e.g., mixed cryoglobulinemia, Wegener's granulomatosis, polyarteritis nodosa, HS purpura, sarcoidosis, Goodpasture's synd.) **감염** Bacterial ; PSGN, syphilis, infective endocarditis, shunt nephritis Viral ; HBV, HCV, HIV, CMV, EBV (infectious mononucleosis) Parasitic ; malaria, toxoplasmosis, schistosomiasis, filariasis **약물** ; gold, mercury, penicillamine, NSAIDs, lithium, captopril, heroin, rifampin **종양** ; lymphoma, leukemia (→ MCD), solid tumors (→ MGN) **유전/대사질환** ; Alport syndrome, Fabry disease, sickle cell disease, congenital (finnish type) nephrotic syndrome, nail-patella syndrome **기타** ; 임신(preeclampsia), 이식거부반응, serum sickness, accelerated hypertensive nephrosclerosis, unilateral RAS, reflux nephropathy, 심한 비만-수면 무호흡증

* 흔한 원인 ; MCD, FSGS, MGN, MPGN, DM, amyloidosis

* renal biopsy : 성인에서는 정확한 진단과 치료의 방향을 알기 위하여 필수!
  (소아에서는 초기부터 꼭 필요하지는 않다)

4. 일반적 치료

* 일반적(보존적) 치료가 특히 중요한 경우
  ① 면역억제치료에 반응이 나쁜 NS
  ② progressive renal failure
  ③ severe nephrotic complication

(1) 단백뇨의 치료

- ACEi/ARB : intraglomerular pr.↓ → proteinuria↓ & FSGS 발생 예방 → 신질환 진행 지연 (but, GFR↓ 및 hyperkalemia의 부작용 발생 가능 → serum Cr, K^+ monitoring)
- 기타 단백뇨 감소에 효과적인 치료 ; aldosterone antagonist, non-DHP CCB, β-blocker, 혈압 조절, 금연, hyperlipidemia 조절, 체중 조절 등 (단백 제한은 NS 환자에서는 시행×)

* NSAIDs : 일부에서 사구체 혈역학 및 GBM permeability에 변화를 일으켜 proteinurira 감소에 도움이 되지만, 부작용(e.g., AKI, hyperkalemia, salt retention) 위험으로 일반적으로 금기임

(2) 부종의 치료

- 염분섭취 제한 : 약 2 g/day
- 이뇨제 : 대개 loop diuretics를 사용함
  - 효과는 떨어심 (∵ hypoalbuminemia → 신장으로 약물 전달↓, albuminuria → 세뇨관내 약물 결합↑)
    ↳ 용량↑ or 다른 이뇨제 병용(e.g., thiazide, metolazone)
  - 1 kg/day 이상의 체중 감소는 effective plasma volume 감소 위험으로 권장 안됨
- salt-poor albumin : 대부분 1~2일 뒤 배설되므로 권장 안됨

(3) hyperlipidemia의 치료

- 일반적인 hyperlipidemia와 같이 약물치료 (대개 statins)→ AS 및 신부전 진행 지연 효과
- low-fat diet (but, 효과는 떨어짐), 체중 조절, 운동 등

(4) anticoagulation

- 일반적인 Ix ; thrombosis 진단, serum albumin <2~2.5 g/dL 이하이면서 다음 중 하나 이상 (proteinuria >1 g/day, BMI >35, 혈전색전증의 가족력, CHF, immobilization, 최근의 수술)
- 예방적 항응고제 ; warfarin, LMWH, direct oral anticoagulant (DOAC) 등
  → nephrotic syndrome이 관해되거나 serum albumin이 3.0 g/dL 이상이 될 때까지 투여
- heparin은 더 높은 용량이 필요할 수 있음 (∵ NS 환자에서 antithrombin Ⅲ↓ 흔함)

5. 미세변화신증/최소변화콩팥병증 (Minimal change disease, MCD) (= Nil Disease, Lipoid Nephrosis, foot process disease)

(1) 원인

- primary (idiopathic) : 거의 대부분
- secondary

> 1. 종양 ; lymphoma (Hodgkin lymphoma, NHL), leukemia, thymoma, RCC, lung ca., mesothelioma
> 2. 감염 ; HIV (AIDS), HCV, syphilis, *Mycoplasma*, TB, *Echinococcus*, *Strongyloidiasis*
> 3. Allergy ; pollens, house dust, insect stings, immunizations
> 4. 약물 및 중금속 ; NSAIDs (COX-2 inhibitors 포함), ampicillin, rifampicin, cephalosporins, lithium, interferon, D-penicillamine, bisphosphonates (pamidronate), sulfasalazines (mesalazine, salazopyrine), trimethadione
> 5. 자가면역질환/기타 ; SLE, Fabry disease, IPEX syndrome, HCT 이후
> (IgA nephropathy, HIV nephropathy, polycystic kidney disease 등 다른 신장질환과 동반될 수도 있음)

- 기전 : T cell-mediated cytokine injury
  → glomerular filtration barrier의 (-) charge 소실 및 podocytes 손상
- podocytes의 구조 관련 단백인 nephrin (m/i), podocin, α-actinin-4 등의 mutations도 관여

(2) 임상양상

- 소아 NS의 m/c 원인 (70~90%, 6~8세에 호발), 성인 NS의 10~15%, 남자에서 약간 더 많음
  - 소아 : highly-selective proteinuria (대부분 albumin)
  - 성인 : 대개 non-selective proteinuria (손상이 더 심함을 의미)
- 대부분 부종, 체중증가, severe proteinuria (>10 g/day) & hypoalbuminemia 등이 급격히 발생
  - ↳ 심하고 전신적, 누르면 들어가는 오목/함요부종(pitting edema), 복수도 동반 가능
  - ↔ 다른 NS (e.g., MGN, FSGS)은 proteinuria가 수주~수개월에 걸쳐 서서히 증가
- 때때로 URI, atopic attack, 예방접종 이후에 발생 가능
- hyperlipidemia, acellular urine sediment 등 (complement level은 정상)
- 신기능의 경미한 감소는(GFR 약 30%↓) 소아와 성인 모두에서 흔함
- 기타 ; HTN, microscopic hematuria, atopy or allergic symptoms, reversible AKI (azotemia)

(3) 진단/병리소견

① LM : 거의 정상
② IF : 대개 정상 (드물게 소량의 IgM과 C3의 mesangium 침착이 있을 수 있음)
③ EM : podocyte (epithelial cell) "foot process"의 전반적 소실(effacement, fusion)

(4) 치료 및 예후

- 소아 일부는 자연 회복도 되지만 (성인은 드묾), steroid에 반응이 좋으므로 모두 치료함!
  - 소아 : NS의 ~90%가 MCD이므로 renal biopsy 없이 치료 시작 (반응이 없으면 biopsy 시행)
  - 성인 : 확진을 위해 renal biopsy 필수!!
- oral steroid (high-dose prednisone)[only] : 매일 or 격일로, 소아는 대개 8주, 성인은 ~12-16주
  - 소아 : 90~95%가 CR됨, 성인보다 치료반응 빠름 (but, 재발이 흔함)
  - 성인 : 약 50%만 CR됨 (→ 20~24주간 더 오래 치료하면 80~85%가 CR됨)
  - 발병처럼 완화(remission)도 급격히 일어남 ; 소변량↑, 부종 호전, 보통 1~2주 내에 CR
- 재발 : 1st remission 이후 매우 흔함 (대부분 1년 이내) ; 소아 70~75%, 성인 50~75%가 재발
  - allergies or infections (특히 virus)에 의해 재발이 유발될 수도 있음
  - 어린 나이에 발병할수록 질병기간(완화-재발 반복)이 깂 (소아 3~10년, 성인 <2년)
  - 빠른 재발, high proteinuria → frequent relapser (긴 질병기간) 가능성↑ (poor Px.)
  - 치료 ; steroid 다시 사용, frequent relapser는 low-dose steroid 6~12개월 or 다른 약제
- steroid에 반응이 없을 때의 원인
  - 다른 진단 ; FSGS, MGN (early stage)
  - steroid-resistant MCD, steroid intolerance/흡수장애, 악성종양(e.g., lymphoma) or 감염 동반
- 다른 면역억제제 ; cyclophosphamide, chlorambucil, azathioprine, MMF, rituximab 등
  - Ix. ; frequent relapser (>3회/년), steroid dependence/resistance, higher dose steroid 필요
  - cyclophosphamide가 재발률이 낮고, 치료기간이 짧아 선호됨
    - ↳ 반응 없거나 부작용으로 사용 못하면 → cyclosporine (or tacrolimus) + low-dose steroid
  - cyclophosphamide과 cyclosporine 모두 실패하면 rituximab 권장
- MCD 자체는 CKD로 진행 안함 (but, 일부는 FSGS를 동반 가능 → CKD로 진행할 수도 있음)

(5) 합병증

① infections (특히 G(+)세균) ; 폐렴, 복막염 등 … 주된 사망원인

② thromboembolic events

③ severe hyperlipidemia

④ protein malnutrition

⑤ reversible AKI (면역억제치료로 단백뇨 소실되면 대부분 호전됨, 드물게 혈액투석 필요)
- 위험인자 ; 고령, 남자, HTN, severe proteinuria (→ 노인에서 AKI와 NS이 공존하면 MCD를 의심)
- 유발인자 ; ATN, NSAIDs, ACEi/ARB, CIN, excessive diuresis, TID, RVT 등
- effective arterial blood volume 감소는 대부분 원인이 아님

6. 국소분절 사구체경화증/국소조각 토리굳음증 (Focal and segmental glomerulosclerosis, FSGS)

(1) 개요/원인

- 단일 질환이 아니라 다양한 원인에 의한 clinical-pathologic (FSGS) syndrome
  c.f.) 정상 노화 and/or HTN에 의한 global glomerulosclerosis (GGS)와는 다름
- 병인 ; 여러 원인에 의한 nephron의 소실(→ 보상성 glomerular hypertrophy & hyperfiltration), podocytes의 direct injury 등 (primary FSGS는 아직 정확한 원인은 모름)
- 원인에 따라 예후/치료가 다르므로 정확한 원인을 찾는 것이 중요함!

┌ primary (idiopathic) : 대부분, 2ndary보다 면역억제치료에 반응 좋음
└ secondary : 50% 이상의 nephron이 소실되어야 발생 ⇨ 원인 기저질환을 치료

Systemic diseases or drugs
HIV, HBV, parvovirus, CMV, lymphoma, (c.f., HCV도 드물게 보고됨)
Heroin, analgesics, pamidronate, sirolimus, lithium, interferon ...
Glomerular capillary hypertension의 지속
Congenital oligonephropathies
Oligomeganephronia
Low birth weight (premature birth)
Unilateral renal agenesis (solitary kidney), renal dysplasia ...
Acquired nephron loss
Hypertensive nephropathy
Reflux nephropathy (VUR)
Glomerulonephritis or tubulointerstitial nephritis
Chronic allograft nephropathy
Cholesterol emboli 등의 acute vaso-occlusive processes
Surgical resection, radiation nephritis, ...
기타 ; Obesity, Sickle cell dz., Alport syndrome, Cyanotic congenital heart dz.

- Familial/genetic FSGS : steroid-resistant FSGS의 주요 원인! (특히 소아에서) ⋯→ 뒷부분 참조
  - podocytes, GBM, fenestrated capillary endothelium의 단백의 genetic mutations
  - apolipoprotein L1 (*APOL1*) variants → 흑인에서 chronic hypertensive arterionephrosclerosis

(2) 임상양상

- 소아 NS의 7~10%, 미국 idiopathic NS의 m/c 원인(성인 NS의 약 1/3, 흑인의 1/2), 증가 추세 (primary FSGS는 남자가 약간 더 많음, CKD로의 진행도 남자가 1.5~2배 더 많음)

- MCD인지 알고 steroid 치료를 했는데 효과 없으면 FSGS를 의심!
- full NS (약 2/3) ~ non-nephrotic까지 다양한 정도의 proteinuria로 발현 (대부분 nonselective)
- microscopic hematuria (약 50%에서), RBC/WBC casts
- HTN (30~50%), 신기능 저하 (25~50%, sCr↑) … MCD보다 약간 더 흔함
- secondary FSGS : 보통 proteinuria와 신기능 저하가 서서히 진행함
  ↳ 흔히 non-nephrotic proteinuria, serum albumin 정상, full NS 적음, edema 드묾

(3) 진단/병리소견

① LM : "corticomedullary junction"에서 가장 현저함
- focal segmental sclerosis (extracellular matrix에 의해 사구체 모세혈관이 막힌 것)
  ↳ 병변이 없는 부위(e.g., 표면)에서 biopsy 되면 진단이 안 되거나 MCD로 오진될 수 있음!
- subtypes ; classic FSGS (42%), perihilar (26%), cellular (3%), tip (17%), collapsing (11%)

② IF : sclerotic segment 부위에 IgM과 C3의 deposits

③ EM
- visceral epithelial cells의 손상
- sclerosis 없는 부위의 podocyte foot process의 effacement … MCD와 같은 podocytopathy!
  (MCD의 일부에서 MPGN으로 진행하는 중간 단계로 생각됨)

(4) 치료

- ACEi/ARB ; 반드시 투여, 단백뇨 감소 및 신부전으로의 진행 지연 효과
- 면역억제치료(disease-modifying therapy) ; NS (proteinuria >3.5 g/day)이면서
  비가역적 손상의 소견(심한 glomerulosclerosis or interstitial fibrosis)은 없는 환자에서만
  - steroid (e.g., prednisone) : 약 20~45%만 반응, 완전관해되어도 재발이 흔함
  - CNI (cyclosporine or tacrolimus) ± low-dose steroid : 부작용으로 steroid 사용 못할 경우
  - 관해 이후 재발시 ⇨ steroid *or* CNI ± low-dose steroid
  - steroid-dependent/resistant ⇨ CNI ± low-dose steroid
  - 위 치료에 실패 or 독성으로 CNI를 사용 못할 경우 ⇨ MMF ± low-dose steroid
  - 모두 실패시 ⇨ cytotoxic agents, rituximab, ACTH, plasmapheresis, LDL apheresis 등
- 2ndary FSGS는 steroid와 면역억제제가 효과 없음 ⇨ 원인 기저질환을 치료

(5) 예후

- MCD와 달리 자연관해는 매우 드물고(<10%), 예후 나쁨
- 치료 안하면 5~10년 뒤 ESRD로 진행 (신기능의 소실 속도는 단백뇨의 양과 관련)
- poor Px ; HTN, 신부전(sCr↑), 심한 hypoalbuminemia, massive proteinuria (>15 g/day)
  renal biopsy (tubulointerstitial fibrosis 동반, collapsing variant), 남자, 흑인
- 신이식 후 재발이 흔함(25~40% → 이 중 1/2은 graft loss) → 신이식의 상대적 금기
  - 특히 수술 후 수시간 내에도 나타날 수 있음
  - 재발률이 증가하는 경우
    ① FSGS 발병부터 ESRD까지의 기간이 짧을 때
    ② 발병 연령이 어린 경우
    ③ renal biopsy에서 mesangial hypercellularity
- 2ndary FSGS는 ESRD로의 진행이 더 느리고, 신이식 후 재발률이 낮음

7. 막성콩팥병증/막사구체신염/막토리콩팥염 (Membranous nephropathy/glomerulonephritis, MN, MGN)

(1) 병인/원인

: subepithelial immune deposits → complement activation → podocytes injury

- in situ IC 형성 : capillary wall을 통과한 autoAb가 podocyte Ag (or extrinsic Ag)과 결합
- circulating IC가 capillary wall을 통과한 뒤 GBM에 침착

① primary/idiopathic MGN (pMN) : 약 3/4

- anti-podocytes autoAb의 발견으로 자가면역질환이 되었음
- M-type PLA2R (phospholipase A2 receptor, podocytes의 Ag)에 대한 autoAb
- THSD7A (thrombospondin type-1 domain-containing 7A, podocytes의 Ag)에 대한 autoAb
- 15~20%의 환자는 PLA2R 및 THSD7A 모두 음성임 (→ 아직 모르는 Ag/Ab 있음)

② secondary MGN : 약 1/4

1. 감염 ; HBV (특히 소아에서), HCV, syphilis, malaria, schistosomiasis, leprosy, filariasis
2. 자가면역질환 ; SLE, RA, Graves' disease, MCTD, Sjögren's syndrome, Hashimoto's thyroiditis, ankylosing spondylitis, myasthenia gravis, dermatitis herpetiformis, bullous pemphigoid, primary biliary cholangitis
3. **종양** ; 유방, 폐, 대장, 위, 식도의 암, melanoma, RCC, neuroblastoma
4. 약물 및 중금속 ; NSAIDs (COX-2 inhibitors 포함), gold, mercury, penicillamine, captopril, probenecid
5. 기타 ; DM, sarcoidosis, sickle cell disease, CD, Guillain-Barré syndrome, Fanconi's syndrome, α_1-antitrypsin deficiency ...

- 60세 이상에서는 20~30%가 **악성종양**과 관련 (→ 고령인 경우 반드시 evaluation 해야!)

(2) 임상양상

- 성인 idiopathic NS의 **m/c** 원인 (25~30% 차지), 남:여 = 2:1, 소아는 매우 드묾(<5%)
- 30~50대 이후에 호발, 임상적으로는 MCD와 감별이 힘듦
- 약 80%에서 NS로 발현, 대개 non-selective proteinuria, microscopic hematuria (~50%) (gross hematuria, pyuria, RBC cast는 매우 드묾 : "benign" urinary sediment)
- pMN은 ANA, ANCA, anti-GBM Ab, complement 등의 혈청검사는 정상!
- 진단시 10~30%에서만 HTN 존재 (→ 신부전이 진행되면 증가)
- NS 중에서 thrombosis 발생률이 가장 높음! (30~50%) ; DVT, PE, RVT

(3) 진단/병리소견

① serum anti-podocytes Ab

- anti-PLA2R Ab : MN 의심 모든 환자에서 시행 권장 (FDA 허가)
  - 신기능 정상이고 biopsy 어려우면 anti-PLA2R (+)시 pMN으로 진단 가능, 예후와도 관련
- anti-THSD7A : 아직 상용화가 부족하고 FDA 허가 전이지만, 곧 허가될 것으로 예상됨

② LM

- GBM이 전반적으로 두꺼워짐 (초기에는 거의 정상 사구체처럼 보일 수 있음)
- subepithelial immune deposits 사이를 통해 urinary space로 돌출 (PAS 염색시 가장 현저)
  → subepithelial spikes 모양 (silver methenamine 염색) : 햇빛 비치는 모양 … MGN의 특징!
  → 진행되면 서로 합쳐져서 자전거 "chain" 형태로 보임
- inflammation이나 proliferation (e.g., crescent)은 없음

③ 면역염색(IF or IHC)
- GBM을 따라 diffuse granular IgG & C3 침착, foot process 소실
- pMN ; IC 내에 PLA2R or THSD7A Ab and/or Ag (+), 주로 IgG4 침착
- 2ndary MN ; PLA2R & THSD7A Ab/Ag (-), IgG1~2 (→ 종양), IgG1,3 (→ lupus)

④ EM
- GBM 바깥쪽으로 <u>subepithelial</u> electron-dense (immune) deposits
- 진행되면 deposits 사이로 새로운 GBM <u>spikes</u> 자람 → deposits이 완전히 GBM으로 둘러싸임
- mesangial/subendothelial deposits : pMN은 없고, 2ndary MN은 흔함(→ circulating IC 시사)

(4) 치료
- 보존적 치료 (proteinuria 감소가 m/i) ; ACEi/ARB, 혈압조절, hyperlipidemia 조절 (statins), 예방적 anticoagulation (proteinuria가 심하거나 오래 지속되면) 등
- 면역억제치료

Risk for progression	Proteinuria	Cr clearance	5년뒤 CKD로 진행 위험	치료
Low	<4 g/day	정상	<8%	보존적 치료 & F/U
Moderate	4~8 g/day	정상~ 거의 정상	약 50%	6개월의 보존적 치료에도 proteinuria 4 g/day 이상이면 면역억제치료 시행
High	>8 g/day	감소	약 75%	면역억제치료 시행

- steroid + cytotoxic agents/CNIs (e.g., cyclophosphamide, cyclosporine, or tacrolimus) ⇨ 30~40%는 완전 관해, 30~50%는 부분 관해됨 (steroid 단독은 효과 적음!)
- 반응 없으면 다른 면역억제제로 교체

- resistant pMN ⇨ <u>rituximab</u> 권장 (60~70%에서 proteinuria 감소, 재발은 적음)
  - 처음부터 rituximab을 사용하나, 다른 면역억제치료 실패 후 사용하나 반응은 비슷함
  - rituximab 치료 후 anti-PLA2R Ab titer 감소는 좋은 반응을 시사
- ESRD시 신장 이식이 효과적이고, 재발률도 낮음
- 2ndary MN ⇨ 원인 기저질환을 치료하면 보통 9~12개월 뒤 NS (proteinuria) 호전됨

(5) 예후/경과
- 소아에서는 자연 관해가 흔하고 예후 좋음 (10YSR >90%)
- 성인의 5~30%는 치료 안해도 5년 뒤 완전 관해됨 (25~40%는 부분 관해)
- 자연 or 치료에 의해 관해된 경우 장기 예후는 좋음 ; 약 2/3는 관해 유지, 20~30%는 재발 (신기능은 정상), 약 10%만 신기능저하 (관해되었던 경우 ESRD로 진행은 드묾)
- <u>예후가 나쁜 경우</u> (신기능 저하 위험↑) ⇨ 보다 적극적인 면역억제치료 필요
  ① persistent or severe proteinuria (>8 g/day) : m/i
  ② 신기능 저하(sCr ≥1.5 mg/dL)
  ③ 남성, 고령, HTN, hyperlipidemia
  ④ renal biopsy상 interstitial fibrosis ≥20%
  ⑤ anti-PLA2R Ab and/or Ag↑ (c.f., THSD7A도 poor Px와 관련 있지만, 아직 연구가 부족)
- <u>급격한 신기능 악화의 원인</u> ; crescentic GN (RPGN), acute bilateral RVT, hypovolemia, drug-induced renal injury (ATN or acute interstitial nephritis) 등

8. 막증식 사구체신염/토리콩팥염 (Membranoproliferative GN, MPGN)
(= mesangiocapillary or lobular GN)

(1) 원인/분류

- 기존 분류의 단점(e.g., type Ⅰ과 Ⅲ가 일부 중복, complement pathway 기전의 중복)에 따라 최근에는 발생기전, IF (immunofluorescence) 소견, 치료방침에 따라 간단히 2가지로 분류함
- (1)Immune complex (IC)-mediated MPGN ; 대부분 (기존의 type Ⅰ과 일부 type Ⅲ)
  - chronic antigenemia and/or circulating IC에 의해 발생 → Ig (± C3) 침착
  - classic complement pathway 활성화 동반 흔함 (→ serum C3, C4, CH_{50} ↓)
  - LM/EM : subendothelial & mesangial deposits (자가면역질환에서는 subepithelial deposit도)
  - 원인 : HBV or HCV가 m/c

> Idiopathic MPGN (원인을 발견 못했을 때) … 현재는 드묾
> Secondary … 대부분
> 만성감염 (m/c) ; HBV, HCV, HIV 등의 virus [→ IgM ± IgG, C3, kappa & lambda light chains의 침착], bacterial (subacute endocarditis, shunt nephritis, abscesses), fungus, schistosomiasis, echinococcosis
> 자가면역질환 ; SLE (특히 chronic phase), mixed cryoglobulinemia, Sjögren's syndrome, RA
> [↳ "full house" pattern immune deposits; IgG, IgM, IgA, C1q, C3, kappa & lambda light chains 침착]
> Monoclonal gammopathies [→ monoclonal Ig의 침착]
> 종양/기타 ; lung, breast, ovary, leukemia, lymphoma, RCC, melanoma, α_1-antitrypsin deficiency

- (2)Complement-mediated MPGN ; Ig 침착은 거의 없고, 주로 C3 (or 드물게 C4) 침착
  - ① C3 glomerulopathies
    - alternative complement pathway의 dysregulation & persistent activation에 의해 발생
    - IF에서 주로 C3만 침착, EM 소견에 따라 C3-GN과 C3-DDD로 분류함
    - * C3-GN (GN with isolated C3 deposits) : mesangium ± capillary wall에 C3 침착
      - 대개 보체조절단백에 대한 autoAb or mutations 때문
        ; monoclonal gammopathies, factor H activity↓, CFHR5 gene mutations (CFHR5 nephropathy) 등 (c.f., 일부 유전자이상은 atypical HUS와도 관련)
      - NS의 임상양상, C3↓(50% 미만에서), C4 정상, 일부는 C3NeF (+)
      - 일부는 URI 이후 hematuria 발생 가능 (→ PSGN과 감별해야) / ESRD로 진행 가능
    - * C3-DDD (MPGN type Ⅱ) : GBM에만 C3 침착, 드묾, 고령에서는 monoclonal gammopathies와 관련, 대부분 혈중 C3 nephritic factors [C3NeF] 존재(→ C3 convertase 안정화 → C3↓)
  - ② C4 glomerulopathies : 드묾, complement lectin pathway의 과활성화가 원인, C3 정상, C4 정상~약간 감소
- MPGN without Ig or complement deposits
  - LM에서 MPGN 비슷한 양상을 보이지만 IF에서 Ig/C3/C4 침착이 없는 경우
  - 원인 ; TMA (TTP, HUS), APS, BMT, scleroderma, transplant glomerulopathy 등

(2) 임상양상

- NS의 5~10% 차지, 6~30세에 호발, 남=여, HBV or HCV 등의 감소에 따라 감소 추세
- 다양한 양상을 보임 ; 대부분 microscopic hematuria는 동반, 50~60%는 NS, 약 30%는 isolated proteinuria, 10~20%는 nephritic syndrome (RBC cast, 신기능↓, HTN) 등
- ~50%에서는 URI 선행
- 50~80%는 HTN 동반, 약 20%는 신기능저하, 약 50%는 10년 이후 ESRD로 진행
- complement (C3, CH_{50}) 감소가 흔함! (~70%에서)

(3) 병리소견

① LM : 증식성(hypercellular) 병변과 GBM의 비후가 특징!
- mesangial cells의 증식, mesangial matrix의 증가, 혈중 monocytes/macrophages의 침착
  → mesangium의 심한 팽창/widening → mesangial interposition, capillary lumen이 좁아짐
  (mesangial cells 등이 endothelial cell과 GBM 사이로 파고듦)
  → 사구체 소엽 구조가 매우 강조되어 보임 ⇨ PAS 염색에서 mesangial matrix가 잘 염색됨
- endothelial cells의 증식 → endocapillary walls이 두꺼워져 GBM이 두겹으로 보임 ("tram tracks") ⇨ silver stain에서 잘 보임 (PAS or Masson's trichrome 염색에서도 보임)
- GBM의 비후 ; IC and/or complement factors의 침착, mesangial interposition, 새로운 basement membrane 형성 증가 등 때문

② IF ; capillary walls과 mesangium에 IgG, IgM, C3 등이 불규칙한 과립상(granular)으로 염색됨
- IC-mediated MPGN ; Ig (polyclonal[감염, 자가면역질환] or monoclonal) ± C3 염색
- complement-mediated MPGN ; C3 (or C4) 염색 (Ig은 거의 안 보임)

③ EM ; subendothelial capillary walls & mesangial dense deposits
- tram tracks에서 바깥층이 원래의 GBM, 안쪽은 새로 형성된 기저막 유사 성분 및 내피하공간으로 삽입된 mesangial matrix로 구성됨, 두 층 사이에는 여러 세포, IC, matrix 등이 존재
- DDD (dense deposit dz.) : GBM의 lamina densa에 electron dense deposits

(4) 치료

- 원인(기저질환) 확인 및 치료가 우선 (e.g., antiviral therapy)
- idiopathic IC-mediated MPGN의 치료
  - NS 없고(proteinuria <3.5 g/day), 신기능/혈압 정상 ⇨ F/U & 보존적 치료(ACEi/ARB 등)
  - NS 有, 신기능 거의 정상 ⇨ ACEi/ARB + steroid (e.g., prednisone) (steroid에 반응이 없거나 사용 못하면 CNIs 고려)
  - 신기능 저하 ± NS, crescents 無 ⇨ steroid (e.g., prednisone) → 반응 없으면 cyclophosphamide 추가 → 반응 없거나 부작용 등으로 사용 못하면 rituximab 고려
  - RPGN ± crescents ⇨ steroid + cyclophosphamide 등
- C3 glomerulopathies (C3-GN or C3-DDD) ; 드물어서 확립된 치료법은 없음
  - proteinuria & HTN ⇨ ACEi/ARB
  - severe proteinuria (>1.5 g/day) or 신기능 저하 ⇨ MMF + steroid 등의 면역억제치료 (반응 없으면 MMF 중단하고 eculizumab or 다른 면역억제제)
  - RPGN ⇨ steroid + cyclophosphamide (or MMF), plasma exchange, or eculizumab (anti-C5 mAb; C3 침착은 C5 활성화도 자주 동반하기 때문)

(5) 예후/경과

- 자연 관해는 드묾 / 일반적으로 예후는 나쁜 편임
  - idiopathic MPGN은 대개 10년 뒤 15~50%에서 ESRD 발생
  - C3 glomerulopathies는 약 40%에서 ESRD 발생 (C3-GN보다 DDD가 조금 더 나쁨)
- poor Px ; NS, sCr↑, HTN, biopsy에서 crescents/TID (hematuria 정도는 관련 없음)
- 신 이식 후 재발 ; idiopathic MPGN은 20~48% 재발, C3 glomerulopathies는 재발 더 흔함 (but, 진행이 느리므로 항상 allograft의 premature loss를 초래하지는 않음)

	Nephritic syndrome	Nephrotic syndrome
발병	갑자기	서서히
부종	++	++++
혈압	⬆	정상
JVP	↑	정상~↓
단백뇨	++	++++
혈뇨	+++	±
RBC casts	존재	-
혈청 albumin	정상~↓	⬇
병리	증식성 GN	비증식성 GN
예	PSGN, RPGN, MPGN, FSGS, fibrillary GN	MCD, MGN, DM, amyloidosis, FSGS, fibrillary GN, MPGN

	Nephritic syndrome	Nephrotic syndrome
MCD	-	++++
MN (MGN)	+	++++
Diabetic nephropathy	+	++++
Amyloidosis	+	++++
FSGS	++	+++
(mesangio)proliferative GN	++±	++
MPGN	+++	++
Acute postinfectious GN	++++	+
Crescentic GN (RPGN)	++++	+

급성 신염/콩팥염 증후군 (Acute nephritic syndrome)

1. Acute nephritic syndrome의 특징

(1) 임상적 특징

① 갑자기 (몇 주 동안에) AKI와 oliguria (<400 mL/day) 발생
② renal blood flow와 GFR의 감소 (azotemia)
③ ECF volume 증가, edema, HTN (∵ GFR 감소에 따른 salt & water retention 때문)
④ nephritic-type active urine sediment ; dysmorphic RBC, RBC cast, WBC
⑥ gross **hematuria** (m/i), pyuria
⑤ sub-nephrotic proteinuria (<3.0 g/day) ; 대개 1~2 g/day

(2) 조직 소견

: proliferative GN

(3) RPGN (= crescentic GN)

- subacute glomerular inflammation으로 급격한 Cr 상승 및 수주~수개월 이내에 ESRD로 진행
- acute nephritic syndrome과 RPGN은 immune-mediated proliferative GN의 한 spectrum 임
  - sudden large Ag load에 대한 급성 면역반응 → acute nephritic syndrome
  - 감작된 환자에서 small Ag load에 대한 subacute 면역반응 → RPGN

2. 원인 / 감별진단

Acute nephritic syndrome (glomerulonephritis)의 원인
Infectious diseases (Postinfectious GN) : m/c Postsreptococcal GN (PSGN) Non-streptococcal postinfectious GN 1. Bacterial : subacutre bacterial endocarditis (SBE), syphilis, leprosy, shunt nephritis, pneumococcal pneumonia, typhoid fever, meningococcemia, leptospirosis 2. Viral : HIV, HBV, HCV, infectious mononucleosis, mumps, measles, varicella, vaccinia, echovirus, and coxsackievirus 3. Parasitic : malaria (*P. falciparum*), schistosomiasis, toxoplasmosis
Primary glomerular diseases IgA nephropathy, MPGN, idiopathic crescentic GN, "pure" mesangial proliferative GN
Multisystem diseases SLE (lupus nephritis), vasculitis, cryoglobulinemia, HS purpura, Goodpasture's disease
Miscellaneous Guillain-Barré sydnrome, Wilms's tumor, DTP 백신, serum sickness

* MCD, MGN, diabetic nephropathy, amyloidosis 등은 nephritic syndrome 양상을 거의 안 보임

(1) Renal biopsy … gold standard

① granular deposits → immune complex GN (m/c)

② GBM을 따라 linear deposits → anti-GBM dz.

③ Ig 침착이 없거나 소량 → pauci-immune GN : 대개 ANCA (+)

(2) Serologic markers

① serum C3 level (정상 : 83~177 mg/dL)

Glomerulopathy에서 혈중 complement level ★

감소	정상
Postinfectious GN (PSGN)	IgA nephropathy, HS purpura
Idiopathic RPGN	Membranous nephropathy (MGN)
Idiopathic MPGN	Minimal change NS (MCD)
Lupus nephritis	FSGS
Cryoglobulinemia	Anti-GBM disease
Subacute bacterial endocarditis	Pauci-immune RPGN
Visceral abscess	Polyarteritis nodosa
Shunt nephritis	Wegener's granulomatosis

② anti-GBM Ab titer

③ ANCA titier

3. 연쇄구균감염후 사구체신염 / 사슬알균감염후 토리콩팥염 (Poststreptococcal glomerulonephritis, PSGN)

(1) 개요

- postinfectious GN (acute endocapillary proliferative GN)의 prototype!
- 전세계적으로 소아 acute nephritis의 m/c 원인 (선진국에선 드묾)
- 후진국에서는 소아(2~14세)에서 호발하지만 어느 연령에서나 발생 가능, 남>여
- 발생↑ ; 고령(>60세), 소아(5~12세), 가족/동거인

(2) 원인

- group A (β-hemolytic) streptococci의 nephritogenic strain의 인후/피부 감염
  (인후염 → M types 1, 2, 3, 4, 12, 25, 49 / 피부감염 → M types 2, 47, 49, 55, 57, 60)
  - 신손상 기전 : immune complex와 complement의 사구체 침착
  - nephritogenic Ag ; nephritis-associated plasmin receptor (NAPlr), streptococcal pyrogenic exotoxin B (SPEB) & zymogen SPEB (zSPEB) 등 → alternate complement pathway 활성화
    ↳ subepithelial hump에서도 발견됨, chemotactic cytokines 생산 자극
- 잠복기 (감염 → 혈뇨 발생) : 인후염 6~10일 (1~3주), 피부감염(impetigo) 2~6주
  (↔ IgA nephropathy : 3~4일) / 감염 후 1~33%에서 발생

* URI와 관련되어 나타나는 hematuria의 원인
  - PSGN ; ASO 양성, complement↓
  - IgA nephropathy ; URI와 동시에 hematuria, IgA↑(1/2에서), complement 정상
  - MPGN ; complement↓
  - acute interstitial nephritis ; 약 복용 2주후, 미열, 피부발진 등의 allergic Sx., eosinophilia

(3) 임상양상

- acute nephritis syndrome ; oliguric AKI (대부분 mild), 심한 경우엔 RPGN 양상도 보임
- 갑자기 발생한 gross hematuria (콜라색 소변), pyuria, proteinuria
- 체액저류에 의한 edema (눈 주위에 현저), HTN (50~90%에서, 정도는 다양)
- encephalopathy (두통, 경련), anorexia, N/V, malaise ...
- renal capsule swelling → flank or back pain
- U/A ; sub-nephrotic proteinuria, RBC↑, RBC cast, WBC ...
  (소아의 5%와 성인의 20%에서는 nephrotic-range proteinuria 동반)
- rheumatic fever가 같이 동반되는 경우는 매우 드묾

(4) 진단 : 다음 3가지 중 2개 이상 ★

① **throat or skin lesion의 배양검사** (10~70%에서 양성)
  : nephritogenic M-protein type의 group A (β-hemolytic) streptococci 발견

② **Streptococcal exoenzymes에 대한 Ab.** (1개 이상 양성)
  - ASO (anti-streptolysin O) : 30%에서 ↑
    - pharyngeal infection에서 특징적으로 발견 (skin infection시는 드묾)
    - >200 todd titer (수개월간 지속)

- anti-DNAse B (anti-deoxyribonuclease B) Ab : 70%에서 ↑
- AHase (anti-hyaluronidase) : 40%에서 ↑
- ASKase (anti-streptokinase)
- anti-NAD (anti-nicotinamide-adenine dinucleotidase)

* NALPr or SPEB/zSPEB에 대한 Ab.가 가장 좋지만, 아직은 연구용 차원

* 항생제의 조기 사용은 이들 Ab. 형성을 방해하고, 배양검사를 음성으로 만들 수 있음

③ complement (C3, CH_{50})의 **일시적인 감소** (8주 내에 정상화), C4는 정상

- 8주 이상 지속되면 ⇨ MPGN, endocarditis, sepsis, SLE, atheromatous emboli 등 의심
- **정상치 ; C3 83~177 mg/dL, C4 16~47 mg/dL**

(5) 병리소견

- 대개는 진단을 위해 신장 조직검사는 필요 없음 (특히 소아는)
- biopsy Ix ; NS 동반, GFR <50%, 지속적 sCr↑, 급성기에 C3 정상, 8주 이후에도 C3↓ or HTN 지속(→ MPGN 의심), 반복적 혈뇨(→ IgAN 의심) 등

① LM : diffuse proliferative (exudative) GN (glomerular capillaries 안의 neutrophils 침윤)

② IF : peripheral capillary loops와 mesangium에 IgG와 C3의 diffuse granular deposition
→ "starry sky" appearance (IgG는 일찍 소실되므로, C3만이 남아있는 경우가 많다)

③ EM : <u>subepithelial</u> (主), subendothelial, mesangial dense deposits ("<u>humps</u>")
↳ 매우 특징적 (PSGN에서만 나타남!) (↳ IC가 뭉친 큰덩어리)

c.f.) 세포 증식을 보이는 사구체 질환 ; IgAN, MPGN, PSGN, RPGN, lupus nephritis 등

(6) 치료 : supportive

- 안정, 수분 및 염분 제한, azotemia시엔 단백질도 약간 제한
- loop diuretics (→ 혈압/부종 감소), 항고혈압제 / 드물지만 AKI로 인해 투석이 필요할 수도 있음
- 면역억제치료(e.g., steroid, cytotoxic drugs): 효과 없음
  (nephrotic-range 이상의 proteinuria시는 steroid 쓰면 도움)
- 항생제치료 (penicillin or erythromycin) : 환자 및 동거인 모두에게 시행, 조기에 시행할수록 GN의 발생/전파 예방 및 severity 감소에 도움 (불확실함)

(7) 경과 및 예후

- 대부분 자연 치유됨 (특히 소아) ; 감염의 호전과 동시에 회복 시작, 1주 이내에 이뇨 시작, edema/HTN 호전, 3~4주 이내에 혈청 Cr 정상화, 혈뇨는 6개월 이내에 소실
- 재발은 드물다
- 성인의 약 20% 이상은 1년 뒤에도 proteinuria and/or GFR↓ 지속 (5%는 RPGN 발생 위험)
  → 지속적인 F/U 필요

급속진행 사구체신염(토리콩팥염)/반월형 사구체신염 (Rapidly progressive GN [RPGN], Crescentic GN)

1. 정의/임상양상

- 며칠 ~ 몇 달 사이에 급격하게 신기능이 악화되는(sCr↑, 핍뇨/무뇨) 사구체 질환을 통칭하며, 병리학적으로는 extensive crescent formation이 특징임, 치료 안하면 대부분 ESRD로 진행
- 피로/부종 같은 비특이적 증상으로 서서히 시작 or 갑자기 severe acute nephritic Sx. 발생
- 발병 전 감기 비슷한 (flu-like) Sx.을 동반할 수도 있음 → acute oliguria, nephritic Sx.
- anti-GBM Ab dz.의 경우 acute nephritic syndrome은 드묾
- U/A 이상 ; dysmorphic RBC, RBC cast, sub-nephrotic proteinuria

2. 분류/원인

병리학적 분류	임상양상		혈청학적 검사			면역형광 현미경 pattern	원인(감별진단) ★
	RPGN	Acute nephritis	C3	anti-GBM	ANCA		
Anti-GBM Ab dz.	<10%	<1%	N	+	−	Linear Ig & C3 침착	**Goodpasture's syndrome** Idiopathic Anti-GBM nephritis MGN (드묾)
Immune complex -mediated dz.	~45%	>70%	⇩	−	−	Granular Ig & C3 침착	Idiopathic proliferative GN, idiopathic crescentic GN, MPGN **Postinfectious GN** (ASO, DNAse) **Lupus nephritis** (ANA, anti-dsDNA) Cryoglobulinemia (cryocrit, HCV) Bacterial endocarditis (echo, culture) Shunt nephritis (Hx, blood culture)
			N	−	−	Granular Ig & C3 침착	**IgA nephropathy**, HS purpura Fibrillary GN Visceral abscess
Pauci-immune dz.	~45%	<30%	N	−	+	Ig/C3 침착 없거나 드묾	**Granulomatosis & angiitis (Wegener's)** **Churg-Strauss syndrome (EGPA)** **Microscopic polyangiitis (MPA)** Renal-limited idiopathic crescentic GN Drugs*
기타			N	−	−	Ig/C3 침착 없거나 드묾	Malignant HTN, HUS/TTP Interstitial nephritis Scleroderma crisis, Toxemia Atheroemboli (일시적으로 C3↓)

* Propylthiouracil, hydralazine, allopurinol, penicillamine, minocycline, rifampicin, levamisole 등

- anti-GBM dz. 환자의 약 20%는 ANCA (+) → good Px.
- MPGN, fibrillary GN or IgA nephropathy 등은 nephritic syndrome이나 RPGN을 합병하는 경우는 드물고, 대개 NS or asymptomatic hematuria를 나타냄
- Vascular injury 동반 ; ANCA(+) vasculitis, HS purpura, cryoglobulinemia, amyloidosis, malignant HTN, scleroderma (progressive systemic sclerosis), HUS/TTP, sickle cell nephropathy 등

- ANCA : pauci-immune GN (e.g., idiopathic RPGN type Ⅲ)의 70~80%에서 (+)
  - anti-proteinase 3 (PR3) ; granulomatosis with polyangiitis (Wegener's)에서 주로 (+)
  - anti-MPO ; microscopic polyangiitis, Churg-Strauss syndrome, drugs에서 주로 (+)
- primary (or idiopathic) RPGN with crescentic GN : 원인을 모르는 immune complex dz. (드묾) or ANCA-negative pauci-immune dz. (<5%)

3. 진단

- 병리소견 … 치료/예후는 원인 질환에 따르므로, 반드시 조기에 renal biopsy 시행
  ① LM : extensive extracapillary proliferation (crescentic GN)
    - Bowman's space 내의 반월형 crescent (전체 사구체의 50% 이상 침범)
    - glomerular capillary wall의 심한 손상 → 손상된 틈으로 혈장과 세포 누출 → 응고 활성화, 염증반응(e.g., IL-1, TNF-α) → Bowman's space가 세포들로 꽉 참

  ② EM : GBM의 disruption
- IC-mediated idiopathic RPGN : C3 감소
- ANCA, anti-GBM Ab → 감별진단에 도움

4. 치료

- 빠른 진단 & 즉각적인 치료가 필수, 원인이 진단되면 원인에 따라 치료
- induction therapy ; steroid (e.g., methylprednisolone "pulses") + cytotoxic agents (e.g., cyclophosphamide, rituximab) ± plasmapheresis
- intensive plasmapheresis ; 특히 anti-GBM Ab dz. (e.g., Goodpasture's dz.)에서 효과적
- anticoagulants (heparin, warfarin) 및 antithrombotic agents (dipyridamole, sulfinpyrazone)
- 대부분 dialysis 필요 (약 1/2에서 발생 6개월 이내에 hemodialysis 필요)
- ESRD ⇨ 신장이식 (이식 뒤 재발도 가능하지만, 전반적인 이식 성적은 다른 질환들과 비슷함)

5. 예후

- 자연치유는 드물며, 치료 안하면 수주~수개월 이내에 비가역적인 ESRD로 진행
- 예후가 나쁜 경우
  ① oliguria나 심한 GFR 감소 (<5 mL/min)
  ② 혈청 creatinine level >6 mg/dL
  ③ 사구체의 85% 이상에서 crescent 형성, fibrous crescent
  ④ anti-GBM Ab dz., 심한 폐 침범 동반
  ⑤ idiopathic, ESR↑↑, 고령
- 전신질환에 수반되어 나타난 경우나 세균 감염 이후에 발생한 경우는 비교적 좋은 예후를 보임

8
전신질환과 관련된 사구체질환

IMMUNE-MEDIATED MULTISYSTEM DISEASES

1. Lupus nephritis (LN) … SLE의 신장 침범

(1) 개요

- SLE 환자의 60%(성인)~80%(소아)에서 신장 침범 발생, 30~50%는 SLE 진단시에 신장 증상 동반
- 무증상 U/A 이상 ~ nephritic or nephrotic syndrome, CKD까지 다양, 8~15%는 ESRD로 진행
- 발병기전
  ① circulating immune complex [핵 항원 & 자가항체 (주로 DNA & anti-dsDNA)]
    → mesangium 및 subendothelial space에 침착 → complement 활성화, 염증세포 침윤, 응고인자 활성화, cytokines 분비 등 → 사구체 손상
    * 일부에서는 핵 항원(특히 necrotic nucleosomes)이 먼저 subepithelial space에 침착한 뒤 immune complex가 형성되기도 함(in situ IC)
  ② 기타 기전 ; 일부는 antiphospholipid Ab에 의한 thrombotic microangiopathy (TMA, 30%) or ANCA (→ RPGN 양상, 11%)도 관여 가능

(2) 임상양상/진단

- proteinuria (100%), hematuria (80%, 대부분 microscopic), HTN (15~50%)
  ↳ nephrotic syndrome (45~65%) : class Ⅳ, Ⅴ에서 호발
- 신기능 저하 (40~80%), RPGN (10~20%), AKI (1~2%), hyperkalemia (15%) ...
- active urine sediments ; RBC casts (10%), cellular casts (30%) ...
- tubulointerstitial changes (e.g., 염증세포의 침윤, tubular atrophy, interstitial fibrosis)
  : class Ⅲ, Ⅳ에서 가장 심함 (특히 장기간 이환된 환자에서)
- serologic markers → dz. activity를 반영
  ; anti-dsDNA↑, C3↓, C4↓, circulating IC, ESR↑, CRP↑
  (ANA titer는 치료 후 감소하기도 하지만, dz. activity와는 관련 없다!)
- renal dz. activity의 markers ; GFR (serum Cr), proteinuria, urine sediments
- Ⅱ~Ⅴ는 다른 class로의 전환이 흔함 (치료하면 낮은 class로도 가능 → biopsy F/U 등 필요)
  - class Ⅱ, Ⅴ : SLE의 다른 증상보다 먼저 발생할 수도
  - class Ⅲ, Ⅳ : 대개 다른 증상이 나타난 이후에 발생
- atherosclerotic Cx ⬆ ; MI 위험 10~15배 증가 (젊은 여성이 더 위험), CKD에 의해 위험 더↑

- 임상적으로 (SLE 환자에서 proteinuria, hematuria, active urine sediments 발생) 쉽게 LN을 진단할 수 있지만, 확진 및 치료방침 결정을 위해서는 renal biopsy 필요
- renal biopsy의 적응 (∵ severe nephritis 위험)
  ; 지속적인 UA 이상(e.g., active urinary sediment, hematuria, pyuria), 단백뇨 >500 mg/day, 혈청 Cr의 빠른 상승, active serology (anti-dsDNA titer ↑, complement ↓)

Lupus nephritis (LN)의 분류 ··· renal biopsy

(ISN/RPS [International Society of Nephrology/Renal Pathology Society], 2004)

Class	임상양상	치료
Ⅰ. Mimimal mesangial LN : LM은 정상, IF에서 mesangial immune deposits	대부분 무증상	필요 없음
Ⅱ. Mesangial proliferative LN : mesangial hypercellularity (proliferation), mesangial matrix 확대, mesangial immune deposits	Active serology (±) Inactive urinary sediment Mild proteinuria (<1 g/day) 혈압 및 신기능 정상	LN 치료는 필요 없음! 신장 외 증상의 조절
Ⅲ. Focal LN (사구체의 50% 미만 침범) A (active lesions) : focal proliferative LN A/C (active & chronic lesions) : focal proliferative & sclerosing LN C (chronic inactive lesions + glomerular scars) : focal sclerosing LN	Active serology (+) Active urinary sediment Proteinuria 증가 (≥1 g/day, 25~33%는 nephrotic-range) HTN 흔함, 다양한 경과 일부는 class Ⅳ로 진행	Active lesion만 치료 - mild ⇨ steroid - severe ⇨ class Ⅳ와 같이 치료
Ⅳ. Diffuse LN (사구체의 50% 이상 침범) A : diffuse S or G proliferative LN A/C : diffuse S or G proliferative & sclerosing LN C : diffuse S or G sclerosing LN [S or G ; segmental or global]	Active serology (++) 더 심한 신장 침범 Active sediment, HTN Heavy proteinuria (NS 흔함) 신부전(GFR ↓) 흔함 예후 가장 나쁨 (~30% ESRD로 진행)	Steroid + 면역억제제 (cyclophosphamide or MMF) ACEi/ARB 등
Ⅴ. Membranous LN (diffuse LN보다는 예후 좋음!) : GBM의 광범위한 비후, diffuse subepithelial immune deposits * class Ⅲ/Ⅳ lesions과 공존 가능 (mixed membranous & proliferative dz.)	Active serology (±) Heavy (~mild) proteinuria (NS 흔함) Idiopathic MGN 비슷 ; 50% 자연관해, RVT 등의 thrombosis 흔함 HTN 및 신부전은 일부에서만 동반	Steroid ± 면역억제제 CNI (cyclosporine) 등 ACEi/ARB 등
Ⅵ. Advanced sclerotic LN : 90% 이상의 사구체에서 global sclerosis (오랜 시간 class Ⅲ~Ⅴ가 완화/악화를 반복한 결과)	HTN이 흔하고, 심한 신기능 감소 or ESRD + interstitial fibrosis Inactive urinary sediment	약물치료에 반응 없음 투석(HD) or 신장이식

Lupus nephritis의 조직소견에 따른 임상소견 및 예후

Class	Urinary Sediment Active (%)	Proteinuria (%)	Nephrotic syndrome (%)	Renal Insufficiency (%)	Prognosis: 5YSR (%)
Ⅰ. Normal	0	0	0	0	100
Ⅱ. Mesangial proliferative	<25	25~50	0	<15	>90
Ⅲ. Focal proliferative	50	67	25~33	25	85~90
Ⅳ. Diffuse proliferative	75	>95	>50	>50	60~90
Ⅴ. Membranous	50	>95	60	10	70~90

(3) 치료

- 대개 신 조직 소견(class)을 통해 치료와 예후를 결정
- class Ⅰ, Ⅱ ; 신장 외 증상의 조절이 목표 (→ 예후 좋다)
- **class Ⅲ, Ⅳ (proliferative LN)** ⇨ 면역억제치료
  - induction ; steroid + cyclophosphamide (or MMF) 2~6개월
  - maintenance ; low-dose steroid + MMF (or azathioprine) (∵ induction만 하면 재발↑)
  - 혈압, Cr 정상, subnephrotic proteinuria, necrotizing lesion 無 경우만 steroid 단독 가능
  - CR (신기능 거의 정상, proteinuria ≤0.33 g/day) 되면 예후 매우 좋음 (장기 생존율↑)
- resistant proliferative LN ⇨ MMF or cyclophosphamide 안 썼으면 서로 대치해 steroid와 병합
  - cyclophosphamide/MMF 모두 실패하면 ⇨ rituximab, CNIs (e.g., tacrolimus, cyclosporine, or voclosporin), CTLA4-Ig (abatacept, Orencia®), IVIG 등 고려 or 병합요법
- relapsing proliferative LN
  - mild LN (e.g., 신기능 거의 정상) ⇨ maintenance 안 했으면 시작하거나, 용량 증량
  - moderate~severe LN (active UA, proteinuria↑) ⇨ MMF, cyclophosphamide, rituximab 등
- **class V (membranous LN)** ; 경과, 예후, 치료가 다양함
  - subnephrotic proteinuria & GFR 보존 ⇨ steroid or low-dose cyclosporine
  - NS ⇨ steroid + CNI [e.g., cyclosporine] (or MMF, cyclophosphamide, azathioprine)
  - diffuse proliferative LN (classs Ⅳ) 동반시 (poor Px) ⇨ 더 강력한 면역억제치료 필요
- proteinuria (>1 g/day) ⇨ ACEi/ARB, 철저한 혈압조절, 고지혈증조절 등 (∵ 심혈관 위험↑)
- plasmapheresis : 신장 생존율에는 도움 안 됨
- antiphospholipid Ab에 의한 TMA → anticoagulation (INR 3.0 유지), AKI시엔 plasmapheresis
- 치료 중 열이 나면 대개 감염이 원인임

(4) 예후

- 예후가 나쁜 경우 ; 진단시 sCr↑ (>2.4 mg/dL, m/i), heavy proteinuria, HTN, nephritic Sx., severe anemia, thrombocytopenia, hypocomplementemia, anti-dsDNA↑, 젊음(<24세), 남성, 흑인, 낮은 사회경제적지위, 조직소견(active or chronic lesions) 등

LN의 activity & chronicity index

Active lesions (가역적)	Chronic lesions (비가역적) ★
Endocapillary proliferation	Extensive glomerulosclerosis
Leukocyte infiltration	Interstitial fibrosis
Fibrinoid necrosis, Karyorrhexis	Fibrous crescents
Hyaline thrombi, wire loops	Tubular atrophy
Cellular crescents	
Interstitial inflammation	

▷ acitve or chronic lesions이 많을수록 예후 나쁨 (신부전으로 진행↑)

- 치료에 대한 반응 및 재발의 예측
  ① active urine sediment (RBC/WBC cast)
  ② proteinuria
  ③ GFR (serum Cr)
  ④ serum complement
  ⑤ anti-dsDNA titer

- serologic markers가 치료 중에 정상화되면 좋은 예후를 의미하나, 지속적으로 비정상이라도 반드시 renal dz.의 나쁜 예후를 의미하지는 않음 (특히 active extrarenal manifestation 시에)
- 치료해도 lupus nephritis의 8~15%는 ESRD로 진행함
  - 일반적으로 신부전 상태에 도달하면 extrarenal activity (serologic markers)가 소실되기도 함 (∵ uremia에 의한 면역억제 효과)
  - 신이식 : 대개 inactive dz. 약 6개월 유지 이후 시행, 이식 후 재발은 매우 드묾!
- 사인 ; 심혈관질환 (m/c), 감염 등

* 임신시 : 50% 이상에서 SLE (lupus nephritis) 악화됨, inactive 해질 때까지는 피임 권장
  - 임신 전부터 치료 중인 경우 → cyclophosphamide, MMF, rituximab, ACEi/ARB는 금기
  - steroid, CNIs, azathioprine은 주의하면서 사용 가능

일부 multisystemic diseases의 serologic findings

Disease	C3	C4	FANA	Anti-dsDNA	Anti-GBM	ANCA	Cryo-Ig	circulating IC
SLE	↓↓	↓↓	+++	++	−	±	++	+++
Goodpasture's disease	−	−	−	−	+++	+	−	±
HS purpura	−	−	−	−	−	−	±	++
Polyarteritis	↓↑	↓↑	+	±	+	+++	++	+++
Wegener's granulomatosis	↓↑	−	−	−	−	+++	±	++
Cryoimmunoglobulinemia	↓	↓↓↓	−	−	−	−	+++	++
Multiple myeloma	−	−	−	−	−	−	±	−
Waldenström's macroglobulinemia	−	−	−	−	−	−	−	−
Amyloidosis	−	−	−	−	−	−	−	−

2. Rheumatoid arthritis

- RA에 의한 신장의 직접 침범은 드묾 ; MGN, MesPGN, crescentic GN (rheumatoid vasculitis) 등
- 사구체 손상은 대개 이차적인 원인으로 발생 (특히 RA 치료약물)
  ① secondary (AA) amyloidosis (10~20%)
    - 이중 3~10%에서 NS, 신부전 발생
    - 호발 요인 ; 장기간 이환 (>10년), RF (+), destructive arthropathy
  ② RA 치료 약물들에 의한 사구체 질환

Gold → MGN, MCD, acute tubular necrosis
Penicillamine → MGN, crescentic GN, MCD
NSAIDs → acute tubulointerstitial nephritis (TIN), MCD, ATN
Cyclosporine → chronic vasculopathy, TIN
Azathioprine/6-MP → TIN
Pamidronate → FSGS
TNF-α inhibitors → lupus nephritis 비슷한 양상
Analgesics → renal papillary necrosis

3. 혼합 한랭글로불린혈증 증후군(mixed cryoglobulinemia syndrome, MCS)

(1) 개요/원인

- cryoglobulin : 저온(<37℃)에서 침전이 되고, 온도가 오르면 용해되는 immunoglobulins (Igs)

종류	%	Immunoglobulins Monoclonal	 Polyclonal	기저 질환 (원인)
type Ⅰ	10~15	IgM, IgG, or IgA		Waldenström's macroglobulinemia, Myeloma, MGUS
type Ⅱ	50~60	IgM	IgG	감염(주로 HCV), Lymphoproliferative dz., 자가면역질환
type Ⅲ	30~40	mixed	IgM & IgG	Sjögren, SLE, RA 등의 자가면역질환, 감염(주로 HCV)

- 드물게 원인을 모르면 idiopathic MCS (과거 essential mixed cryoglobulinemia[EMC])
- cryoglobulinemia : 혈중 cryoglobulin이 여러 장기를 침범하여 다양한 증상을 나타내는 것 (≒ cryoglobulinemic vasculitis or cryoglobulinemia syndrome).

- 병태생리 : 특정 Ag (e.g., HCV)에 대한 Ab가 형성되고, 이 Ab에 대한 anti idiotypic Ab 형성 → 이들 Abs (± Ag, complement) 혼합물(immune complex)이 cryoglobulins을 구성함
- MCS의 대부분은 chronic HCV infection을 동반 (만성 C형 간염의 약 5%에서 MCS 발생)
  ↳ 주로 type Ⅱ, 일부는 type Ⅲ와 관련

(2) 임상양상

- 간비종대, 말초신경염, palpable purpura (주로 하지에), 관절염, Raynaud 현상 등
- 신장 침범 (glomerulonephritis) : 10~30%에서 1~2년 뒤에 발생
  - type Ⅱ, Ⅲ에서 흔함, 50대 이상 여성에서 호발
  - nephrotic-range proteinuria, microscopic hematuria, HTN
  - acute nephritic syndrome (20~30%), oliguric AKI (약 5%)

(3) 검사소견

- serum cryoglobulin (+), RF (+, 대개 high titer)
- complement (C1q, C3, C4, CH_{50}) 감소 : 90%에서 (C4↓ → dz. activity marker!)
- ANA : speckled pattern (+), 일부에서 일시적으로 나타날 수 있음
- ESR↑, CRP↑, anemia, LFT 이상 (50%), EP/IFE에서 M band (+), HCV 등의 virus (+) ...

(4) 병리소견

- 피부 생검 : hypersensitivity vasculitis와 유사
- 신조직 소견 (확진)
  ① LM : diffuse mesangial proliferation or membranoproliferative GN
  ② IF : IgG, IgM, C3 등의 granular deposition
  ③ EM : glomerular capillary 내의 cryoglobulin 침착 (pseudothrombi)

(5) 치료/예후

- 원인질환의 치료 ; HCV (+) → direct acting antivirals[DAA] (e.g., Ledipasvir/Sofosbuvir)
- steroid, cytotoxic agents, plasmapheresis 등의 효과는 불분명
- 일반적으로 예후 및 신장 생존율은 양호한 편 (10YSR 75%), 약 15%는 ESRD로 진행, 약 40%는 나중에 심혈관질환, 감염, 간부전 등 발생 가능

4. Goodpasture's syndrome (anti-GBM Ab dz.)

(1) 개요

- anti-GBM Ab dz. : 사구체 및 폐포 basement membrane의 type Ⅳ collagen의 α3 noncollagenous (NC1) domain [α3(Ⅳ)NC1]에 대한 autoAb (주로 IgG)에 의한 자가면역질환
- anti-GBM nephritis + pulmonary hemorrhage (50~70%) = "Goodpasture's dz./syndrome"
- 신질환은 RPGN (crescentic GN)의 양상 (acute nephritic syndrome은 드묾)
- predisposing factors
  ① 유전요인 ; HLA-DR15 (DRB1*1501)와 DR4에서 발생↑ (DR1, DR7은 발생↓)
  ② 환경요인 ; 시공간적으로 발생이 증가된 보고가 있지만 명확히 원인은 모름
- precipitating factors

자가면역(anti-GBM Ab)	폐 출혈
사구체를 침범하는 systemic small-vessel vasculitis Membranous nephropathy (MN) 신장 결석의 lithotripsy, Urinary obstruction Multiple sclerosis에 대한 alemtuzumab 치료	흡연 Hydrocarbon 호흡기 감염 (원인균은 명확하지 않음) Fluid overload

- 발생(bimodal peak) … 드묾 (백인에서 주로 발생)
  - 젊은 남자에서 호발 (10~30세, 남:여 = 6:1) ; 심한 Goodpasture's syndrome으로 발현
  - 50대 이후 (남:여 = 1:1) ; 주로 isolated GN로 발현 (폐출혈은 드묾)

(2) 임상양상

- 신장 침범 ; hematuria, nephritic urinary sediment, subnephrotic proteinuria, RPGN
- 폐 출혈 (40~60%) : 젊은 흡연자에서 호발, 대개 GN보다 수주~수개월 선행
  - cough, dyspnea, bloody sputum, hemoptysis (→ IDA 동반도 흔함)
  - CXR에서 bilateral hilar & basilar infiltrates, diffusing capacity (DL_{CO})↑↑
  - putum stain : iron을 함유한 macrophages 관찰 가능
  - 증상이 없어 신장 침범이 오래 진행된 (대개 oliguria로 발견) 고령 환자군보다 예후 좋음
- HTN은 드묾 (<20%)

(3) 진단/검사소견

- serologic marker
  ① anti-GBM Ab (collagen Ⅳ의 α3 NC1 domain에 대한) : 90% 이상에서 양성, 예후와 관련
  ② complement : 정상
- renal biopsy … gold standard (Goodpasture's syndrome 의심시 즉시 시행!)
  ① LM : focal/segmental necrosis → diffuse proliferative GN (crescentic GN)
  → interstitial nephritis + fibrosis, tubular atrophy로 진행
  ② IF : anti-GBM Ab (IgG, 드물게 IgA)의 linear ribbon-like deposition
  (70%에서는 C3도 같은 모양으로 분포)
  ③ EM : nonspecific inflammation (immune deposits은 無)
- lung biopsy ; alveolar hemorrahge, alveolar septum 파괴, hemosiderin-laden macrophages, alveolar capillary basement membranes을 따라 linear IgG 침착

(4) 치료/예후

- 치명적이고 신장소실 위험이 높으므로 강력하게 치료함 (2~3개월)
  - emergency plasmapheresis 8~10회 → anti-GBM Ab 제거
  - 면역억제제 : steroid + cyclophosphamide (or rituximab, MMF) → anti-GBM Ab 합성 억제
- Ix ; 폐 출혈 (신장 손상 정도에 관계없이), 응급 투석이 필요 없는 단계의 신장 침범
  - 폐 출혈이 없는 심한 신장 침범(crescents >50%) 환자는 치료 효과가 적고 부작용이 더 큼
  - very acute dz., ANCA(+), or vasculitis 양상의 신장 침범 환자에서는 치료 고려
- 치료 시작 시점이 예후에 매우 중요함!
  - serum Cr ≤5 mg/dL 때 시작하면 1-year renal survival 90%
  - renal failure가 더 진행되었을 때 시작하면 10%
- F/U ; serial anti-GBM Ab titer (Ab 음진이 안 되면 변역억제치료 더 지속)
- 재발은 드물지 않다 (Ab titer 증가로 예측 가능)
- ESRD → 신이식 (but, 재발 위험 → 이식 전 6개월 이상 anti-GBM Ab를 음성으로 유지)
- 예후가 나쁜 경우 (진단시)
  ① renal biopsy에서 crescents >50%, advanced fibrosis
  ② serum Cr >5~6 mg/dL
  ③ oliguria or 응급 투석 필요

■ 폐와 신장을 동시에 침범하는 질환 (pulmonary-renal syndrome)

① Goodpasture's syndrome
② ANCA(+) small-vessel vasculitis ; granulomatosis with polyangiitis (GPA, Wegener's), microscopic polyangiitis (MPA), Churg-Strauss syndrome
③ immune complex-mediated vasculitis ; SLE, HS purpura, cryoglobulinemia
④ pul. edema가 합병된 heart failure
⑤ hypervolemia와 pul. edema가 합병된 renal failure
⑥ pul. embolism을 동반한 renal vein thrombosis
⑦ infection (e.g., Legionaire's disease)

감염과 관련된 사구체질환

1. HBV infection

- membranous nephropathy[MGN] (m/c, 소아>성인), MPGN (소아<성인), polyarteritis nodosa (PAN) 등이 흔한 신장 질환 (기타 mesangial proliferative GN, IgA nephropathy, MCS 등)
- 기전 : viral Ag (HBeAg이 m/c)과 Ab가 결합하여 생성된 IC가 사구체에 침착
- 신조직 소견 : idiopathic MGN or MPGN type Ⅰ/Ⅲ와 똑같음
- 대부분 만성 HBV 감염 상태로 mild~moderate serum aminotransferases 상승을 보임
- serum C3 감소, circulating IC 존재가 흔함

- 대개 nephrotic syndrome으로 발현, HTN과 신부전은 드묾
- 소아는 예후 좋지만 (2/3가 자연관해), 성인의 30%는 5년 이내 신부전 발생, 10%는 ESRD로 진행
- 치료 ; HBV에 대한 antiviral therapy (Ix ; serum HBV-DNA or HBeAg 양성)
  - entecavir, tenofovir AF, besifovir 등 (→ proteinuria↓ 및 신기능 안정화)
  - 면역억제치료(e.g., steroid ± cytotoxic agents)는 효과 없음 (∵ virus 증식↑, 간질환 악화)
    c.f.) 일부 RPGN 및 severe PAN은 antiviral therapy + 면역억제치료 ± plasmapheresis가 도움

2. HCV infection

- <u>MCS</u> (mixed cryoglobulinemia syndrome), <u>MGN</u>, <u>MPGN</u>, PAN, IgA nephropathy, FSGS 등의 신장 질환 동반 가능 … MCS의 대부분이 HCV(+)
- 만성 C형 간염 환자의 ~30%에서 신장 이상 동반
  ; nephrotic syndrome, microscopic hematuria, RBC cast ...
- LFT 이상, C3↓, anti-HCV (+), HCV-RNA (+)
- 치료 ; HCV에 대한 antiviral therapy → direct acting antivirals[DAA] (e.g., Ledipasvir/Sofosbuvir)
  - steroid, cytotoxic agents, plasmapheresis 등은 별 효과 없음
  - severe & progressive mixed cryoglobulinemia 및 PAN 환자는 면역억제치료 병행

3. HIV infection

- FSGS (m/c), MPGN, diffuse proliferative GN (DPGN), mesangial proliferative GN, IgA nephropathy, MCD 등을 동반 가능 (HIV 감염자의 약 10%에서 신장 침범 동반)
- **HIV-associated nephropathy (HIVAN)** ; m/c, HIV 신장 질환의 약 50%
  - 병인 ; 신장 상피세포의 HIV 감염 및 HIV genes 발현 + 숙주요인(e.g., 유전적 소인)
    → *APOL1* risk allele variants를 가진 흑인에서 호발 (HAART의 발달로 감소 추세)
  - biopsy ; <u>collapsing FSGS</u>, 세뇨관 확장, 심한 간질 염증, EM에서 tubuloreticular inclusions
  - heavy nephrotic-range (nonselective) proteinuria, 초음파상 신장 크기는 정상~↑
  - hematuria와 pyuria는 드물게 동반
  - 다른 NS와 다르게 edema, HTN, hyperlipidemia 등은 드묾
  - 신기능이 빠르게 감소하여 수주~수개월 내에 ESRD로 진행
  - Tx ; HAART (triple therapy), ACEi/ARB, steroid, 투석, 신이식 등
    (c.f., HIV+ ESRD 환자 중 기회감염 병력이 없고, CD4 cell 200 이상이면 신이식 뒤 예후 좋음)
- HIV immune complex kidney disease (HIVICK)
  - target Ag ; HIV p24 (capsid), gp120 (envelope)
  - biopsy ; MGN, MPGN, MesPGN, PSGN, IgAN, lupus-like 등과 비슷해 보일 수 있음
  - 조직형에 따라 치료방침 결정, 예후 다양

4. PSGN

→ 앞 장 참조

이상(파라)단백혈증 (Paraproteinemia)

1. Multiple myeloma 등의 monoclonal gammopathies

	Multiple myeloma (MM)	기타 monoclonal Ig deposition dz.
관련 Ig	IgG, IgA, IgD	–
관련 light chain (LC)	κ (65%) or λ (35%)	LCDD : 대부분 κ Amyloidosis : 대부분 λ
serum LC 농도	>500 mg/dL	<500 mg/dL
Proteinuria	<3 g/day	>3 g/day (NS 흔한)
Hematuria	드묾	LCDD 가끔, Amyloidosis 드묾
신기능 장애	흔함	흔힘
고혈압	드묾	LCDD 흔함, Amyloidosis 드묾
Hypercalcemia	흔함	–
Lytic bone lesions	매우 흔함	–
Hypogammaglobulinemia	매우 흔함	드묾
Cytopenias	Anemia 흔함	드묾

- 사구체(→ 주로 NS), 세뇨관(→ 주로 신기능 저하), 간질 등을 모두 침범 할 수 있음
- acute /subacute kidney injury, CKD, proteinuria (NS), 전해질 이상 등 다양한 임상상양
- MM에서 신기능 저하의 원인
  - ① hypercalcemia … light chain cast nephropathy와 함께 신기능 감소의 m/c 원인!
  - ② hyperuricemia (urate nephropathy)
  - ③ tubulointerstitial lesions … m/c pathologic finding
    ; light chain cast nephropathy[LCCN] (distal tubule 침범, "myeloma kidney"),
    light chain proximal tubulopathy (direct toxic injury), Fanconi syndrome 등
  - ④ light chain deposition dz. (LCDD) … 신장의 monoclonal Ig deposition diseases 중 m/c
    - 대부분 κ LC의 침착, AL amyloidosis에 비해 세뇨관 침범이 흔함 (→ 진행성 신기능 저하)
    - 60~100%에서 nodular glomerulosclerosis 보임
  - ⑤ amyloidosis (10~15%) → Congo red 염색 : amyloid 결절
  - ⑥ 기타 ; PN 등의 감염, dehydration, ATN, cryoglobulinemia,
    약물(e.g., NSAIDs, 조영제, bisphosphonate) ...

■ **Light chain cast nephropathy (LCCN, myeloma kidney)**
- Ig light chains (LC) 생산량이 많은 MM 환자에서 발생 (but, 다른 monoclonal gammopathy에서도 발생 가능)
- 사구체를 통과한 LC (Bence-Jones protein)이 distal tubule에서 Tamm-Horsfall protein과 응집을 형성
  → obstructing tubular casts, giant cell or foreign body 반응 유발 → tubular rupture → interstitial fibrosis
- 유발인자 ; hypovolemia, hypercalcemia, 감염, 신독성약물(e.g., NSAIDs, ACEi/ARB, 조영제)
- 다른 임상양상 및 진단은 MM과 동일 ; serum & urine PEP/IFE, free LC, BM study 등
  - LC는 urine dipstick에서 검출 안 되므로, 단백뇨 양성이지만 urine dipstick 음성이면 강력히 의심
- 치료 ; 유발인자 교정, MM에 대한 치료
  - serum free LC의 제거 (e.g., plasmapheresis, high-cutoff dialysis) : 근거는 부족하지만 시행하는 편임
    → plasmapheresis 등에도 반응 없으면 다른 원인 확인을 위해 renal biopsy 시행

2. 유전분증/아밀로이드증(amyloidosis)

(1) 원인/분류

: 무정형의 섬유성 단백질(amyloid protein/fibril)이 extracellar matrix에 침착되는 병으로, 침착되는 amyloid fibril의 종류에 따라 여러 types으로 분류 (30가지 이상 有)

① **AL amyloidosis** (과거 primary amyloidosis) : m/c (68%), plasma cell dyscrasia의 일종
- plasma cells에서 과다 생성된 monoclonal Ig Light chain^{LC} (75%가 λ) fragments의 침착
- 전신에 침착 가능(주로 심장, 신장, 간, 신경, 연조직, GI 등), 40세 이후 고령에서 호발
- BM에서 plasma cells 증가, EP/IFE에서 monoclonal LC, 10%는 overt myeloma 동반
  ⇨ MM보다는 LC 양이 적기 때문에 EP에서는 50% 미만만 검출, IFE에서는 약 90%, serum FLC (free LC) 검사에서는 거의 다 검출 가능

② **AA amyloidosis** (과거 secondary amyloidosis) : 2nd m/c (12%)
- APR의 일종인 간에서 과다 생성된 SAA (serum amyloid A) protein의 침착 (주로 신장에)
- 만성 염증 or 감염성 질환 동반 ; rheumatoid arthritis (RA, m/c 40%), juvenile idiopathic arthritis, ankylosing spondylitis, IBD, psoriatic arthritis, 만성 염증, 일부 악성 종양 등
- poor Px ; serum SAA level↑, serum albumin↓, ESRD, 고령

③ ATTR amyloidosis : transthyretin (TTR = prealbumin) 변형 단백질이 침착(주로 심장, 신경)
- hereditary (familial) ; TTR gene의 mutation, familial amyloid polyneuropathy
- acquired (senile) ; wild-type TTR, 대개 65세 이상 남성

④ Aβ_2M amyloidosis : renal failure type (hemodialysis-associated, 투석에서 거르지 못해)
- β_2-microglobulin의 침착 (주로 synovial tissue와 bone에)

(2) 임상양상

- 비특이적 전신증상 ; 피곤, 체중감소 … AL에서 흔함
- 침범된 장기에 따라 다양 ; 심장, 간, 말초신경, 인두, 비장, 신장, 위장관 등
  (→ restrictive cardiomyopathy, hepatomegaly, macroglossia, colitis ...)
- 신장 침범 (70~90%에서) : 주로 GBM, subendothelium, mesangium 등을 침범
  - nephrotic syndrome (heavy proteinuria)
    - AA의 약 90% (→ 약 20%는 ESRD로 진행)
    - AL의 약 50% (→ 약 40~60%는 ESRD로 진행)
  - HTN (20~25%), 1/2 이상에서 진단시 이미 GFR 감소
  - 신장 크기는 정상~약간 증가, 혈뇨는 심하지 않음, active sediments 거의 없음
- 심장(심근) 침범 ; AL 및 ATTR에서 흔함 (AA에서는 매우 드묾)
  → 주로 diastolic dysfunction (RCM, Rt-HF, low CO, 저혈압 등) … 사망의 주원인
- 위장관 침범 ; AL 및 AA에서 흔함, 일부 amyloidosis에서는 hepatomegaly ± splenomegaly
- peripheral neuropathy ; ATTR의 대부분과 AL의 30%에서 발생 (AA에서는 매우 드묾)
- 근골격계 침범 ; 특히 AL에서 macroglossia[큰혀증], 어깨/무릎/손목/손가락의 관절병 발생
- 혈액 이상 ; 출혈 및 응고검사 이상 (∵ factor X deficiency, 간 침범에 의한 응고인자 합성↓)
- 폐 침범 ; tracheobronchial infiltration (→ 기도폐쇄), persistent pleural effusions, nodules 등
- 피부 증상 ; waxy thickening, easy bruising (ecchymoses), subcutaneous nodules/plaques
  (Valsalva maneuver or 경미한 외상에 의해 유발되는 눈 주위 purpura … 일부 AL의 특징)
- 특정한 amyloid 형을 시사하는 소견 ; macroglossia (→ AL 형), scalloped pupil (→ ATTR 형)

(3) 진단

- 조직검사가 필수 (abdominal fat, rectum, skin, gingiva, BM, liver, kidney 등에서)
  ↳ multi-organ 침범시 권장 (침범 장기가 적으면 해당 부위를 검사)
- amyloid fibril의 공통적인 특징
  ① H&E 염색 : 조직 내 균질한 무정형의 분홍색 물질 침착
  ② 편광현미경 : Congo red 염색 후 apple-green[녹황색] birefringence (+) … gold standard
  ③ EM (X-ray) : β-pleated sheet 형성
- amyloid 아형의 진단
  ① 특수염색 ; Congo red (potassium permanganate 처리 후 birefringence 소실되면 AA형)
  ② 면역조직화학염색(IHC) ; fibril typing (민감도는 부족함), AL, AA, ATTR 등 진단에 유용
  ③ EM ; 8~10 nm 폭의 unbranching fibrils (민감도는 높지만, 가용성 제한으로 잘 이용×)
  - immunoEM = IHC + EM, amyloid 축적 확인 및 amyloid fibrils typing, 특이도 높음
  ④ proteomics (축적된 amyloid fibrils의 direct typing) ; amyloidosis 진단에 가장 정확!
  ↳ amino acid sequencing or mass spectroscopy
  ⑤ free light chian (AL 진단) ; PEP/IFE, serum FLC, BM clonal plasma cells (대개 10%)
  - plasma cells의 clonality [κ or λ] 증명 ; FCM, IHC, IF, LC mRNA 동소교잡법 등
  - but, 혈청 light chain 검출만으로는 부족함 (∵ MGUS R/O) → 조직에서 확인되어야

(4) 치료 및 경과

- 확실한 치료법이 없고 예후 나쁨 (치료 안하면 AL은 평균 약 15개월 생존, AA는 AL보다 양호)
- 심장 침범 등으로 전신 상태가 안 좋은 경우가 많아 aggressive therapy 적용 여부는 조심스러움
- AL형 : BM clonal plasma cells을 목표로 multiple myeloma 비슷하게 치료
  ① ASCT 가능 환자 (e.g., C_{Cr} ≥30, troponin T <0.06, BP ≥90 mmHg, 70세 이하 등)
  - high-dose melphalan [200 mg/m^2] 이후 ASCT (HDM/SCT) → ~40%에서 혈액학적 CR
  - BM plasma cells ≥10% or CRAB 있으면 induction therapy 2~4 cycles 먼저 시행
  - but, 장기부전 등으로 인해 이식관련 사망률이 높아 약 1/2에서만 SCT 가능
  ② ASCT 불가능 환자 … 대부분
  - bortezomib (proteasome inhibitor)-based regimens ; CyBorD or BMD
  - R/R ⇨ proteasome inhibitor-based regimens, immunomodulatory derivatives (IMiDs)-based regimens (e.g., lenalidomide [or pomalidomide] + dexamethasone), mAbs (e.g., daratumumab [anti-CD38]), anti-fibril mAbs or small molecules
- AA형 : 기저 질환에 대한 치료 (→ SAA 생산을 거의 완전히 억제해 관해도 가능)
  - anti-proinflammatory cytokines (IL-1β, TNF-α, IL-6) → 일부 rheumatic disorders
  - colchicine → familial Mediterranean fever (FMF)의 치료 및 예방에 효과적
- ATTR형
  - tafamidis [Vyndaqel®] : tranthyretin을 안정화하여 TTR 생성↓
  - doxycycline/TUDCA, patisiran, inotersen ...
  - hereditary/familial ATTR amyloidosis → liver transplantation
- ESRD → 투석 및 이식 (다른 원인에 의한 ESRD보다 예후 나쁨)
- 주요 사인 ; 심장 질환 (e.g., 부정맥으로 급사 가능), 신부전, 감염

약물에 의한 사구체 질환

1. MCD (minimal change diseases)
   - 대개 interstitial nephritis 동반
   - 원인 ; NSAIDs, IFN-α, rifampin, ampicillin ...
2. MGN (membranous nephropathy)
   ; penicillamine, gold, mercury, trimethadione, captopril, chlormethiazole ...
3. FSGS (focal segmental glomerulosclerosis)
   ; heroin
4. Pauci-immune necrotizing GN
   ; ciprofloxacin, hydralazine
5. Proliferative GN with vasculitis
   ; allopurinol, penicillin, sulfonamides, thiazides, IV amphetamine
6. RPGN (rapidly progressive GN)
   ; rifampin, warfarin, carbimazole, amoxicillin, penicillamine

Diabetic nephropathy

→ 내분비내과 참조

HS purpura, systemic necrotizing vasculitis

→ 류마티스내과 참조

9
세뇨관간질성 신질환(Tubulointerstitial renal diseases)

개요

1. 정의

- tubulointerstitial nephritis (TIN) : 주로 세뇨관(요세관, renal tubule)과 간질(사이질, interstitium)을 침범하는 염증성 질환으로 사구체와 신혈관계는 비교적 정상임
  (c.f., secondary tubulointerstitial dz. : 지속적인 사구체 or 신혈관계 손상에 의해 발생된 것)
- 대개 뚜렷한 원인이 있으며, 원인을 제거하면 신기능은 회복됨
- acute TIN은 AKI 원인의 15~20%, chronic TIN은 ESRD 원인의 3~4% 차지

2. 발생기전

- 초기 손상
  - 세뇨관 상피세포에 대한 직접 세포독성 (drug, toxin)
  - 염증 반응에 의한 간접 손상 (전신질환, 면역질환)
- 만성으로의 이행 : 면역반응 조절의 장애, 반복적인 독성물질에의 노출

3. 임상양상(특징)

(1) 신세뇨관 기능장애

Proximal tubule dysfunction	Glycosuria, amino aciduria, phosphaturia, hypokalemia (Fanconi syndrome) Bicarbonaturia (type 2 RTA) Small-MW proteinuria (mild)
Distal tubule dysfunction	요농축능 장애 (→ 다뇨, 야뇨, nephrogenic DI) Sodium wasting, hyperkalemia, type 1 or 4 RTA

- GFR의 감소 정도에 비해 심함
- GFR 감소 ; microvasculature 및 tubules의 폐쇄 때문
- 저분자량의 proteinuria ; proximal tubule의 protein 재흡수 장애
- Fanconi syndrome ; proximal tubule 손상에 의한 glucose, amino acids, phosphate, bicarbonate (→ type 2 RTA) 등의 소실(재흡수 장애), hypokalemia
- polyuria/nocturia, isosthenuria ; medullary tubules 손상에 의한 요농축능 장애

- salt wasting ; distal tubule 손상에 의한 Na^+ 재흡수 장애
- hyperkalemia ; aldosterone resistance를 포함한 potassium 배설 장애 (type 4 RTA)
- hyperchloremic metabolic acidosis (AG 정상) : 비교적 초기에도 호발
  - ① ammonia 생산 감소
  - ② collecting duct의 acidification 장애 (type 1 distal RTA)
  - ③ proximal bicarbonate wasting (type 2 proximal RTA)

(2) 신장 내분비장애

- hyporeninemic hypoaldosteronism ; hyperkalemia, metabolic acidosis
- calcitriol deficiency ; renal osteodystrophy
- erythropoietin deficiency ; anemia

(3) 소변검사 이상

- proteinuria ; 대부분 mild (<1.5 g/day), 주로 저분자량의 tubular proteins (e.g., lysozyme, β_2-microglobulin), 2ndary FSGS 발생시에는 nephrotic-range도 가능
- sterile pyuria, few cell & casts 정도의 경미한 이상 소견
- 원인 질환에 따라 eosinophiluria, WBC casts, hematuria 등도 발생 가능

	Glomerular	Tubulointerstitial
Proteinuria	>3.5 g/day (주로 albumin)	<1.5 g/day (주로 저분자량)
Hematuria	Severe	Mild
Sediment	Numerous	Few
Sodium	Normal	Wasting
Anemia	Moderately severe	Disproportionately severe
Hypertension	80%	50%
Serum Cr.	급격히 상승	다양
Acidosis	Normochloremic (mild)	Hyperchloremic (severe)
Urine volume	Normal	Polyuria

* Edema는 glomerular dz.에서 주로 나타남

* 신장이 toxin injury에 민감한 이유

① 크기에 비해 많은 양의 blood flow를 받음 (→ toxin에 노출이 많다)
② 세뇨관의 transport process → toxin의 신장내 축적 촉진
③ urinary concentrating mechanism
→ medullary & papillary portion에 toxin이 고농도로 축적
④ nephron 내의 상대적으로 acidic pH → toxin의 ionization에 영향
⑤ large glomerular capillary surface area

급성 간질신장염/사이질콩팥염 (Acute interstitial nephritis[AIN], Acute TIN)

1. 개요

- 대부분 약물에 대한 과민반응으로 발생하여, AKI 양상을 보이는 경우가 많음
  (≒ acute allergic interstitial nephritis)
- 사이질(interstitium)에 염증세포의 침윤이 두드러짐 (특히 약물에 의한 경우는 eosinophil의 침윤)
- fibrosis는 없고, glomerular vessels은 정상
- 약물의 용량과는 관련 없고, 다시 노출되면 AIN 재발 or 악화 가능

2. 원인

① **약물 (m/c, 70~75%) … DI (drug-induced)-AIN**
1. **NSAIDs 및 COX-2 inhibitors**
2. **항생제** ; β-lactams, Quinolones, Chloramphenicol, EM, Minocycline,
   Para-aminosalicylic acid, Polymyxin B, Rifampin, Ethambutol, Isoniazid,
   Sulfonamides (TMP-SMX 포함), TC, Vancomycin, Linezolid, Minocycline, Acyclovir ...
3. 이뇨제 ; Loop diuretics (furosemide, bumetanide 등), Thiazides, Triamterene
4. 항경련제 ; Phenytoin, Phenobarbital, Carbamazepine, Valproic acid ...
5. Immune checkpoint inhibitors ; Ipilimumab, Nivolumab, Pembrolizumab, Atezolizumab
6. 기타 ; PPI (omeprazole, lansoprazole 등), Cimetidine (다른 H_2-RA는 드묾), Allopurinol,
   Antipyrene, Azathioprine, Bismuth, Captopril, Clofibrate, Gold, Indinavir, Lenalidomide
   Mesalazine (5-aminosalicylates), Methyldopa, Probenecid, Sulfinpyrazone ...

② **감염 (4~10%)**
1. 세균 ; *Streptococcus, Staphylococcus, Legionella, Salmonella, Brucella,*
   Yersinia, Corynebacterium ...
2. 바이러스 ; EBV, CMV, HIV, Hantavirus, Polyomavirus ...
3. 기타 ; TB, *Leptospira, Rickettsia, Mycoplasma, Histoplasma* ...

③ **자가면역질환 (10~20%)**
Tubulointerstitial nephritis-uveitis syndrome (TINU) (5~10%)
Sarcoidosis, Sjögren's syndrome, SLE, Granulomatous interstitial nephritis, IgG4-related dz,
Anti-tubular basement membrane (TBM) Ab dz.

④ **Acute obstructive disorders**
Light chain cast nephropathy (myeloma kidney) → 앞 장 참조
Acute phosphate nephropathy,
Acute urate nephropathy, Tubulointerstitia

c.f.) AG 계열 항생제는 주로 ATN을 일으키며, 세뇨관기능장애도 동반됨 → 4장 AKI 편 참조

3. 임상양상/진단

- 보통 복용 7~10일 뒤 발생하나(β-lactams), 1일(rifampin) ~ 6-12개월(NSAIDs)까지 다양함
- 신기능의 갑작스런 감소(sCr ↑), 수일~수주 만에 신부전(약 1/3은 투석 필요) 발생 가능
- 급성 신부전의 비특이적 증상(e.g., N/V, malaise) or 무증상이 흔함
- allergic Sx.의 동반 (triad) ; fever (27%), skin rash (15%), eosinophilia (23%)
  - 진단에 도움은 되지만, 안 나타나는 경우가 더 많음 (triad 모두는 약 10%에서만)
  - 특히 NSAIDs, PPIs, rifampin 등에서는 다른 약물에 비해 드묾

- 때때로 flank pain (∵ 신장의 팽창으로 인한 renal capsule의 distention 때문)
- HTN과 edema는 드묾, 약 45%에서 경미한 관절통 동반
- 소변양은 핍뇨(약 1/2) ~ 다뇨까지 다양함, FE_{Na}는 대개 >1%, gross hematuria는 드묾(5%)
- U/A ; proteinuria (보통 <1 g/day, NS는 <1%), hematuria 및 pyuria는 약 1/2 이상에서 동반, WBC casts는 흔하지만 RBC casts는 거의 없음, eosinophiluria (>1%)
- 영상검사는 진단에 별 도움 안됨
  - US : 신장 크기는 정상~증가, cortical echogenicity 증가
  - gallium scanning : bilateral uptake 증가 (∵ 염증세포 침윤)
- 조직검사 (확진) : 대개는 필요 없음, 예후가 나쁠 것으로 예상되거나 비전형적인 양상일 때 시행
  - 간질의 부종(interstitial edema) & 심한 염증세포 침윤 (lymphocytes, monocytes, plasma cells, neutrophils, eosinophils 등) ; T cells이 m/c (주로 CD4+ cell), 다음은 monocytes
  - tubulitis : 염증세포가 tubular basement membrane (TBM)을 침범한 것
  - patchy tubule cells necrosis

4. 치료/예후

- 유발 원인 제거 (m/i) : 원인이 되는 약물의 중단 → 대부분은 완전히 신기능을 회복함!
- 단기간의 steroid 치료 : 약물 중단 & 보존적 치료 1주일 이후에도 호전이 없을 때, 신기능 저하가 심하고 급격하여 투석이 필요할 때, biopsy-proven AIN 등에서 고려

절대 적응	상대적 적응
Sjögren's syndrome Sarcoidosis SLE에 의한 interstitial nephritis Tubulointerstitial nephritis with uveitis (TINU) – 성인 Idiopathic & other granulomatous interstitial nephritis	Drug-induced or idiopathic AIN에서 신부전이 급격히 진행 투석 치료가 필요할 때 회복이 느릴 때 신생검에서 AIN으로 확진시 TINU – 소아 회복이 느린 postinfectious AIN

- steroid에 반응이 없거나 사용할 수 없을 때 → MMF (mycophenolate mofetil)
- poor Px (신기능 회복 가능성↓) ; 장기간의(>3주) 신부전, NSAIDs에 의한 AIN, biopsy에서 interstitial granulomas, interstitial fibrosis, tubular atrophy 등의 소견

■ NSAIDs

- 주로 propionic acid 계통의 NSAIDs가 흔한 원인 (e.g., fenoprofen, ibuprofen, naproxen)
- 임상양상 ; NS + AKI가 서서히 나타남, 50세 이상에서 호발
- 혈중 NAG (N-acetyl-β-D-glucosaminase) 증가
- NSAIDs에 의한 **acute interstitial nephritis**의 특징
  ① 다양한 발현 시기 (복용 수주 ~ 6-12개월 ~18개월 뒤 발생)
  ② 신기능이 갑자기 감소 (대개 비핍뇨성 AKI)
  ③ 심한 단백뇨(>3.5 g/day) : 약 3/4에서 nephrotic syndrome 동반 (gross hematuria는 드묾)
  ④ 병리소견 : MCD와 비슷한 변화 (foot process fusion)
  ⑤ allergic Sx. (rash, fever, eosinophilia)은 드묾, edema는 흔함!

• 신장 부작용의 발생 위험이 증가되는 경우 ; 고령, 신장질환의 과거력, 기저 신질환, 체액량 감소 (e.g., 이뇨제의 병용, hypoalbuminemia), 간질환, 심부전, NSAIDs의 장기간 (2주~18개월) 복용
• 치료 : NSAIDs를 중단하면 대부분 호전됨(self-limited)
  - sodium retention (e.g., edema) → 염분 제한
  - hyperkalemia → K^+ 제한
  - AKI or metabolic acidosis → 단백 제한
  * acute interstitial nephritis는 약제를 중단해도 수개월에 거쳐 서서히 회복되며, 약 1/3은 CKD로 진행함 (steroid는 치료에 도움 안됨!)

NSAIDs에 의한 신장과 전해질 이상 (COX-2 inhibitors도 가능)

1. Renal failure (sCr ↑)
   (1) **Hemodynamic AKI** (reversible ischemia) ; **prerenal AKI (m/c)**, ATN (vasoconstriction)
   • 위험인자 ; 고령, 기저 신질환, sodium depletion, effective arterial blood volume 감소 (e.g., HF, LC), 동맥경화성 심질환, DM, HTN, diuretics 병용 등
   • 투약을 중단하면 대부분 24시간 이내에 완전히 회복됨
   • 보통 단백뇨와 혈뇨는 없음 / 단백뇨 심하면(>1 g/day) NSAID-induced glomerular lesion (minimal change disease or membranous nephropathy) 의심
   (2) **Acute interstitial nephritis** ; 평균 복용 6개월 뒤에 발생
   • 갑자기 신기능저하, hemodynamic AKI보다 심한 신부전도 발생 가능, 신장외 증상은 드묾
   • 대개 위험인자가 없어 예측 불가능, 일부는 영구적인 renal damage (→ CKD로 진행)도 가능
   (3) **Chronic interstitial nephritis (renal papillary necrosis)** ; 드묾, AKI or CKD로 발현 가능, 대개 severe dehydration & 고용량 NSAID 복용의 과거력

2. Nephrotic syndrome (proteinuria)
   (1) Minimal change disease (MCD) : 대부분 interstitial nephritis에 동반되어 발생
   (2) Membranous nephropathy (MN) … NSAID-induced MN의 진단기준
   ① 조직검사에서 MN으로 진단되었지만 다른 특별한 원인이 없음
   ② NSAIDs 중단 1~36주 이내에 단백뇨 호전
   ③ 장기간 F/U에서 단백뇨 재발 없음

3. Water retention, hyponatremia
   • 기전 ; renal PG의 vasopressin (AVP) activity 억제 작용↓ (→ free water excretion↓)
   → SIADH 처럼 AVP level이 높거나, hypovolemia 환자의 경우 hyponatremia 발생 가능 (but, clinically symptomatic hyponatremia는 드묾)
   • 노인에서는 thiazide-induced hyponatremia 발생 위험도 증가 가능

4. Sodium retention (edema)
   • 기전 ; Na^+ 재흡수 억제(← renal PG) 감소로 인한 Na^+ retention으로 인해 발생 가능
   • 평상시 renal PG의 Na^+ balance에의 영향은 미미하지만, hypovolemia 때는 중요한 역할을 함

5. Hyperkalemia, metabolic acidosis (type 4 RTA)
   • 기전 ; macula densa PG 억제 → renin 분비 억제 (→ angiotensin II ↓ → aldosterone ↓)
   • 위험인자 ; renal insufficiency, K^+-sparing diuretics 병용, sodium depletion, ACEi/ARB 병용, DM, HF, 고령 ...

■ Tubulointerstitial nephritis with uveitis (TINU)

• AIN의 5~10% 차지, 원인 모름, 남:여 = 1:3, 평균 15세에 발병
• lymphocyte-predominant interstitial nephritis
  + painful ant. uveitis (흔히 양측성, 시력 저하 및 photophobia 동반, 대개는 늦게 발생)
• 발열, 오심, 체중감소, 복통, 관절통 등의 전신증상 + eosinophilia, anemia, LFT ↑, sCr ↑, ESR ↑, sterile pyuria, mild proteinuria, Fanconi syndrome의 양상 ⇨ TINU 의심

- 진단 : 특별한 진단법 없음 ⇨ 다른 uveitis + renal dz. 원인을 R/O
  - sarcoidosis, Sjögren's syndrome, SLE, Wegener's granulomatosis, Behçet's syndrome 등 R/O
  - 자가면역질환의 markers는 음성이 흔하지만, 일부에서는 ANCA/ANA/RF (+), complement ↓
  - renal biopsy ; 보통의 TIN 소견, eosinophilia 및 noncaseating granulomas 흔함
- 소아는 self-limited
- 성인은 재발/반복이 흔함 → 면역억제제에 반응 좋음 (steroid, MTX, azathioprine, MMF 등)

■ Granulomatous interstitial nephritis

- 일부 AIN 환자는 만성/재발의 경과를 밟음 / 약물, 감염(e.g., TB), 자가면역질환 등이 흔한 원인
- renal biopsy ; granulomas와 multinucleated giant cells을 동반한 만성 염증 소견
- 일부는 sarcoidosis의 전신 증상 동반/합병 가능(e.g., hypercalcemia)

■ IgG4-related disease (IgG4-RD)

- IgG4(+) plasma cells의 여러 장기 침범에 의한 질환 ; TIN, autoimmune pancreatitis, sclerosing cholangitis, retroperitoneal fibrosis, chronic sclerosing sialadenitis (Sjögren's syndrome 비슷) 등
- serum IgG4 ↑, 약 30%에서 신장 침범,
- 진단은 침범된 장기의 biopsy [IgG4(+) lymphoplasmacytic infiltration, fibrosis], 치료는 steroid

■ 만성 세뇨관간질신장염 (Chronic tubulointerstitial nephritis[TIN])

- 세뇨관과 간질의 만성적 손상에 의한 비가역적인 섬유화성 변화, 여기서는 primary chronic TIN을 지칭함 [↔ 모든 신장 질환은 (2ndary) chronic TIN 단계를 거쳐서 ESRD로 진행함]
- acute TIN에 비해 서서히 진행하는 경과를 보이고, 원인이 훨씬 더 다양함

Chronic tubulointerstitial nephritis의 원인
1. Acute interstitial nephritis의 지속/진행
2. Nephrotoxins
Drugs : analgesics (phenacetin), cyclosporine, nitrosoureas
Endogenous : hypercalcemia, hyperuricemia, hyperoxaluria, prolonged hypokalemia, cystinosis, Fabry dz.
Heavy metals : lithium, lead, cisplatin, copper, mercury
Metabolic ; hyperuricemia, hypercalcemia ...
Radiation nephritis
3. Neoplasia or paraproteinemias ; multiple myeloma, Waldenström's macroglobulinemia, amyloidosis, cryoglobulinemia, leukemia/lymphoma
4. 면역질환 ; 신이식의 만성 거부반응, SLE, Sjögren's syndrome
5. 유전성 신질환 ; Polycstic kidney dz., medullary cystic dz., medullary sponge kidney
6. Chronic UTO, vesicoureteral reflux (VUR)
7. Chronic bacterial pyelonephritis or Renal tuberculosis
8. Secondary tubulointerstitial dz. (사구체 or 신혈관 질환) ; chronic GN 등
9. 기타 ; DM, CKD, Sickle cell hemoglobinopathies, Vascular diseases

- urinary tract obsruction (vesicoureteral reflux 포함)이 m/c 원인
- toxic nephropathy (e.g., 약물, 중금속)가 다음으로 흔함

- 조직소견 : nonspecific → 대개 임상적으로 진단함
  - 간질의 섬유화(interstitial fibrosis), 염증세포 침윤은 lymphocyte와 monocyte 만
  - 광범위한 세뇨관 손상 ; atrophy, luminal dilatation, 세뇨관 기저막 비후
- 특징
  ① 서서히 진행하는 CKD ; GFR 감소, 신장 크기 감소, anemia, renal osteodystrophy ...
  ② 신세뇨관 기능 장애 ; 요농축능 감소 (다뇨, 야간뇨), 염분 소실(salt wasting), hyperchloremic metabolic acidosis, hyperkalemia, distal RTA ...
  ③ U/A ; proteinuria (<1.5 g/day), tubular cast, epithelial cast, WBC cast, sterile pyruia

■ 진통제 콩팥병증(Analgesic nephropathy)

(1) 원인/병인

- 주로 phenacetin이 원인이었으나 (특히 aspirin, caffeine 등과 병용한 경우 호발) 1983년 퇴출된 이후 analgesic nephropathy는 크게 감소됨
  - 다른 진통제(e.g., AAP, aspirin, NSAIDs)와 nephropathy의 관련성은 불확실함 (근거 부족)
  - but, 진통제의 장기간 사용은 신기능감소(GFR↓)를 유발할 수는 있음
- papillary necrosis와 chronic interstitial nephritis가 핵심 병리기전임
- 유두괴사(papillary necrosis) → 진행되면 괴사된 유두조직의 석회화, 분리이탈(→ pyelography에서 "ring shadow") 가능
- 유두괴사 부위 피질(cortex)의 atrophy & scarring (→ indentation), 정상 cortex 부분은 hypertrophy → 신장이 작아지면서 울퉁불퉁해짐 ("wavy" renal outline)
  … classic analgesic nephropathy의 특징 (유두괴사 자체는 다른 원인에 의한 것과 구별 힘듦)
- 신부전으로 진행되면 유두괴사가 심해져 신배(calyx)도 불규칙한 모양으로 변형됨
- 과거 미국 ESRD의 2~10%의 원인 (호주는 약 20% 차지)

(2) 임상양상

- 중년 여성에 많다 (만성적인 두통, 관절염 등의 환자)
- 간헐적인 flank pain (∵ papillary necrosis)
- polyuria, nocturia, hematuria, sterile pyuria, mild proteinuria (<1 g/day)
- distal RTA → nephrocalcinosis 발생 가능
- HTN, uremia, UTI의 증상
- anemia (∵ GI bleeding, hemolysis) : 신기능감소 정도에 비해 anemia가 심함
- 이미 신실질에 병변이 있고, 약물을 계속 복용하면 몇 년 내에 ESRD 발생
- heavy analgesic user는 신장요로계의 transitional cell carcinoma 발생↑ (신기능과는 관련×)

(3) 진단

- pyelography (IVP, RGP) : papillary necrosis의 소견
- CT : 신장 크기감소 및 울퉁불퉁한 모양, papillary calcifications (화환 모양)
- papillary necrosis의 다른 원인들을 R/O하면 진단 가능 ; DM, urinary tract obstruction, infection, ischemia (e.g., shock, sickle cell dz.) 등

(4) 치료

- analgesics의 복용 중지 → 신기능의 안정화나 호전 가능
- 신기능 저하를 악화시킬 수 있는 UTI, urinary tract obstruction, HTN, 탈수 등은 즉시 치료

■ 납 콩팥병증(Lead nephropathy)

- 주로 proximal tubule에 lead 축적 → chronic interstitial nephritis ; atrophy, fibrosis, scarring
  - ↳ hyperuricemia 발생이 특징, 약 50%에서는 acute gouty arthritis 발생
- triad ; 원인을 모르는 CKD, HTN, gout
  - 신기능저하(sCr↑), proteinuria는 드묾, urine sediment는 대개 정상
  - HTN, cardiovascular risk↑도 동반 가능
- lead, δ-aminolevulinic acid, coproporphyrin, urobilinogen 등의 소변으로의 배설↑
- 진단 ; 혈중 lead level↑ (but, 체내 축적량이 많아도 정상일 수 있음),
  소변 lead >0.6 mg/day (→ over toxicity 시사),
  calcium EDTA 주입 뒤 lead excretion↑ 정량검사가 더 정확
- 치료
  ① lead 노출 중단
  ② chelating agent (e.g., calcium EDTA)

* 급성, 고농도 lead intoxication
  - 복통, 빈혈, 말초신경병, 뇌병증 등의 증상
  - Fanconi-type syndrome ; glucosuria, aminoaciduria, renal phosphate wasting 등

■ 방광요관역류(Vesicoureteral reflux, VUR)

- ureters 및 renal pelvis의 확장 → 신장 손상 (reflux의 양과 비례), UTI↑
- chronic tubulointerstitial dz., FSGS 비슷한 사구체 병변, 심한 단백뇨 등 발생
- 확진 : voiding cystourethrography (VCUG)

10
유전성/세뇨관 신질환

낭성신장병/주머니콩팥병 (Cystic kidney disease)

1. 상(보통)염색체 우성 다낭콩팥병/뭇주머니콩팥병 (Autosomal dominant polycystic kidney dz., ADPKD)

(1) 개요

• medulla ~ cortex에 골고루 multiple cysts 발생, 신장 크기가 매우 커짐
(신실질은 tubular atrophy, interstitial fibrosis, nephrosclerosis 등을 보임)

• AD 유전 (환자의 95%에서 가족력 존재, 발현 정도는 다양) / 일부는 spontaneous mutation

┌ ADPKD-1 : *PKD1* gene (→ polycystin-1[PC1]), 16p13 ; 80%, 일찍 발병, 빨리 진행, poor Px
└ ADPKD-2 : *PKD2* gene (→ polycystin-2[PC2]), 4q21 ; 20%, 늦게 발병, 진행 느림

- 결함 있는 polycystin 단백은 tubular epithelial cells의 분화/부착/신호전달에 이상 초래

• 유병률 1/400~1000 (m/c 유전성 신질환), ESRD의 3~10% 차지, 남:여=1.2~1.3:1

• 우리나라는 투석환자의 2~3%에서 발견됨

(2) 신장 임상양상

• 신낭종에 의한 증상은 대개 30~40대에 나타나기 시작

- **abdominal or flank pain** (m/c), palpable mass & tenderness
(mass effect → early satiety, GERD)
- **hematuria** (30~50%) : cyst 파열 or stone 때문, 특히 외상 이후에 호발
- mild proteinuria (<2 g/day, NS는 드묾!), polyuria/nocturia (요농축능 장애로)
- acute pain ; infection/clot/stone 등에 의한 UTO, cysts 파열/출혈 등에 의해 발생
(c.f., cyst infection : 소변 배양은 음성이 흔하고 혈액 배양만 양성인 경우가 많음)

• 서서히 신기능 감소 → ESRD (40세 이후에 발생, 70세면 60%에서)

* 조기 CKD 발생의 위험인자 ; HTN, 감염 반복, 흑인, 남성, 진단시 어린 연령,
심한 단백뇨/혈뇨, *PKD1* (polycystin-1) mutation

• HTN (소아 10~20%, 성인 60~90%, 평균 30세에 발생)

- cyst expansion에 의한 focal ischemia → RAAS activation 때문
- 보통 GFR이 크게 감소하기 전에 발생, ESRD로의 진행 가속화

• UTI (20~25%) ; cyst infection or PN, 특히 여성에서 흔함, G(-)균이 m/c

• renal stone (15~20%) : 주로 calcium oxalate와 uric acid stone

• 체액과다(fluid overload)는 드묾! (∵ renal salt wasting 경향 때문)
• 진행되어도 anemia는 드묾 (∵ EPO 분비 증가에 의한 erythrocytosis가 흔함)

(3) 신장외 임상양상/합병증

• hepatic cysts (m/c, 50~80%) : 대부분 무증상 & 간기능 정상, 남≒여, 여자가 더 빠르고 심함
  ↳ 드물게 심한 경우에는 통증, 감염, 출혈, 파열, IVC 압박에 의한 부종/복수, 급성 담도염 가능
• intracranial aneurysm (ICA[뇌동맥류], 5~20%) : 가장 심각한 합병증!, 일반인보다 4~5배 흔함
  - 파열되면 subarachnoid or cerebral hemorrhage 위험 → 사망 or 신경손상
    ; 일반적인 뇌출혈보다 예후 나쁨 (사망률 35~50%), 회복되어도 50%에서 후유증 남음
  - 출혈 고위험군 ; 파열(뇌출혈)의 과거력, ICA/뇌출혈의 가족력, 1 cm 이상의 aneurysm,
    심한 두통, 고위험 직업군(e.g., pilot), 항응고제 복용, 혈역학적 불안정 위험이 있는 수술
  - screening (brain MRA) ; 고위험군에서 권장 (∵ 대부분 작으므로 모두 할 필요는 없음!)
    ⇨ 증상이 없어도 7~10 mm 이상이면 치료(surgery, endovascular techniques)
• other cysts ; spleen, pancreas, lung, ovary, testis (seminal vesicle cysts), thyroid, uterus ...
• **심장판막 이상** (~40%) ; MVP (m/c, 25~30%), MR, AR, TR
• 기타 심장질환 ; LVH, coronary aneurysm/dissection, aortic root & annulus dilatation,
  aortic aneurysm/dissection, pericardial effusion ...
• **대장 게실** (ESRD에서 ~80%, perforation 위험 높음), abdominal wall & inguinal hernias
• renal cell ca. (매우 드묾) ; 고령의 남성에서 recurrent bleeding시 의심
  (c.f., 투석(ESRD) 관련 acquired renal cysts가 훨씬 RCC와 관련성 큼)

* 사망원인 ; 심장질환(36%), 감염(24%), 뇌신경질환(12%)

(4) 진단

① renal US (screening) : ADPKD의 가족력이 있고 cysts 개수가 진단기준에 맞으면 임상적 진단

Revised Unified Diagnostic Criteria (renal US)	
15~39세	한쪽 or 양쪽 합해서 cysts ≥3개
40~59세	양쪽 신장 각각 cysts ≥2개
≥60세	양쪽 신장 각각 cysts ≥4개

*ADPKD의 가족력이 없는 경우에는 신장 낭종 (양쪽 각각 cysts ≥10개) 및 다른 장기에도 ADPKD의 특징적 소견이 존재할 때 임상적으로 진단

② CT/MRI : 더 sensitive (작은 cyst 발견↑)
③ 유전자검사(linkage analysis[과거], mutation-based sequencing, targeted NGS) : 영상검사에서
  equivocal하거나, 확진이 필요할 때만 시행 (e.g., 영상검사 음성이며 신장 기증을 원할 때)
④ 다른 가족에 대해서도 screening test 시행

(5) 치료

• 신질환의 악화 지연 및 감염 방지가 주된 치료!
  ① 고혈압의 철저한 조절 ; 목표 <140/90 mmHg (office BP <130/80 mmHg)
    - 금기가 없고 GFR 60 이상이면 ACEi/ARB 투여 → cyst growth 속도↓, 심혈관 위험↓
    - ACEi/ARB를 사용하지 못할 때는 CCB, β-blocker, diuretics 등
    - 목표 혈압을 더 많이 낮추어도 그 만큼 효과가 더 증가하지는 않음
  ② 염분(sodium) 섭취 제한 ; <2 g/day (salt <5 g/day) → cyst growth 속도↓, 혈압↓

③ 충분한 수분 공급 ; >3 L/day (GFR <30 or hyponatremia 위험이 없으면)
→ urine osmolality↓, plasma vasopressin level↓

- cysts 감염 ⇨ cysts 내로 잘 투과되는 지용성 항생제로 4~6주 치료
; quinolones (ciprofloxacin이 m/g), vancomycin, TMP-SMX, chloramphenicol, clindamycin
(β-lactam or cepha. 계열은 권장 안됨)
- cysts에 의한 통증 ⇨ 진통제(심하면 마약성으로), 비약물요법(e.g., 냉찜질, 마사지, 침술, 경피 신경전기자극, biofeedback), cyst aspiration, surgical decompression 등
- ESRD ; 일반적인 CKD의 치료 (조기 적출은 시행 안함, 복막투석은 효율이 떨어질 수 있음)
  - 다른 원인에 의한 ESRD보다 투석에 의한 생존율 향상 효과 높음
  - 신이식이 가장 좋지만 가족 공여자는 거의 불가능, 이식 후에도 다른 부위는 합병증 발생 가능
- 신절제술(nephrectomy) ; massive cysts (>40 cm), 신장이식, 재발성 감염, 악성종양 의심 등 때 고려
- cyst growth 억제를 위한 치료법 ⇨ cyst 성장 속도가 빠른 고위험군에서 고려
; TKV (total kidney volume)↑, diffuse cysts 등 (∵ ESRD로의 진행↑)
① tolvaptan ; vasopressin V2 receptor (V_2R) antagonist
② tolvaptan보다는 효과가 불확실한 치료법들
  - somatostatin analogues (e.g., octreotide-LAR) ; cAMP↓ → 신장과 간 낭종 억제
  (but, 신기능 감소 지연 효과가 없고, 부작용이 많음)
  - mTOR inhibitor (e.g., rapamycin) ; 낭종은 억제하지만, 신기능 감소 지연 효과 無

Multiple symple cysts와 Early ADPKD의 비교

특징	Multiple Simple Cysts	ADPKD
가족력	No	60%
다른 가족에서 cyst 발견	No	90%
성비 (남:여)	1.6~1.8:1	1.2~1.3:1
신장 크기	정상	정상~증가
신장 침범	대개 unilateral (bilateral은 드묾)	대개 bilateral (초기엔 unilateral도 가능)
Cyst 분포	Cortical	Cortical & medullary
Cysts 내 출혈	드묾	흔함
Hepatic cysts	No	50~80%
Intracranial aneurysm	No	5~20%
Mitral valve prolapse	No	25~30%
Hypertension	드묾	60~90%
유전자 이상	No	>95%

2. 보통염색체 열성 다낭콩팥병 (ARPKD)

- AR 유전 (→ 부모는 모두 정상!), 염색체 6p21의 *PKHD1* gene mutation이 원인
**PKHD1* → fibrocystin (polyductin) 단백 ; 신장의 CD와 TALH, 간의 담관세포에 존재

• 유병률 : 약 1/20,000 (ADPKD보다 훨씬 드묾)
• 신생아기 ; 매우 거대해진 신장, pulmonary hypoplasia, 사망률 ~30%
• 생존한 경우 (늦게 발현된 경우) → 80% 이상이 15세 넘어 생존
  - 대부분 1세 이전에 양측성 복부 종괴로 발견됨, 소아 때 대부분 합병증 발생
  - 양측 신장을 침범, fusiform cystic dilatation, cysts는 대개 1~2 mm (→ 나이 들수록 커짐)
  - 고혈압(75%), 요로감염, 요농축능장애 등이 흔함
  - 서서히 신기능 저하 → 약 1/3은 ESRD로 진행 (15세까지 약 80%만 생존)
  - 약 1/2에서 congenital hepatic fibrosis 동반 ; 간비종대, portal HTN, esophageal varix
    (Caroli syndrome : congenital hepatic fibrosis, intrahepatic bile ducts dilatation)
• US ; bilateral large echogenic kidneys (cysts가 커지면 ADPKD와 감별 어려울 수 있음)
• 치료 ; 보존적 치료뿐(e.g., 호흡보조, RRT)

3. 결절경화증(tuberous sclerosis complex, TSC)

• AD 유전, *TSC1* (→ hamartin) or *TSC2* (→ tuberin) gene의 mutation, 유병률 약 1/10,000
• 전신의 양성종양(e.g., hamartoma) ; 피부(m/c, >90%), CNS, 심장, 신장, 폐, 간, 눈 등
  ① 피부 ; hypopigmented macules, angiofibromas, shagreen patches, fibrous plaques
  ② 뇌 ; glioneuronal hamartomas (cortical tubers), subependymal nodules, giant cell tumors ...
    → 대부분 seizures 발생, 약 1/2 이상은 인지기능 저하와 학습장애를 가짐, 자폐증도 흔함
  ③ 심장 ; rhabdomyoma가 특징적 (→ 1권 참조)
  ④ 신장 ; 양측성 angiomyolipoma^{AML} (70~90%), benign multiple cysts, lymphangiomas
    - Cx ; angiomyolipoma의 출혈에 의한 retroperitoneal hemorrhage, <u>RCC</u> (2~3%),
      CKD (minimal proteinuria, unremarkable urine sediment가 특징 → ESRD로 진행 가능)
    - 치료 ; 4 cm 이상의 angiomyolipoma는 수술/색전술, mTORi (sirolimus) 등
  ⑤ 폐 ; diffuse interstitial fibrosis (lymphangioleiomyomatosis)
  ⑥ 눈 (시력은 대개 정상) ; retinal hamartoma, retinal achromic patches, 눈꺼풀의 angiofibroma

* *TSC2/PKD1* contiguous gene syndrome ; *TSC2*와 인접한 ADPKD의 *PKD1* gene이 같이 deletion
  → TSC (e.g., angiomyolipoma) + ADPKD의 임상양상, 조기에 발병 & CKD로 진행

4. Von Hippel-Lindau disease (VHL)

• AD 유전, *VHL* tumor suppressor gene의 mutation, 유병률 1/36,000~46,000
• retina와 CNS의 hemangioblastoma 발생
• pheochromocytoma, RCC (clear cell type) 등 여러 암이 병발 (60세면 약 75%에서 RCC 발생)
• 신장, 췌장, 부고환 등에 흔히 cysts를 동반

5. AD tubulointerstitial kidney dz.^{ADTKD} (과거 medullary cystic kidney dz.^{MCKD})

• AD 유전, 매우 드묾, medullary cysts는 일부에서만 발생되어 ADTKD로 이름이 바뀌었음
• 원인 gene mutations ; *UMOD* (m/c, uromodulin kidney dz.^{UKD}), *REN* (가장 드묾), *MUC1*
• 10대에 신부전이 시작되어 서서히 진행 → 80%는 25~70세에 (평균 54세) ESRD에 도달

- hyperuricemia & gout ; *UMOD*와 *REN*은 조기에 발생, *MUC1*은 늦게 발생
- CKD와 gout의 가족력이 있으면 의심 / 혈뇨와 단백뇨 없고, 요침사도 정상이 특징
- 치료 ; CKD와 gout에 대한 치료(xanthine oxidase inhibitors ; allopurinol, febuxostat)

6. 속질해면콩팥(medullary sponge kidney, MSK)

- sporadic (대부분) or AD 유전, papillary collecting ducts의 확장 및 hypercalciuria가 특징
- 대부분 무증상, 약 10%에서 10~30세에 신결석(renal colic), 혈뇨, UTI 등이 반복되는 합병증 발생 (신결석 환자의 약 20%에서 medullary sponge kidney 발견됨)
- 약 50%에서 신석회화가 관찰됨 (다른 장기는 침범하지 않음)
- 진단 (IVP, 요즘엔 CT urography) ; 확장된 collecting ducts에 조영제가 채워진 꽃다발 모양 ("papillary blush"), medullary nephrocalcinosis … 검사 중 우연히 발견되는 경우도 많음
- 예후 매우 좋고, 대부분 신기능은 정상 유지 (드물게 신결석의 후유증으로 CKD 발생 가능)

7. 단순 콩팥낭종/신낭종(simple renal cyst)

- 신장의 m/c cystic disease, 매우 흔함
- 연령이 증가함에 따라 호발 (40대에 약 5%, 60대면 15% 이상에서 발견됨), 남:여 = 2:1
- 초음파 소견 ; 직경 보통 0.5~1 cm, 경계가 분명한 구형~난원형의 무에코 병변, 후방음영 증가, 벽은 매우 얇음, 대부분은 solitary (일부 multiple, bilateral)
- 대부분 무증상 (드물게 rupture/hemorrhage, hematuria, pain, infection 합병), 신기능 정상
- 치료 : 증상/합병증 없으면 필요 없음! (경과관찰: 초음파 F/U)
  - 증상이 있고 중간 크기(150~500 mL)면 percutaneous aspiration + sclerosis (e.g., alcohol) : percutaneous aspiration만 시행하면 대부분 재발, 경화요법을 시행해도 1/3 이상은 재발
  - 500 mL (직경 약 10 cm) 이상이거나 재발시에는 laparoscopic unroofing/marsupialization
  - 심한 합병증이 동반되거나 악성이 의심될 때에만 수술적 절제
  - infected cyst ⇨ 항생제 (치료 어려움), percutaneous or surgical drainage

Bosniak renal cyst classification system

Class	특징	악성화	조치
I	단순 양성 낭종, 무에코, 타원형 모양의 얇고 부드러운 벽	<1%	–
II	<3 cm, 일부 비정상적인 낭성 병변 함유 ; 얇은 격벽(septa), 미세 석회화	<3%	–
IIF	≥3 cm, 이상 소견이 증가된 낭성 병변 ; 두꺼운 격벽, 두꺼운/결절성 석회화	5~10%	F/U 영상검사
III	불균일한 두꺼운 벽, 많이 두꺼운 격벽, 결절성/큰/불규칙한 석회화	40~60%	수술 (수술 위험군 <2 cm은 F/U 가능)
IV	크고 불규칙한 경계, 큰 결절, 고형(solid) 종괴, 연조직 부분의 조영증강	>80%	수술

8. Acquired renal cystic dz.

- 원래 다낭신이 없던 CKD 환자에서 양측 신장에 multiple (4개 이상) cysts가 발생한 것
- CKD 환자의 7%, 투석 환자의 22%에서 발생, 투석 4년 후에는 60~80%에서, 9년 후에는 90% 이상에서 발생 → 투석 기간에 비례하여 발생 증가
- 대부분 무증상
- 합병증 ; 낭종 출혈 (→ 혈뇨, 통증), 낭종 감염, RCC (m/i, 발생률 약 0.9%/yr)
- RCC 발생의 위험인자 ; ESRD의 유병기간 (장기간의 투석), 남성, large cysts, 새로운 증상 발생
  → US로 screening → cysts 발견되면 1년 마다 CT/MRI로 F/U

9. 콩팥황폐증(Nephronophthisis, NPHP)

- 여러 유전자 이상에 의한 chronic TIN로 대개 20세 이전에 ESRD로 진행함, AR 유전
- ESRD 평균 발생 연령에 따른 분류 ; infantile (1세), juvenile (13세), adolescent (19세)
- 대부분 증상은 1세 이후에 발생 : 세뇨관 기능 장애 ⇨ 요 농축 & 산성화 장애
  ; polyuria, polydipsia, acidosis, salt wasting, anemia, 성장지연 (대개 HTN은 없음)
- juvenile NPHP 환자의 15%에서는 신장 외 증상 발생 ; retinitis pigmentosa (m/c) 등
- 진단(US) ; juvenile NPHP - small hyperechoic kidney / infantile NPHP - cysts & large kidney
- 치료 ; 특별한 치료법 없음 (e.g., salt & water 보충 등) / CKD로 진행되면 투석, 신이식 (재발×)

Renal cystic disease의 임상양상

	Simple renal cyst	Acquired renal cystic disease	AD polysyctic kidney dz. (ADPKD)	Medullary sponge kidney (MSK)	AD tubulo-interstitial kidney dz. (ADTKD)
유병률	흔함	투석환자에서 호발	1:1000	1:5000	드묾
유전	-	-	AD	- (드물게 AD)	AD
증상 발생 연령	…	…	30~40	10~30	10~50
신장 크기	정상	감소	증가	정상	감소
낭종의 위치	Cortex & medulla	Cortex & medulla	Cortex & medulla	Collecting ducts	Corticomedullary junction (드묾)
혈뇨	가끔	가끔	흔함	드묾	드묾
고혈압	-	±	흔함	-	-
합병증	-	RCC	UTI, 신결석, 뇌동맥류(5~20%), 간낭종(50~80%)	약 10%에서 신결석, UTI	Hyperuricemia & gout
신부전(CKD)	-	항상	흔함	-	항상

유전성 세뇨관 장애

1. Bartter's syndrome

(1) 원인

• thick ascending limb of Henle's loop (TALH)의 ion transport proteins mutation

	변이 유전자	이상 단백
Type 1	*SLC12A1*	Apical loop diuretics-sensitive Na-K-2Cl co-transporter (**NKCC2**)
Type 2	*KCNJ1*	Apical ATP-regulated K^+ channel (**ROMK**)
Type 3	*CLCNKB*	Basolateral Cl^- channel (CLC-Kb)
Type 4	*BSND*	Barttin : CLC-Ka와 CLC-Kb의 필수 subunit, Cl^- channels을 세포표면으로 이동
Type 5	*CASR*	Extracellular calcium ion-sensing receptor (CaSR)

• AR 유전 (type 5만 AD 유전), 드묾($1/10^6$)

(2) 병태생리

① thick ascending limb of Henle's loop (TALH)의 Na^+, Cl^- 재흡수 장애
→ volume depletion → renin-angiotensin-aldosterone system (RAS) 활성화
(secondary hyperaldosteronism)

② aldosterone↑ & NaCl과 water의 distal delivery 증가 → collecting tubules에서 Na^+ 재흡수↑
(ENaC를 통해) → K^+ & H^+ 배설 촉진 → "hypokalemic metabolic alkalosis"

③ hypovolemia, hypokalemia → PGI_2, PGE_2 생산↑ → renin, aldosterone↑

④ angiotensin Ⅱ와 aldosterone의 증가 → renal kallikrein↑ → 혈중 bradykinin↑

⑤ 혈압은 정상~감소
- PGE_2와 bradykinin의 vasodepressor 작용 + angiotensin Ⅱ 상승
- angiotensin Ⅱ에 대한 혈압의 반응성 감소

(3) 임상양상

• 대부분(classic Bartter's syndrome) 2~5세에 증상이 나타나며, 성장장애를 가져올 수 있음
• 특징 ; **hypokalemic metabolic alkalosis**, hypercalciuria, 혈압 N~↓, edema (-)
- weakness & cramps (∵ hypokalemia)
- polyuria/nocturia, polydipsia, 요농축능↓ (∵ hypokalemia-induced nephrogenic DI)
- nephrocalcinosis/renal stone (∵ hypercalciuria) : antenatal form 보다는 드묾
→ chronic TID → CKD로 진행 가능 (but, 투석이나 신이식이 필요한 경우는 드묾)
- 드물게 hypomagnesemia도 나타날 수 있지만 심하지는 않음

• aldosterone↑, PRA↑, urinary chloride >20 mEq/L
• type 3는 Bartter's와 Gitelman's의 혼합 표현 양상을 보임 (∵ TAL와 DCT의 CIC-kb 변이)
• type 4는 sensorineural deafness도 동반 (∵ 내이에도 barttin 단백 존재)
• type 5는 hypocalcemia도 동반

* D/Dx (실제 Bartter's syndrome은 매우 드묾) ; 만성 구토 (urine Cl^-↓), 이뇨제 남용, Mg deficiency

(4) 치료

┌ 근본적인 치료법은 없고, 대증치료 뿐 (hypokalemia의 교정이 m/i)
└ classic Bartter's syndrome은 조기에 발견하여 적절히 치료하면 예후는 좋은 편임

① 평생 K^+ 보충 (필요시 Mg^{2+}도), NaCl 및 K^+의 섭취는 자유롭게

② potassium-sparing diuretics (e.g., spironolactone, amiloride, triamterene)

③ PG 합성억제제 : NSAIDs (indomethacin), COX-2 inhibitors (cerecoxib, rofecoxib)
; PGE_2⬆ 환자에서 renin level을 낮추고 angiotensin Ⅱ에 대한 반응성을 회복하는데 효과적!
(특히 antenatal Bartter's syndrome에 유용), potassium wasting을 감소시키지는 못함

④ ACEi : 일부에서 효과적

	Bartter syndrome (드묾)	Gitelman syndrome (훨씬 흔함)
결함 부위	Thick ascending limb of Henle (TALH)	Distal convoluted tubule (DCT)
Molecular defect	Furosemide (loop diuretics)-sensitive Na-K-2Cl co-transporter (NKCC2) Apical ATP-regulated K^+ channel Basolateral Cl^- channel 등	Thiazide-sensitive Na-Cl co-transporter (NCC)
유전 양상	AR	AR
Serum K^+	↓↓↓	↓~↓↓
Serum Mg	N~↓	↓↓
Urine Calcium	↑	↓
Urine PGE_2	↑↑	N
요농축능	↓	N
혈압	↓(~N)	N
비슷한 효과	Furosemide	Thiazide
발병 연령	소아 초기	청소년, 성인
증상	Polyuria, polydipsia, failure to thrive	무증상 or tetany
조직소견	Juxtaglomerular apparatus의 증식	Minimal
NSAIDs에 반응	O	△

2. Gitelman's syndrome

• 과거에는 Bartter's syndrome의 한 변형으로 여겨졌었음, Bartter's보다 훨씬 흔함(1/4,000~40,000)
(두 질환을 함께 Bartter-like syndrome으로 분류하기도 함)

• distal convoluted tubule (DCT)의 thiazide-sensitive Na-Cl co-transporter (NCC)의 결함
(*SLC12A3* gene mutation, AR 유전)
- Na^+, Cl^- 재흡수 감소 → volume depletion & hypokalemia → RAS activation
- Ca^{2+} 재흡수 증가 → hypocalciuria

• 임상양상 ; **hypokalemic metabolic alkalosis**, salt wasting, 혈압 정상
- severe hypomagnesemia (∵ renal Mg wasting), hypocalcemia, hypocalciuria, 요농축능은 정상
→ Bartter's syndrome과의 차이

- muscle weakness/cramping, carpopedal spasm, tetany
- Bartter's syndrome보다 경미하고 늦게 발병하며, 장기 예후도 좋음

• 치료 ; Mg^{2+} & K^+ 보충, potassium-sparing diuretics, ACEi 등
  (NSAIDs : PG leve은 정상이므로 대부분 효과 없지만, 일부에서는 효과가 있을 수 있음)

3. Liddle's syndrome (Pseudohyperaldosteronism)

• distal tubule 및 collecting duct의 epithelial (amiloride-sensitive) Na^+ channel (ENaC)의 β or γ subunits의 결함 (AD 유전, *SCNN1B, SCNN1G* mutations) → ENaC 활성 과다 → aldosterone의 작용이 없는데도 불구하고, 과도한 Na^+ 재흡수 및 K^+, H^+ loss 발생

• hyperaldosteronism의 임상양상을 보임 (but, renin & aldosterone은 감소되어 있음)
  - early & severe HTN → Bartter's syndrome 등과의 차이
  - hypokalemic metabolic alkalosis (일부에서는 hypokalemia 없이 HTN만으로 나타날 수 있음)

• 치료 ; amiloride or triamterene (ENaC를 block) + low sodium diet
  (but, 다른 이뇨제 및 spironolactone은 효과 없음)

4. Pseudohypoaldosteronism type I

• aldosterone에 반응을 보이지 않는 세뇨관의 장애로 주로 신생아/영아기때 발병

• aldosterone deficiency의 임상양상을 보임 (but, renin & aldosterone은 증가되어 있음)
  ; severe salt wasting (hyponatremia), hyperkalemia, 혈압 정상

5. Pseudohypoaldosteronism type 2 (Gordon's syndrome)

• familial hyperkalemic HTN (FHHt), AD 유전, *WNK1* or *WNK4* mutation

• Gitelman's syndrome과 정반대의 임상양상 (청소년 or 성인초기에 발병), 신장기능(GFR)은 정상
  ; low-renin HTN, hyperkalemia, slight hyperchloremic metabolic acidosis

• 치료 ; thiazide (specific NCC inhibitor) → 모든 임상양상 호전됨

6. Fanconi syndrome

선천적 원인 (→ 앞부분 표 참조)	후천적 원인
Cystinosis Wilson's dz. Galactosemia Tyrosinemia Hereditary fructose intolerance Lowe's oculocerebral syndrome	Dysproteinemia ; multiple myeloma, amyloidosis, light-chain proteinuria, Sjögren syndorme Heavy metal toxicity ; lead, cadmium Drugs ; cisplatin, ifosfamide, gentamicin, azathioprine, valproic acid, streptozocin, ranitidine ... 기타 ; NS, 신이식, mesenchymal tumors

• **generalized proximal tubular dysfunction으로 인한 임상양상**
  - generalized aminoaciduria : 거의 모든 AA가 빠져나가지만 경미해서 특별한 증상은 없음
  - glucosuria : 경미해서 대부분 정상 혈당을 보이고, 체중도 정상임
  - hypophosphatemia : (특히 PTH↑ 및 vitamin D↓도 동반되면) 심한 metabolic bone dz. 발생
    (pain, fractures, rickets/osteomalacia, 성장장애 등)

- type 2 (proximal) RTA : bicarbonate 재흡수 장애 때문 → metabolic acidosis에 의한 증상
- natriuresis, kaliuresis (hypokalemia), hypouricemia, low-MW proteinuria ...
- urinary solute loss ↑↑ → osmotic diuresis → polyuria, polydipsia, dehydration

• 치료 : 기저질환의 치료가 우선
  ① bone lesions → phosphate 보충, vitamin D (calcitriol)
  ② acidosis → alkali 보충 (RTA & hypokalemia 시는 K^+를 함유한 alkali로)
  ③ salt & water 섭취는 자유롭게

• aminoaciduria, glucosuria, hypouricemia, low-MW proteinuria는 치료 필요 없음

신세뇨관 산증/콩팥요세관 산증 (Renal tubular acidosis, RTA)

* renal tubules에서 HCO_3^- 재흡수 or acid 배설이 감소되어 acidosis가 발생하는 여러 질환군
  - 혈중 HCO_3^-가 감소된 만큼 신장에서 Cl^-의 재흡수가 증가되어
    hyperchloremic metabolic acidosis 발생 (normal anion gap)
  - sulfate와 phosphate 같은 titratable acids의 배설은 정상

1. type 1 (hypokalemic distal) RTA : dRTA, classic RTA

(1) 병인

• distal tubule의 "urine acidification" (acid excretion) 장애
  ┌ H^+ pump 장애 (urine으로의 H^+ 분비↓)
  └ H^+의 back diffusion (permeability defect)

• urine pH >5.5 (type 2 RTA보다 acidosis 더 심함)

• urine AG (+) or 0

Urine AG = ($[Na^+]$ + $[K^+]$) − $[Cl^-]$

[정상] distal tubule ; urine acidification 부위
→ 엄청난 H+ 농도차 형성
(blood : urine = 1 : 1000 까지도)

(2) 원인

① primary ; idiopathic, familial (AD, AR-심한증상), sporadic
② secondary (더 흔함)

1. 세뇨관 간질성 신질환 ; 신이식, chronic PN, UTO
2. 유전질환 ; Marfan syndrome, Wilson's dz., Ehlers-Danlos syndrome, medullary cystic dz., osteopetrosis
3. 신석회화 관련 질환 ; hyperoxaluria, hypercalciuria, hyperthryoidism, primary hyperparathyroidism, vitamin D intoxication, milk-alkali syndrome, medullary sponge kidney
4. 자가면역질환 ; 만성 간염, PBC, Sjögren's syndrome, SLE, autoimmune thyroiditis, pul. fibrosis, vasculitis
5. Hypergammaglobulinemia ; MM, amyloidosis, cryoglobulinemia
6. Drug/toxins ; amphotericin B, ifosfamide, cisplatin, AG, analgesics, lithium, toluene
7. 기타 ; LC, AIDS

(3) 임상양상

- metabolic acidosis 훨씬 심하다 (hyperchloremic hypokalemic MA)
- K^+ wating, 요농축 장애 → <u>hypokalemia</u>, polyuria
- 만성적인 acidosis → calcium 재흡수↓ → hypercalciuria, mild 2ndary hyperparathyroidism
- acidosis & hypokalemia → proximal tubule에서 citrate 재흡수 증가 → urine citrate↓
- hyperrcalciuria, urine pH↑, citrate↓ → <u>신결석</u>(calcium phosphate stone)↑
- chronic acidosis에 의한 bone loss 및 $1,25(OH)_2D_3$ 생산 장애
  → renal rickets나 osteomalacia 발생 가능
- 성장지연이 흔하며 alkali 치료하면 호전됨
- 다른 질환이 합병되면 생명을 위협하는 심각한 acidosis & hypokalemia도 발생 가능

* oral NH_4Cl loading (acute acid challenge) test : 요 산성하능 평가 검사
  ① 정상 & type 2 RTA : 간에서 NH_3 + HCl 로 대사되어 serum $[H^+]$↑
  → 4~8시간후 urine pH 5.5 이하로 감소
  ② <u>type 1 RTA</u> : 반응 없음 (urine pH >5.5), low blood pH, $[HCO_3^-]$ <22 mmol/L

(4) 치료

- hypokalemia가 심하면 K^+ 먼저 보충해야 됨 ; <u>potassium citrate</u>[구연산칼륨]
  (∵ alkali 투여시 소변으로 K^+ 분비 증가로 hypokalemia 악화 위험)
- alkali 보충 ; sodium bicarbonate보다는 <u>sodium citrate</u>[구연산나트륨]가 선호됨 (oral)
  e.g.) Shohl's solution (Na citrate, citrate), Polycitra solution (K citrate, Na citrate, citrate)
  - 소아 ; 성장지연/골질환 방지를 위해 bicarbonate 1~3 mmol/kg/day에 해당하는 alkali 투여
  - 신결석을 동반한 성인 ; 충분한 수분 섭취와 acidosis 교정할 양 만큼의 충분한 alkali 투여
- 대개 장기간 sodium citrate and/or potassium citrate (hypokalemia의 심한 정도에 따라)로 치료

2. type 2 (proximal) RTA : pRTA

(1) 병인

- proximal tubule의 HCO_3^- 재흡수 장애 (감소)
  → distal tubule로 가는 HCO_3^- 양 증가 (재흡수 능력 초과)
  → urine으로 HCO_3^- 소실 증가 (<u>bicarbonaturia</u>)
  (혈중 HCO_3^- 20 mEq/L 이상일 때 HCO_3^- fractional excretion 15% 이상으로 증가 ↔ distal RTA는 10% 미만)
  → 혈중 HCO_3^- 감소 (metabolic acidosis) → filtered HCO_3^-의 감소
  (혈중 HCO_3^- 15~17 mEq/L로 감소되면 distal tubule의 재흡수 능력만으로 urine acidification 가능: 새로운 평형)
  → bicarbonaturia 소실 & <u>urine pH</u> 정상과 비슷하게 감소(<u><5.5</u>)
- <u>urine AG : (+)</u>
- self-limited 양상 (혈중 HCO_3^-는 14~20 mEq/L로 낮은 상태에서 평형을 유지)

[정상] filtered HCO_3^-의 재흡수
- proximal tubule에서 약 90%
- distal tubule에서 약 10%

(2) 원인 … Fanconi syndrome과 비슷

① primary ; familial or sporadic
② secondary (더 흔함)

1. 유전질환 ; cystinosis, galactosemia, Wilson's dz., hereditary fructose intolerance, tyrosinemia, glycogen storage dz. type 1, Lowe syndrome
2. Dysproteinemia ; multiple myeloma, amyloidosis, light chain dz., cryoglobulinemia, MGUS
3. Drug/toxins ; acetazolamide, topiramate, ifosfamide, tenofovir, tacrolimus, AG, outdated TC, streptokinase, topiramate, lead, cadnium, mercury ...
4. 간질성 신질환 ; Sjögren syndrome, medullary cystic dz., 신이식 거부반응
5. 기타 ; PNH, malignancy, NS, chronic RVT, vitamin D deficiency or resistance

* Carbonic anhydrase (CA)↓ ; osteopetrosis, acetazolamide, CA II deficiency
(→ Fanconi syndrome 동반 없이 순수한 pRTA만 발생)

(3) 임상양상

- 대부분 "Fanconi syndrome" 양상을 동반한 전반적인 proximal tubule dysfunction 양상으로 발현
- metabolic acidosis는 type 1 RTA에 비해 덜 심하다
- acidosis와 관련되어 성장지연, 식욕부진, 영양결핍, 체액결핍 등 발생 가능
- potassium wasting 및 hypokalemia도 나타날 수 있음
- glycosuria, aminoaciduria, phosphaturia
- hypophosphatemia, calcitriol ($1,25(OH)_2D$)↓ → rickets/osteomalacia 흔함
- hypercalciuria가 어느 정도 있으나 renal stone 형성은 드물다
  (∵ urine citrate는 낮지 않으므로 → Ca^{2+}과 결합)

* oral NH_4Cl loading test에 반응 : urine pH 5.5 이하로 감소
* alkali (HCO_3^- IV) loading test에 비정상 반응 : 다른 type의 RTA와 달리
요중 HCO_3^- 배설이 크게 증가됨 (∵ HCO_3^- 재흡수 감소)
→ 혈중 HCO_3^- level이 정상이면서 FE_{HCO_3} 15% 이상이면 확진 가능

(4) 치료

- 기전 질환이나 원인 약물/독소의 제거가 우선
- acidosis가 심한 경우 (serum HCO_3^- <18 mmol/L) alkali 투여
  - proximal RTA보다 훨씬 많은 양이 필요함 (10~15 mmol/kg/day), 그래도 pH 정상화 힘듦
    (∵ HCO_3^- 재흡수 장애로 인한 지속적인 bicarbonaturia로 소실)
  - bicarbonate는 hypokalemia를 악화시킬 수 있으므로 potassium citrate가 선호됨
  - thiazide diuretics + low salt diet → alkali 요구량 감소
- K^+도 함께 보충 필요 (∵ alkali 치료 중 bicarbonaturia로 인해서 K^+ loss↑)
- 대사성 골질환이 합병된 경우 vitamin D 보충도 필요
- 소아의 경우는 성장지연 등을 방지하기 위해 더욱 강력히 치료 (→ serum HCO_3^- 정상화)

3. type 4 RTA : hyperkalemic distal RTA (m/c)

(1) 병인

- aldosterone 결핍/반응저하(resistance)로 H^+ 및 K^+의 배설 감소 : distal tube & collecting duct
  → normal anion gap의 metabolic acidosis 발생, urinary AG (+)
  (RTA중 유일하게 hyperkalemic hyperchloremic acidosis)
- 대부분 hyperkalemia가 문제가 되며, acidosis는 그렇게 심하지 않다
- hyperkalemia → proximal tubule에서 ammonia 생산↓

(c.f., proximal tubule에서 ammonia 생산 감소 원인 ; 신부전, hyperkalemia)
- ammonia 부족으로 distal tubule 내의 H^+를 buffer 못함 → acidic urine (urine pH <5.5)

(2) 원인

1. **Hyporeninemic hypoaldosteronism** (대부분)
   Diabetic nephropathy (m/c)
   Drugs ; NSAIDs, β-blocker, cyclosporine, tacrolimus ...
   기타 ; HTN에 의한 nephrosclerosis, AIDS, 신장이식
2. **Adrenal disorders** (renin 정상~↑)
   Isolated
   Generalized ; bilateral adrenalectomy, enzyme defects
   (e.g., 21-hydroxylase deficiency)
3. **Aldosterone-resistance**
   Pseudohypoaldosteronism
   Chronic TID ; obstructive uropathy, sickle cell dz., 신장이식 ...
   K^+-sparing diuretics ; spironolactone, amiloride, triamterene
   기타 drugs ; lithium, trimethoprim, pentamidine
4. **Angiotensin-converting enzyme inhibition**
   ACEi, ARB, renin inhibitor, heparin, ketoconazole

(3) 치료

- hyperkalemia의 교정이 1차 치료 목표 (acidosis는 hyperkalemia에 의한 ammonia 생산 감소가 해결되면 대개 호전됨) ; low K^+ diet 등
- aldosterone의 분비/작용을 저해하는 약물의 중단 (e.g., ACEi, β-blocker, NSAIDs), but, CKD 환자는 심혈관계 및 신장보호 효과 때문에 ACEi/ARB는 사용함
- HTN or volume overload (특히 CKD 환자) → thiazide or loop diuretics
  (distal Na^+ delivery ↑ → collecting duct에서 K^+, H^+ secretion ↑)
- mineralocorticoid (9α-fluorocortisone) : 혈압 정상이고 fluid overload 없는 aldosterone deficiency시 도움
- cation exchange resin : 장기간 사용은 부적절
- acidosis가 심한 경우 alkali 투여 (1~3 mmol/kg/day) … 대개는 필요 없음

* type 3 RTA : 소아에서 type 1 + 2 RTA의 임상양상을 보이나 자연 회복됨
(→ 특정한 신장 이상이 아니라 high salt intake 등과 관련된 일시적인 현상으로 추정됨)

Normal AG Acidoses의 진단/비교 ★

	Type 1 RTA (distal)	Type 2 RTA (proximal)	Type 4 RTA (hyperkalemic)	GI HCO_3^- Loss
주요장애	Distal H^+ secretion ↓	Proximal HCO_3^- reabsorption ↓	Hypoaldosteronism (→ hyperkalemia → ammonia ↓)	Non-renal alkali loss
Minimum urine pH (acidosis 때의 urine pH)	$\underline{\geq 5.5}$	<5.5	<5.5	5~6
Fractional HCO_3^- excretion*	<10%	>15%	<10%	<10%
Urine AG**	+	+	+	−
Plasma HCO_3^- (mmol/L)	10~20	14~20	16~22	
Serum K^+ (치료전)	↓	↓	⬆	↓
Serum K^+ (치료후)	N	↓	N	
Daily acid excretion	↓	N	↓	↑
진단적 검사	NH_4Cl load	Maximum capacity for HCO_3^-	Renin, Aldosterone, urine K^+	
일일 bicarbonate 투여량	1~2 mmol/kg	10~15 mmol/kg	<4 mmol/kg	다양
K^+ 보충 필요	○	○	×	○
Long-term Cx	Renal stone, Renal insufficiency	Osteomalacia (Ph ↓), Growth retardation		
동반질환	Autoimmune	Fanconi syndrome	DM 등의 CKD	설사, 구토

* fractional excretion of HCO_3^- $(FE_{HCO_3}) = \dfrac{U_{HCO_3} \times P_{Cr}}{P_{HCO_3} \times U_{Cr}}$ (×100, %)

** urine AG = $([Na^+] + [K^+]) - [Cl^-]$

c.f.) serum AG = $[Na^+] - ([HCO_3^-] + [Cl^-])$, 참고치 3~10 mEq/L

11
신혈관 질환

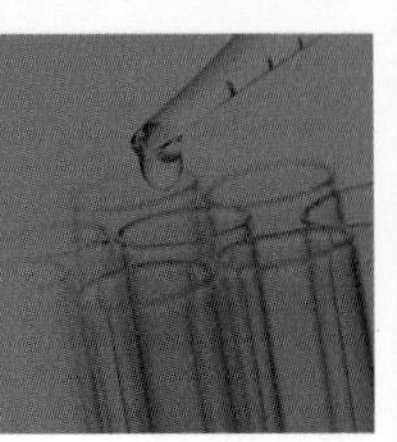

허혈성 신질환 (Ischemic nephropathy)

* 50세 이상 ESRD 원인의 15~20% 차지

1. 신동맥의 thromboembolic occlusion

(1) 원인

1. Intrinsic (local) renal artery의 thrombosis
   Progressive atherosclerosis
   Trauma, angiography/angioplasty
   Aneurysm/dissection
   염증 ; vasculitis, thromboangiitis obliterans, syphilis
   Hypercoagulable state (드묾)

2. Thromboembolism (더 흔함) : 15~30%에서 bilateral
   Fat emboli (e.g., large bone fracture)
   Mural thrombi ; MI, subacute bacterial endocarditis, aseptic vegetation
   AF, MS, atrial myxoma, prosthetic valve
   Paradoxical emboli (patent foramen ovale or ASD를 통과한 우측의 emboli)

(2) 임상양상

- 폐쇄의 정도 및 발병 시간에 따라 다양
- acute thromboembolism & infarction (e.g., embolization) … 드묾(0.5~1.5%)
  - 갑자기 flank pain & tenderness, fever, N/V 발생
  - 신기능의 급격한 감소 (AKI), hematuria, leukocytosis
  - 신장 효소↑ ; AST, LD, ALP 순서로 상승 & 감소 (urinary LD 및 ALP도 상승 가능)
  - renal infarction 환자의 90%는 심장질환을 갖고 있음 (AF와 동반된 LA thrombus가 m/c)
- 서서히 진행하는 경우 (e.g., atherosclerosis)
  - 한쪽 신동맥만 침범된 경우는 대개 무증상
  - 특별한 증상이 없어도 동맥경화증이 있는 노인 환자에서 신기능의 감소가 있는 경우 허혈성 신질환을 의심해보아야 함
- HTN : 대개 renal infarction 후 발생 (∵ 갑자기 renin 분비↑)
  → 보통 일과성이며, 일부에서 장기간 지속 가능

(3) 진단

- flank pain에 대해서는 우선 non-contrast spiral CT 시행 (∵ 훨씬 흔한 stones R/O)
- CE spiral CT (m/g), MRA, renal scan, Doppler US, IVP ...
- renal arteriography (확진 가능하지만 invasive)
- embolic renal artery occlusion의 경우는 반드시 심초음파 등으로 심장 thrombus를 확인해야 됨

(4) 치료

- 기저질환을 찾아 예방/치료
- 내과적 치료 ; 항응고제(주치료), 혈전용해제, HTN 조절(ACEi) → unilateral dz. 때 선호
- main renal artery or segmental branch의 폐쇄 (빨리 진단되었거나, HTN이 지속되는 경우)
  ⇨ revascularization 선호 ; percutaneous endovascular therapy
  (local thrombolysis, thrombectomy, stent replacement)
- acute bilateral thrombosis에서는 내과적, 외과적 치료의 결과가 비슷
  (약 25%의 환자는 acute episode 때 대개 신장외 합병증으로 사망)
- chronic bilateral ischemic renal dz. or 외상에 의한 경우는 surgical revascularization 고려

2. 신혈관의 atheroembolic occlusion (cholesterol embolization)

(1) 개요/원인

- 중간~큰 혈관의 atheromatous plaque에서 떨어진 작은 파편(cholesterol crystals, platelet, fibrin 등으로 구성)이 여러 기관(망막, 췌장, 뇌, 근육, 피부 등)의 작은 혈관들을 막아서 발생하는 질환
- 물리적 혈관 폐쇄 + 염증반응에 의한 조직손상 (→ 다른 전신 염증질환과 비슷한 증상 가능)
- 신혈관의 atheroembolism ; 노인에서 AKI의 6~10%, ESRD의 3~10% 원인 차지
  - aortic aneurysm과 renal artery stenosis (RAS)와 관련 많음
  - severe atherosclerosis를 가지고 있는 노인에서 호발
    ↳ 위험인자 (85%에서 존재) ; 남성, 고령, HTN, DM, IHD, hyperlipidemia, 흡연 등
- 유발인자 (70% 이상에서 존재) ; arteriography (m/c), angioplasty, vascular surgery, anticoagulation (heparin), thrombolytic therapy, trauma 등 (유발인자 없이도 발생 가능)

(2) 임상양상

- 허혈성 심혈관질환, 뇌혈관질환, aortic aneurysm, CHF, 신부전 등의 과거력이 흔함
- 대개 유발요인(시술) 이후 1~14일 뒤에 증상 발생
- subacute/acute renal insufficiency, uremia (40%), HTN (1/2) / renal infarction은 드묾
- 신장 외 증상(extrarenal manifestations)
  - 피부 증상(m/c, 50~90%) ; 주로 하지의 망막피반(livedo reticularis), blue toe syndrome
  - spleen (55%), pancreas (52%), GI tract (31%), liver (17%), brain (14%), retina (11%), calf claudication ...
    ↳ N/V, ileus, bleeding, ischemia
- 전신증상 (1/2 이하에서 발생) ; 발열, 권태, 두통, 복통, 체중감소 등

(3) 검사소견/진단

- BUN/Cr ↑, eosinophilia (60~80%), eosinophiluria, leukocytosis, ESR ↑, complement ↓ ...
- 망막에서 cholesterol crystal emboli (Hollenhorst plaques) 확인 → biopsy 없이 진단 가능

- renal biopsy (확진) … 유발인자가 있고 임상양상이 전형적이면 필요 없음
  ; focal segmental sclerosis, 폐쇄된 동맥 내 바늘 모양 biconvex clefts ("ghosts"), 혈관주위 염증

(4) 치료/예후

- 특별한 치료법이 없음 ⇨ 보존적 치료 ; 혈압조절(ACEi), aspirin, 혈당조절, 수액요법, 투석 등
- cholesterol-lowering agent (statins) 및 distal embolic protection devices는 일부 효과적임
  (low-dose steroid : 후향적 연구에서는 효과적이었으나, 전향적 연구에서는 효과 없음)
- 가능하면 anticoagulation 및 fibrinolysis는 중단, 혈관 침습적 검사/시술 연기
- 예후 나쁨 : 1년 사망률 ~38%, 일부는 완전 회복도 되지만 30~50%는 ESRD로 진행
  (→ 투석 치료해도 5년 뒤 사망률 35~40%)

3. 신장동맥 협착증(Renal artery stenosis^RAS^, Renovascular HTN)

┌ 신동맥 또는 그 분지의 협착에 의해 이차적으로 혈압이 상승한 경우
└ 2ndary HTN의 2nd m/c 원인 (전체 HTN의 1~5% 차지)

(1) 원인

① atherosclerotic disease (m/c, 80~90%) : 특히 중년/고령의 남성에서 흔함
  - 주로 신동맥 기시부(proximal 1/3)에서 발생, 대부분 unilateral (bilateral RAS는 20~40%)
  - 대부분 대동맥의 큰 atheromatous plaque가 신동맥까지 침범하여 발생한 것임
  - HTN, DM, hyperlipidemia, 전신 동맥경화성 혈관질환(e.g., CAD) 등의 동반이 흔함!
    (→ 이들 환자의 약 40%에서 RAS 존재)
  - 침범된 신장의 약 20%에서는 renal hypotrophy 존재
  - 진행되어 신기능 감소가 동반되면 atherosclerotic nephrosclerosis가 됨

② Takayasu's arteritis : 젊은 여성에서 m/c 원인 (우리나라 2nd m/c 원인) → 순환기내과 13장

③ fibromuscular dysplasia : angiography상 renal artery가 염주알 모양 (서양은 2nd m/c 원인)

④ 기타 ; 혈전/색전증, 외상, 신동맥 박리, 대동맥 축착, 동맥류, 종양/낭종/후복막섬유화에 의한 압박

c.f.) *Fibromuscular dysplasia (FMD)*
  - 15~50세 여성에서 호발, 원인은 모름 (유전, 호르몬, 흡연, HTN 등과 관련)
  - 주로 medium-sized artery를 침범
    ① renal artery (85%, 주로 distal 2/3와 그 분지를 침범) → RAS → renovascular HTN
    ② carotid artery (65%) → TIA, CAA 등
    ③ 기타 ; lumbar, mesenteric, celiac, hepatic, iliac ...
  - 조직학적 분류 ; medial fibroplasia (90%), perimedial fibroplasia, medial hyperplasia, intimal fibroplasia
  - angiography에서 특징적인 '염주알' 모양을 보임

* 신동맥 침범 부위

┌ atherosclerosis, Takayasu's arteritis → proximal 1/3
└ fibromuscalar dysplasia → distal 2/3 & branches

(2) 병태생리

- stenosis가 발생한 신장은 RAAS 활성화에 의해 사구체 여과기능을 유지하려 함
- renal artery stenosis → renal blood flow↓ → JG cell에서 <u>renin 분비↑</u> → angiotensin↑
  - ① 강력한 혈관 수축 → HTN
  - ② aldosterone 분비↑ → HTN, hypokalemia, Na^+ & water retention
  - ③ sympathetic activity↑ → flushing, nocturnal BP↓ 소실, 급격한 BP 변화, 자율신경 불안정
- RAAS 활성화(plasma renin level↑)는 일시적임 → renovascular HTN 진단에는 가치 없음
  ; 고염식, bilateral RAS, volume expansion, 항고혈압제 등에 의해 감소할 수 있음

(3) 임상양상

- 고혈압 ; 가족력 無, 최근에 (갑자기) 발병
  - 50세 이전에 HTN 갑자기 발생 → fibromuscular dysplasia 의심
  - 50세 이후에 HTN 갑자기 발생 → atherosclerotic RAS 의심 (특히 다른 심혈관질환 동반시)
  - <u>accelerated or malignant HTN</u> (e.g., 두통), <u>retinopathy</u> 심함, LVH 등 표적장기손상 흔함
  - 내과적 치료 (3제 이상)에 반응 없는 HTN
- 신장이상 ; 다른 원인이 없는 지속적인 신기능저하(sCr↑, GFR↓)
  - revasulcarization이 필요한 환자의 85%는 GFR <60 mL/min (stage 3~5 CKD)
  - ACEi/ARB 투여 후 sCr↑ or azotemia (AKI) 발생 → bilateral RAS or 한쪽 신장만 기능
  - 양쪽 신장의 크기가 다름!! (∵ 신실질의 손상이 진행될수록 신장 크기 감소)
  - proteinuria (essential HTN보다 흔함), hypokalemia, metabolic alkalosis
- <u>abdominal bruit</u> (1/2~2/3에서 들림) : high-pitched, systolic-diastolic
- 다른 부위의 동맥경화증 동반 흔함 ; carotid, coronary, peripheral arteries 등
  → ESRD로의 진행보다는 stroke, MI, CHF, pul. edema, PAD 등이 더 문제

(4) 진단

- <u>renal duplex Doppler US</u> : 신동맥의 기능적 평가와 일부 구조 파악을 동시에 시행 가능
  - initial <u>screening</u> test로 좋음! (∵ 저렴, 비침습적) ; sensitivity 85%, specificity 92%
  - 단점 ; 숙련도가 필요하고 시간이 오래 걸림, 작은 혈관이나 FMD, 비만 환자는 진단 어려움
  - 협착이 있는 동맥에서의 혈류 속도(peak systolic velocity) 증가
    - >200 cm/s : 혈역학적으로 의미 있는 병변 (60% 이상 폐쇄) 시사
    - >300 cm/s : RAS 치료 시도 (∵ 더 낮은 속도에서는 위양성 위험)
  - intrarenal **resistive index (RI)** = $[V_{sys} - V_{dia}]/V_{sys}$ (V_{dia}: 최저 이완기 속도, V_{sys}:최대 수축기 속도)
    ; 치료(revascularization) 후 신기능 회복의 예후 예측 가능 (80% 이상이면 치료반응 및 예후 나쁨)
    하다는 연구가 일부 있었지만, 다른 연구에서는 아닌 걸로 나와 유용한 지표는 아님
  - 반대쪽 신장의 보상성 hypertrophy가 없으면 → bilateral RAS, 신실질 질환(e.g., hypertensive diabetic nephropathy) 의심
- 조영증강 spiral <u>CT angiography (CTA)</u> : sensitivity & specificity 매우 우수 (96%, 97%)
  - but, 방사선 노출, 약간의 contrast toxicity 위험
- gadolinium-enhanced MRA (MR angiography) : sensitivity & specificity 우수 (>90%, 95%)
  - 신기능저하시 gadolinium에 의한 nephrogenic systemic fibrosis 위험으로 이용 감소

- renal arteriography … "gold standard"
  ↳ digital subtraction angiography (DSA) : 조영제를 적게 사용하여 신독성의 위험 감소
  → 비침습적 검사 결과가 불명확하거나, angioplasty로 치료 예정인 경우 고려

(5) ARAS (Atherosclerotic RAS)의 치료/예후

- 혈압이 잘 조절되고 신기능이 정상이면 내과적 치료 & F/U이 우선 권장됨!
  - ACEi (or ARB) + 이뇨제, 항혈소판제(e.g, aspirin), 고지혈증 치료, 금연, 운동, 체중감량 등
    ↳ 기존보다 sCr 1 mg/dL 이상 상승시에는 중단 (∵ severe bilateral RAS, 한쪽 신장만 기능)
  - 혈압 잘 조절되고 신기능 안정적이면 내과적 치료와 revasulcarization의 치료 효과는 비슷함!!
  - severe (>75%) bilateral RAS는 상대적 금기! (∵ AKI 유발 위험) → PTA 권장

내과적 치료 & F/U이 선호되는 경우	Revasulcarization이 선호되는 경우 ★
신기능이 안정적이고 혈압조절이 잘 될 때	RAS 진단 전 고혈압 기간이 짧을 때
F/U시(e.g., duplex US) 진행 안하는 Stable RAS	적절한 내과적 치료로도 혈압 조절이 안 될 때
초고령 and/or 기대수명 짧을 때	ACEi/ARB 치료 중 GFR 감소 (sCr↑)
Revasulcarization이 위험한 심한 동반질환	Malignant HTN
Atheroembolic dz.의 고위험군 or 과거력	혈압 하강을 동반한 급격한/재발성 GFR 감소 (sCr↑)
신기능을 악화시키는 다른 신실질 질환의 동반 (e.g., interstitial nephritis, DM nephropathy)	Resistive index (RI) <0.8 (80%)
	CHF, 폐부종, 심한 hyperkalemia 등이 반복
	Fibromuscular dysplasia (FMD)

- 중재적 치료(revasulcarization)
  ① percutaneous transluminal angioplasty (PTA) & stenting : m/c
    - 60~80%에서 혈압 및 신기능 호전/안정화됨, 1년 뒤 재협착(restenosis) 발생률은 15% 미만
    - 심한 신기능↓ or 신장 크기 감소(<7~8 cm)는 revasulcarization 뒤 회복될 가능성 낮음
  ② 수술(bypass surgery)
    - 치료 효과는 PTA & stenting과 비슷하거나 좀 더 우수함 (80~95%에서 완치)
    - but, 수술에 따른 위험이 높으므로 PTA & stenting 불가능한 환자에서만 고려
- 예후에 영향을 미치는 인자
  - 기저 신기능 (serum creatinine) : 정상이면 3YSR 94% / 2.0 mg/dL 이상이면 3YSR 52%
  - 신실질의 손상 정도 (noninvasive imaging 상), proteinuria의 정도

* FMD : 항고혈압제(ACEi/ARB), revasulcarization (PTA without stenting)
  - 내과적 치료보다 revasulcarization의 치료 효과가 더 좋음 (stenting 안 해도 치료 효과 좋음)
  - 내과적 치료만 하면 RAS & 신기능저하가 계속 진행됨

고혈압성 신경화증/콩팥굳음증 (hypertensive nephrosclerosis[HN])

- essential HTN은 CKD (ESRD)의 2nd m/c 원인 (~27%)
- 병인 ; HTN, atherosclerosis (stiffness↑), 노화에 의한 혈관내피 투과성↑(→ hyaline degeneration)
  ┌ 자가조절반응↓ → 사구체 압력 & 혈류량↑ → focal sclerosis → tubular atrophy
  └ 자가조절반응↑ → 사구체 압력 & 혈류량↓ → ishcemia → global sclerosis ⋯→ ESRD
  (악순환 : HTN → renal injury [nephrosclerosis] → HTN 악화 → renal injury 더 악화)

- ESRD 진행 위험인자 ; <u>흑인</u>, 고령, 남성, 흡연, HTN 기간, 신질환 병력, LBW, DM, cholesterol↑
  ↳ 일부는 *APOL1* gene와 관련 (→ FSGS 발생↑)
- 임상양상(benign nephrosclerosis) ; 대부분 고령, <u>장기간의 essential HTN</u> (≥150/90 mmHg) 병력, LVH, CHF, hypertensive retinopathy, <u>mild proteinuria (보통 <1.0 g/day)</u>, benign urinalysis, 느리게 진행하는 신기능저하(sCr↑), 신장 크기 감소 등
- Dx ; benign HN는 보통 임상적으로 진단함
  - 장기간의 HTN 이후에(e.g., LVH) mild proteinuria or 신부전 발생 + 다른 신장질환 無
  - renal biopsy ; arteriolosclerosis, nephrosclerosis, interstitial fibrosis 등 (immune deposits은 無)
    ↳ 일부에서만 고려 ; unexplained CKD, 신장 크기 정상, GFR의 지속적 감소, severe proteinuria, 비정상 urine microscopy 등
  - <u>bilateral RAS</u>도 비슷한 임상양상을 보일 수 있으므로 (but, 가역적) R/O해야 됨
    ↳ 차이 ; severe/refractory HTN, 갑자기 혈압이 급격히 상승, 비교적 빠른 신기능 저하
- Tx ; 고혈압 조절 (대부분 3제 복합요법 필요; ACEi/ARB, thiazide 등) → renal injury 진행 지연
  ↳ 목표 혈압 : 통일된 기준은 없지만 대개 <130/80 mmHg
  (최근에는, DM 여부에 관계없이 SBP <120 mmHg로 낮추는 것이 예후에 좋다고도 함)

■ Acute hypertensive nephrosclerosis (과거 malignant nephrosclerosis, malignant HTN)

- 갑자기/급격히 혈압 상승 (흔히 diastolic BP >130), 대개 20~30대 고혈압 환자에서 발생
- papilledema, CNS 증상 (hypertensive encephalopathy), 심장부전
- 신기능의 급격한 감소 (serum Cr 급격히 상승), 신장 크기↑, hematuria, proteinuria (nephrotic), nephritic urinalysis (e.g., RBC & WBC casts) ...
- 초기엔 hypokalemic metabolic alkalosis (∵ aldosterone↑)
  → 나중엔 uremic acidosis와 hyperkalemia 발생
- 병태생리 (vascular injury 악화)
  ① vascular permeability↑ → fibrin 침착 → 응고 활성화 → TMA (schistocytes 흔함)
  ② RAA system 활성화 → BP↑ 가속화/유지
- 조직소견 ; necrotizing arteriolitis, hyperplastic arteriolitis (onion-skin lesion)
- 내과적 응급, 치료 안하면 대부분 1년 이내에 uremia로 사망

신장정맥 혈전증 (renal vein thrombosis, RVT)

1. 개요/원인

- 드문 편임 / 침범부위 ; Lt (43%, Lt renal vein이 더 길), Rt (33%), bilateral (24%)
- 기저질환, 원인, 혈전형성 속도, 폐쇄 정도, collateral의 발달 정도에 따라 임상양상이 매우 다양함

(1) hypercoagulable states
- nephrotic syndrome ; 특히 MGN (m/c), MPGN, amyloidosis (but, 모든 NS가 가능)
  ↳ 갑자기 proteinuria 양이 증가하고 신기능이 저하되면 RVT 의심
  * RVT 발생 위험 증가 ; α_2-antiplasmin↑, AT-Ⅲ↓, albumin <2.0 g/dL → 7장 참조
- infection ; sepsis, APN, UTI, pyogenic spondylitis
- 임신, 경구피임약, steroids
- antiphospholipid syndrome (APS), malignancy, factor V Leiden mutation, AT-Ⅲ deficiency, protein S or C deficiency, acute pancreatitis, vasculitis, SLE, polycythemia ...

(2) venous flow stasis
- dehydration (주로 신생아~영유아에서, 남>여) → 혈류 감소 & 혈액 농축
- 종괴/혈관에 의한 신정맥 압박 ; LN, retroperitoneal fibrosis, aortic aneurysm, tumor ...
- 종양(e.g., RCC)에 의한 신정맥 직접 침범(direct invasion)

(3) vascular endothelial damage
; trauma, vascular procedures, sickle cell nephropathy, 신이식, 신이식 거부반응 ...

2. 임상양상

(1) acute RVT
- 주로 탈수, 외상, 전신과다응고상태 등에 의해 발생 가능 (NS에서는 드묾)
- unilateral/bilateral flank pain/tenderness, abdominal/back pain, N/V, fever
- microscopic/gross hematuria, mild proteinuria, leukocytosis, LDH↑↑
- 신기능의 갑작스런 악화(GFR↓, BUN↑, Cr↑) → AKI 발생 가능(특히 bilateral RVT에서)
- 신장 크기(↑)와 기능의 비대칭성
- left-sided varicocele (정맥류), 부종 악화
- hemorrhagic infarction & renal rupture → hypovolemic shock

(2) chronic RVT : 주로 고령에서
- 대개 서서히 발병, 무증상인 경우도 많음 (∵ collaterals이 충분히 형성됨)
- microhematuria, proteinuria 증가, GFR 감소, 세뇨관 장애 (e.g., Fanconi-like syndrome ; glycosuria, aminoaciduria, phosphaturia, proximal RTA) 등
- pulmonary embolism 증상만 나타날 수도 있음 (폐 검사상 10~30%에서 PE 동반)
- flank pain 및 gross hematuria는 드묾

3. 진단

- Doppler US (screening) ; 신장 크기↑, interstitial edema로 인한 echo 감소 ...
  c.f.) NS 환자는 대개 screening 검사를 할 필요는 없음
- CT angiography (m/g, sensitivity ~100%) ; 신장 크기↑, calyces 확장, notching ureter ...
- MR venography ; 신기능 저하로(AKI or GFR <30) CT 조영제 사용 어려울 때 고려
- chest spiral CT or lung scan (∵ pul. embolism)

4. 치료/예후

- 혈전 제거/예방 + 기저질환의 치료
- 예후는 진단시 신기능, 기저질환, 혈전증 재발 정도 등에 따라 결정됨
  (AKI를 동반한 acute RVT의 경우 사망률 40~60%)

(1) acute RVT

- AKI 無 ⇨ systemic anticoagulation : heparin (UFH or LMWH) → warfarin 6~12개월 이상
  (target INR 2.0~3.0), 항응고제 사용 못하면 IVC filter
- AKI ⇨ endovascular (local) thrombolysis ± catheter thrombectomy
  (surgical thrombectomy는 severe acute bilateral RVT시에만 고려)
- 위중한 합병증 발생시에는 nephrectomy도 고려

(2) chronic RVT

- anticoagulation (위와 동일) : PE 예방이 주 목적, 일부 신기능 개선 효과
  (persistent NS, 재발성 혈전증 같이 위험인자가 지속되는 경우에는 평생 투여)
- thrombolytic therapy는 권장 안됨

HUS & TTP

- microangiopathic hemolytic anemia (MAHA), TMA (MAHA + thrombocytopenia)
- consumptive coagulopathy
- kidney (→ HUS)와 CNS (→ TTP) 침범
- kidney : multiple cortical hemorrhagic infarcts → "flea-bitten" 모양
- HUS가 소아에서 발생했을 때는 대개 self-limited
- 치료 : large-volume plasmapheresis with FFP 등

→ 혈액종양내과 2장 참조

12
요로 결석

개요

1. 정의

- 요로결석(urolithiasis, urinary stone) : organic matrix에 crystalline components가 결합하여 요로에 비정상적으로 응결된 것
- 신결석(nephrolithiasis, renal stone) : 신실질 밖 신장 내의 결석
- 신석회화증(nephrocalcinosis) : 신실질 내에 칼슘염이 침착된 것

2. 역학

- 발생부위 ; 신결석 10~20%, 요관결석 70~90% (m/c), 방광결석 4.5%, 요도결석 1.7%
- 20~40대에서 호발 (10세 이하와 65세 이상에서는 드묾)
- 남자가 여자보다 1.5~2배 더 호발, 도시>농촌, 여름>겨울, 열대>온대
- 재발이 흔함 ; 5년 뒤 35~40%, 10년 뒤 50% 재발

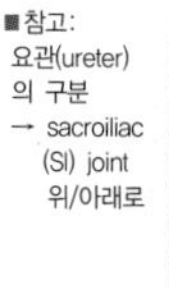

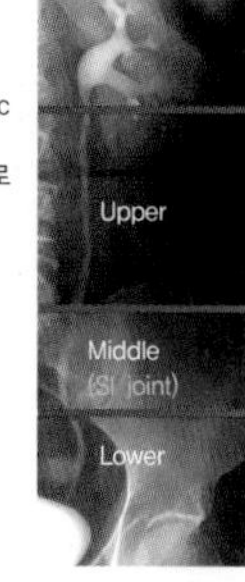

3. 생성기전

(1) supersaturation (과포화) → 요중의 물질이 결정화되기 쉬움
- high urinary solute concentration (calcium, oxalate, cystine 등)
- urine volume ↓

(2) urine pH의 변화
- 산성뇨 : uric acid stone, cystine stone이 잘 생김
- 알칼리성뇨 : calcium phosphate와 $MgNH_4PO_4$ (struvite) stone 호발

(3) nucleation (crystallization)
- 기질(matrix)에 결석의 결정성분이 침착하여 결석이 형성 (c.f., Randall's plaques : calcium oxalate salts의 nucleation 촉진)
- crystal attachment (retention) : epithelial crystal receptors

(4) urinary inhibitors (결석형성을 억제하는 물질)의 감소
; inorganic pyrophosphate, citrate, magnesium, uropontin (urinary osteopontin), nephrocalcin, glycoprotein ...

4. 원인

* 대부분의 경우 뚜렷한 원인을 모름

Dietary factors	Stress factors	Secondary factors
수분 섭취 부족 (m/i) 단백질 과다 섭취 (→ calcium, oxalate, uric acid ↑) 염분 과다 섭취 (→ sodium & calcium 배설↑) Oxalate, pruines 과다 섭취 구연산(citrate), magnesium 섭취 부족	Immobilization Absorbable alkali/calcium Carbonic anhydrase inhibitor Vitamin C excess Vitamin D excess	Infection Obstruction 구조적 이상 ; medullary sponge kidney (m/c), polycystic kidneys, horseshoe kidneys, UPJ obstruction ... Urinary diversion procedures Foreign chemicals and compounds

■ **신석회화증(nephrocalcinosis)의 원인**

① 피질 : cortical necrosis, transplant rejection, chronic GN, trauma, TB, oxalosis

② 수질 : hyperparathyroidism, type 1 RTA, medullary sponge kidney, sarcoidosis, oxalosis, drugs (e.g., furosemide, acetazolamide, amphotericin, triamterene) ...

③ 신우, 신배, 요관 : hyperparathyroidism, sarcoidosis, Cushing's syndrome

c.f.) 결핵 : 신장 전체와 요관에도 석회화

대사이상에 따른 분류/원인

요로결석의 종류	주요 원인	
Calcium stones (75~85%) calcium oxalate + calcium phosphate (50%) calcium oxalate (15~20%) calcium phosphate (5~7%)	Idiopathic hypercalciuria Hyperuricosuria Primary hyperparthyroidism Distal (type 1) RTA Dietary hyperoxaluria Enteric hyperoxaluria (장수술) Herediatry hyperoxaluria Hypocitraturia Idiopathic stone dz.	50~55% 20% 3~5% 드묾 10~30% 1~2% 드묾 20~40% 20%
Uric acid stones (5~10%, 우리나라는 1% 정도)	Idiopathic Gout Dehydration Lesch-Nyhan syndrome Malignant tumors	50% 50% ? 드묾 드묾
Cystine stones (1%)	Hereditary	
Struvite stones (5~10%)	Infection	

1. 고칼슘뇨증(Hypercalciuria)

- 칼슘 - 결석의 구성 성분 중 가장 흔함
- 칼슘석의 대부분은 수산 칼슘(Ca. oxalate, 80%), 인산 칼슘(Ca. phosphate) 또는 이들의 혼합형태
- 결석환자의 50%에서 고칼슘뇨증 발견

- 정의 ┌ 24시간 요중 칼슘 배설량 300 mg (남자), 250 mg (여자) 이상
  └ 4 mg/kg/day 이상 (요즘)

(1) 흡수성 고칼슘뇨증(absorptive hypercalciuria)

- 고칼슘뇨증 환자 중 가장 흔함 (50~60%)
- 장에서 비정상적으로 칼슘 흡수 증가 → 혈중 칼슘치 상승
  → PTH 분비 감소, 신장에서 칼슘 배설 증가
- 칼슘을 제한하거나 금식을 하면 요중 칼슘 배설량은 정상으로 돌아옴

(2) 신성 고칼슘뇨증(renal hypercalciuria)

- 고칼슘뇨증 환자의 10%, 원인 아직 모름
- 신장에서 칼슘 재흡수 감소 → 혈중 칼슘치 감소 → PTH, vitamin D 증가
  → 장에시의 칼슘 흡수와 뼈에서의 칼슘 재흡수 증가
- 치료 ; thiazide (칼슘을 제한해도 요중 칼슘량은 감소하지 않음)

(3) 재흡수성 고칼슘뇨증(resorptive hypercalciuria)

- 원인 : hyperparathyroidism, Cushing's syndrome, hyperthyroidism, MM, immobilization ...
- bone resorption 증가 → 혈중 칼슘 농도 증가 → 신여과율의 증가
  vitamin D의 활성화 증가 → 장에서의 칼슘 흡수 증가
- hypercalcemia와 hypophosphatemia가 특징

(4) 기타

- sarcoidosis ; vitamin D_3에 대한 장상피세포의 과민으로 장의 칼슘 흡수↑
- type 1 (distal) RTA ; hyperchloremic hypokalemic metabolic acidosis, 알칼리성 뇨,
  요중 칼슘 증가, 구연산염(citrate) 감소
  → 주로 인산칼슘석 발생, papillary "nephrocalcinosis" 흔함

2. 고수산뇨증(hyperoxaluria)

- 수산 칼슘(calcium oxalate)의 형태로 요석을 형성 (m/c 요석, 70~80%)
- 정의 : 하루 요중 수산염 배설량 100 mg 이상

(1) 원발성 고수산뇨증(primary hyperoxaluria)

- AR 유전질환, 드물다

┌ type Ⅰ : glyoxylate carboligase 결핍
└ type Ⅱ : D-glycerate dehydrogenase 결핍

(2) 후천성 고수산뇨증

- 원인 ; 수산 함유 음식 (초콜릿, 시금치, 콜라, 차 등), vitamin C 장기 섭취, pyridoxine 결핍, ethylene glycol (부동액), methoxyflurane (마취제) 염증성 장질환, 소장의 bypass surgery (→ 장에서 수산염 과다 흡수), malabsorption syndrome (→ 흡수되지 않은 많은 지방산이 장내에서 칼슘과 결합 → 장내의 수산과 결합할 칼슘량↓ → 수산염의 흡수↑)
- oxalate 흡수가 조금만 증가해도 결석형성 위험은 매우 증가됨
- 칼슘섭취를 제한시 calciuria는 호전되지만 oxaluria가 발생하여 결석발생↑

3. 고요산뇨증(hyperuricosuria)

- uric acid stone은 요로결석의 5~10% 를 차지, calcium oxalate stone 환자의 약 20%에서도 동반
- radiolucent stone (KUB에서 안 보임)
- 정의 : 하루 요중 요산 배설량 800 mg (남자), 750 mg (여자) 이상
- 원인 ; purine 많은 음식 섭취 (동물성 단백-육류, 생선 등), hyperuricemia를 일으키는 대사질환 (gout, Lesch-Nyhan syndrome ...), 골수증식종양(MPN), 종양의 CTx., thiazide 계통의 이뇨제, salicylate 등의 약제, dehydration, urine pH 감소, idiopathic ...
- 요산석 환자의 약 50%는 gout, gout 환자의 약 25%는 요산석을 가지고 있다
- 유전적인 경향을 보이는 경우가 많음

4. 고시스틴뇨증(hypercystinuria)

- 시스틴석은 요로결석의 약 1% 정도를 차지 (cistinuria : AR 유전)
- 신장에서 시스틴 재흡수가 일어나지 않아 발생
- 다발성 및 양측성으로 발생, 재발이 흔함

5. 저구연산뇨증(hypocitraturia)

- 구연산염(citrate) : 인산이나 수산에 칼슘이 결합하는 것을 억제하는 작용
- 정의 : 하루 요중 구연산염 배설량이 320 mg 이하
- 원인 : type 1 RTA, malabsorption syndrome, 만성 설사, thiazide계 이뇨제 ...

6. 감염석(Struvite stones, infection stone)

- 요로 결석의 2~20% 차지, 남:여 = 1:2, 재발률이 매우 높음
- struvite : magnesium ammonium phosphate (MAP, $MgNH_4PO_4$), carbonate apatite
- 위험인자 ; 요로전환술, 장기간의 카테타 유치, 신경인성 방광 환자 ...
- alkaline urine (pH >7.2)에서 쉽게 침전, 결석 형성 증가
- 감염석의 생성 기전 ; urease 생성 균에 의한 요로 감염 → 요중 urea 가수분해
  → 암모니아와 탄산 형성 → 암모니아는 암모니움과 수산기 (hydroxyl) 형성
  → 요의 pH 상승, NH_4^+가 PO_4^{3-}와 Mg^{2+}과 함께 침전하여 $MgNH_4PO_4$ 형성
- urease 생성균 or 요소분해균(urea-splitting organism)이 원인균
  ; *Proteus* (m/c), *Ureaplasma, Pseudomonas, Klebsiella, Staphylococcus* 등 (*E. coli* 는 아님)

* **신녹각석(staghorn stone)** : ureter로 가지 못하고 매우 커져서 renal pelvis/calyx를 꽉 채운 것
- 60~90%는 요소분해균에 의한 UTI로 인해 발생 (struvite stone)
- cystine, uric acid stones에서도 발생 가능
- KUB에서 사슴뿔(staghorn) 모양, bilateral stone으로도 발생 가능

진단

1. 임상양상

: 결석의 위치 및 크기, 요로 폐쇄의 정도, 감염 등의 합병증 유무에 따라 다름

(1) 산통(colicky pain) ; acute & intermittent pain

- severity 매우 다양, 강약이 반복되는 것이 특징 (산통 중간에 통증이 완전히 없어지는 것은 아님)
- 발작성 심한 통증은 대개 20~60분 정도 지속됨
- 폐색 부위에 따른 통증/방사통
  - upper ureteral or renal pelvis → 옆구리(flank) pain/tenderness, 앞쪽으로 방사
  - lower ureter → 동측 testicle (남) or labium (여)으로 방사
  - middle ureter → McBurney's point (Rt), descending/simoid colon (Lt)으로 방사
- 결석이 ureter를 따라 이동하면 통증 부위도 따라서 이동함
  : 등 or 옆구리(flank) → 상복부 → 하복부 → 서혜부 → 음낭/음순
- 많은 환자에서 N/V 동반, 산통이 반복되면 reflex ileus로 복부팽만도 발생 가능
- 때때로 통증 없이 육안적 혈뇨만 나타날 수도 있음

(2) 혈뇨(hematuria)

- 육안적 혈뇨는 5~10%에서, 현미경적 혈뇨는 90%에서 동반
- 10~30%는 혈뇨가 검출되지 않음 (특히 통증 발생 뒤 시간이 경과할수록 혈뇨↓)

(3) 방광자극증상

- 빈뇨, 요급, 배뇨통, 후중감(tenesmus), 잔뇨감 ...
- 하부요관 특히 요관방광이행부에 결석이 있는 경우 발생
- 때로는 요로감염이 병발해도 같은 증상이 나타나고 고열, 오한 등도 수반

(4) 경과/합병증

- persistent renal obstruction → 신장의 영구적 손상 유발 가능
  (특히 staghorn stone은 UTO나 감염이 없으면 증상도 없음, 양측성으로 발생시 신부전 가능)
- obstructing stone에 상부 UTI (e.g., PN)도 동반된 경우는 urologic emergency임

2. 요검사

- 요로결석이 의심되는 환자에서는 요검사(U/A)와 요배양검사를 반드시 시행
- 90%에서 현미경적 혈뇨가 나타나며, 요로감염 없이도 농뇨가 나타날 수 있음(sterile pyuria)
- 세균뇨는 요로감염이 합병된 경우에 나타날 수 있음
- 요침사 검사는 시스틴 결정체 이외에는 진단에 도움이 되지 않는다
- 요의 산도(pH) (정상 5.85)
  - 산성뇨 : 요산석(uric acid stone), 시스틴석(cystine stone)
  - 알칼리성뇨 : 감염석(struvite stone)
- 실용적인 외래 환자의 검사법은 <u>24시간</u> 소변 (+ 혈액) 검사를 <u>2~3회</u> 시행하는 것

* 혈액검사 ; 전해질, Cr, calcium, uric acid, <u>PTH</u>, vitamin D 등

3. 영상검사

(1) KUB (plain X-ray)

- 결석의 크기, 모양, 위치 등을 파악하는데 조금 도움이 되나, 추가적인 정보는 제한적임
- 요로결석의 약 90%가 X-선 비투과성(radiopaque)임

Stone	Density	Radioopacity 정도
Calcium phosphate	22.0	very opaque
Calcium oxalate	10.8	opaque
Struvite ($MgNH_4PO_4$)	4.1	moderately opaque
Cystine	3.7	slightly opaque
Uric acid, Xanthine	1.4	nonopaque (X-선 투과성)

(2) IVP (IVU: intravenous urogram)

- 결석 진단의 표준검사였으나 CT로 대치되었음, 신기능 및 요로의 구조적 변화도 알 수 있음
- X-선 투과성 결석은 filling defect로 나타남 (→ blood clot, ureter tumor 등과 감별 필요)
- 단점 ; IV 조영제 사용, sensitivity↓, 검사에 시간이 오래 걸림

(3) 초음파

- 임신이나 신부전증 같이 방사선 노출이나 조영제 사용이 제한되는 경우 고려
- acoustic shadowing과 hydronephrosis 소견이 있으면 진단 가능 (but, sensitivity가 매우 낮음)
- 신장 및 요관 근위부만 관찰 가능 (대부분의 요관 결석은 진단 불가능)

(4) <u>Non-contrast spiral CT</u> (MDCT)

- 요로결석 진단의 choice!, specificity & sensitivity 매우 높음 (크기 1 mm까지 발견 가능)
  (조영제는 요로계 내에서 결석과 혼동될 수 있으므로 사용 안함)
- 장점 ; X-선 투과성 결석도 발견, 다른 병변도 발견 가능, 짧은 검사시간, 조영제 사용 안함

c.f.) DECT (dual-energy CT) : 원자의 감쇠 특성에 따라 결석의 성분도 구별 가능함

치료

1. 기대요법(expectant treatment)

- 적응 : 결석 크기 <10 mm, 통증이 진통제로 조절되는 경우, 심한 감염이나 수신증이 없을 때
  * 자발적 결석 배출
    (a) 결석 크기 (m/i) ; 1 mm 87%, 2~4 mm 76%, 5~7mm 60%, 7~9 mm 48%, ≥9 mm 25%
    (b) 결석 위치 ; 근위부 요관 48%, 요관방광접합부(UVJ) 79%
- 통증 조절 : NSAIDs와 opioids의 진통 효과는 비슷함
  ① NSAIDs (e.g., ketorolac [Toradol®]) ; 요관평활근의 긴장도↓ → 요관경련↓ 효과도 있음
  (but, 쇄석술 예정이면 출혈 위험 감소를 위해 3일 전에 중단해야 됨)
  ② opioids (e.g., meperidine [Demerol®], morphine)
- 충분한 수분섭취 (euvolemia 유지 정도만) : 과도한 fluid 투여가 더 효과적이지는 않음

- 결석 배출 촉진(medical expulsive therapies, MET)
  - α_1-blocker (e.g., tamsulosin)[더 효과적], CCB (e.g., nifedipine) → ~4주 시도해봄
  - 진정제를 투여하면서 줄넘기 등의 운동 등

2. 제석술(stone removal)

* 적응증

① 크기가 1 cm 이상이어서 자연 배출될 가능성이 낮은 경우
② 통증이 지속되는 경우!
③ 요로폐쇄로 인하여 신기능의 저하가 있는 경우
④ 요로감염 또는 심한 출혈이 동반된 경우

(1) 체외충격파쇄석술(Extra corporeal shock wave lithotripsy, ESWL)

- 제석술이 필요한 요석의 85~90% 에서 이용되는 표준 치료법, 상부 요로 결석에서 더 효과적
- 금기 ; 결석 이하 부위의 UTO, 교정되지 않는 출혈경향, 임신, 복부 대동맥류, 신동맥 석회화
- 결석 성분이 cystine or calcium oxalate monohydrate인 경우, 결석이 2.5 cm 이상인 경우는 경피적 신쇄석술(PNL) or 요관경하 배석술을 먼저 시행하는 것이 좋음
- 결과
  - residual stone rate : 5~30%
  - UTI eradication : 60~80%
  - stone recurrence rate : 6개월 내에 30%

(2) 요관경하 배석술(ureteroscopic lithotripsy, ureteroscopic stone removal[URS])

- 하부~중부 요관의 결석에 주로 사용하지만 ~renal pelvis까지도 시행 가능
- holmium laser로 더 큰 결석도 제거 가능 → 성공률 ESWL보다 좀 더 높음 (90~98%)
- 합병증 (ESWL보다는 많음) ; 발열(m/c, 35%에서), 요관 천공, 요관 협착, 방광요관 역류 ...

(3) 경피적 신쇄석술(percutaneous nephrolithotomy, PNL)

- 내시경을 통해 US or holmium laser로 결석을 파괴 (→ ESWL보다 큰 결석도 제거 가능)
- Ix ; 큰 결석(>2.5 cm), 감염결석, 폐색을 동반한 결석, 시스틴석, ESWL 실패, 해부학적 기형
- 성공률은 가장 높지만, 비교적 invasive, 수술을 거의 대치 가능
- 합병증 ; 출혈, 천공, 패혈증, 잔류석, 흉수, 기흉 ... (출혈이 가장 문제가 되나 대부분은 경미함)

(4) 수술적 제석술(lithotomy)

- 적응증 (다른 시술의 발전으로 최근에는 거의 필요 없음)
  ① ESWL과 PNL이 여러 번 시행되어야 제거가 가능한 경우
  ② 아주 단단한 결석
  ③ 결석제거와 함께 다른 수술요법이 필요한 경우

3. 예방치료 (식이 및 약물요법)

(1) 칼슘결석

- 식이요법
  - 충분한 수분 섭취 (1일 요량이 2~2.5 L 이상이 되도록)

- 염분(Na^+), 단백질, 정제된 탄수화물 등의 섭취 제한
- 섬유질과 밀기울이 풍부한 식이 권장, 구연산(citrate) 함유 음식 섭취 증가

★ 칼슘 섭취 제한은 오히려 결석 재발률을 매우 높이고 (∵ urine oxalate↑), 골밀도를 감소시키므로 권장 안됨! (∵ 칼슘결석 환자는 bone mineral density 낮음)

- thiazide diuretics : 칼슘 재흡수↑ → 요중 칼슘 농도 감소로 결석 예방에 효과적 (50%↓)
  (부작용으로 hypokalemia 발생 시엔 적극적으로 치료 [∵ hypokalemia → urine citrate↓])
- sodium cellulose phosphate : 이온교환수지(ion exchange resin)
  (→ 음식 내의 칼슘과 결합, 장에서의 칼슘 흡수를 억제)
- orthophosphate ; 요중 pyrophosphate와 구연산염이 증가하여 결석 예방
- 기타 고칼슘뇨증의 원인
  - 부갑상선기능항진증 → parathyroidectomy
  - distal RTA → 수분섭취 증가, $NaHCO_3$, potassium citrate 투여
- 고수산뇨증(hyperoxaluria)
  - 원발성 고수산뇨증 → 수분 섭취↑, 저수산 식이, pyridoxine 투여
  - 후천성 고수산뇨증 → 저수산 식이, 수분 섭취 증가
    - 흡수장애 증후군에서는 추가로 저지방 식이, cholestyramine 투여
    - 장 수술 (enteric hyperoxaluria) 환자는 추가로 저지방 식이 및 calcium 보충
  - calcium oxalate stone 환자는 vitamin C 복용 금지
- 저구연산뇨증(hypocitraturia) → citrate 보충 (e.g., 오렌지쥬스), $NaHCO_3$ → urine citrate↑

(2) 요산결석/고요산뇨증(hyperuricouria)

- 수분 섭취
- 소변의 알칼리화 (pH 6.0~6.5 목표로) ; potassium citrate 투여 (∵ calcium salt 결정화 위험↓)
- 식이 ; purine 식이 제한, 동물성 단백질 섭취 제한
- allopurinol (xanthine oxidase inhibitor) ; 위 치료에 반응이 없으면 추가

(3) 시스틴결석/고시스틴뇨증(hypercystinuria)

- 수분 섭취가 매우 중요 (1일 요량이 3 L 이상이 되도록)
- 염분 섭취 제한 → cystine 배설 40%까지 감소 가능
- 소변의 알칼리화(pH >7.5)도 도움
- methionine (cystine의 전구물질) 섭취 제한은 비실용적, 단백질 과다 섭취는 반드시 제한
- cystine-binding drugs ; D-penicillamine, tiopronin, α-mercaptopropionylglycine

(4) 감염결석(struvite stone)

- methenamine mandelate : 소변 산성화, formaldehyde 방출 → 감염 억제
- NH_4Cl : 소변 산성화 (but, calcium oxalate stone 형성↑)
- 대부분의 감염석은 제석술이 필요함 : PNL (± ESWL) → 50~90% 성공
- 항생제 : 급성 감염시 or 제석술 이후에만 사용
- hemiacidrin (renacidin) : 경피적 신루를 통해 관류 & 감염석을 용해, 제석술 이후 재발률↓
- acetohydroxamic acid (urease inhibitor) : 제석술이 불가능한 경우 고려, 부작용 多

13

요로 감염(Urinary tract infection, UTI)

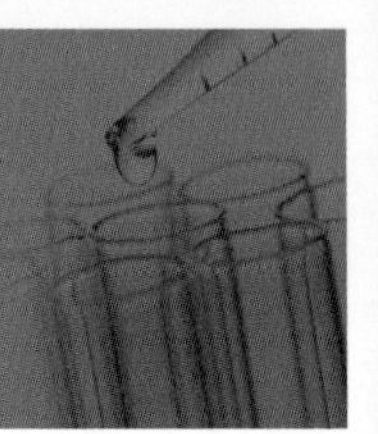

개요

1. 정의

- 요로감염(urinary tract infection, UTI) : 요도, 방광, 전립선, 요관, 신장 등 요로계에 병원체가 침범하여 염증 및 증상을 일으킨 것
  - 원내감염(nosocomial infection)의 가장 흔한 원인 (약 30~50%)
  - hospital-acquired UTI의 대부분은 urinary catheter와 urologic procedure와 관련
- 의미있는 세균뇨(significant bacteriuria)
  - 정의 : 채뇨방법에 따라..

채뇨방법	배양된 집락수	검출 횟수
청결채취 중간뇨	≥10^5 CFU/mL	1회(남성), 2회 이상(여성)
유증상 여성에서 흔한 원인균*	≥10^2 CFU/mL	1회
유증상 남성에서 흔한 원인균*	≥10^3 CFU/mL	1회
도뇨관(catheter)	≥10^3 (or 10^2)**	1회
방광천자	Any!!	1회

* UTI의 흔한 원인균 ; *E. coli, S. saprophyticus, Klebsiella, Proteus* 등
** 증상이 있는 경우는 10^2까지도 bacteriuria로 보지만, 실제로는 많은 검사실이 10^3까지만 정량함
c.f.) 소아의 채뇨백은 오염 가능성이 매우 높아 10^5 이상이 배양되어도 방광천자를 통한 재검이 필요함

  - 3가지 이상의 세균이 배양되면 오염 가능성이 높음
  - 방관천자(suprapubic aspiration) : 균 종류나 수에 관계없이 배양되면 의미
  - 기타 균 수가 적어도(10^2~10^4 CFU/mL) 의미있는 경우
    ① brisk diuresis, recent voiding
    ② 항생제 치료중, 소변내 urea 농도↑, osmolarity↑, pH↓ (→ urine이 세균의 증식을 억제)
    ③ 천천히 자라는 균 (e.g., *Candida, Staphylococci*)
- 무증상 세균뇨 : UTI의 증상/징후 없이 의미있는 세균뇨(significant bacteriuria)를 보이는 것
- 농뇨(pyuria) : centrifuged urine에서 WBC 10개/HPF 이상 관찰되는 것
  (uncentrifuged urine에서는 5개/HPF 이상)
- 요로감염 및 무증상 세균뇨는 여성 or 고령에서 흔함 (50세 미만 남성은 매우 드묾)

2. 분류

┌ 상부 요로감염 ; APN, intrarenal/perinephric abscess
└ 하부 요로감염 ; cystitis (m/c), urethritis, prostatitis

Uncomplicated UTI	Complicated UTI
비임신 폐경전 여성의 acute simple cystitis and/or pyelonephritis (PN) 요로의 구조적/기능적 이상이나 기저질환 없음	Uncomplicated UTI를 제외한 모든 UTI 요로의 구조적/기능적 이상 Catheterization, 비뇨기계 시술 기저질환(e.g., 신장질환, 면역저하, DM) 남성, 고령, 소아 등 (위 항목들: 대개는 upper UTI Sx or systemic Sx 동반시) 임신, 신장이식 → 독립적인 category로 보기도 함

- acute urethral syndrome/Sx. : 배뇨장애/배뇨통(dysuria), 긴박뇨(urgency), 빈뇨(frequency) 등의 증상
- acute pyelonephritis (APN) : renal parenchym의 pyogenic, focal infection
- chronic pyelonephritis : 세균감염에 의한 chronic interstitial nephritis
  - pathologic & radiologic finding
    - ① chronic cortical scarring
    - ② tubulointerstitial damage ; interstitial fibrosis, tubular atrophy/loss
    - ③ deformity of the underlying calyx
  - but, 다른 원인(e.g., UTO, 약물)에 의한 chronic interstitial nephritis에서도 비슷한 소견을 보임

3. 병인

(1) ascending infection (대부분)
- 여성의 요도는 짧고 항문주위의 세균(colonic GNB, 대개 *E. coli*)이 회음부나 질주위에 colonization을 잘 하므로 ascending UTI가 호발
- 요도 주위 GNB colonization의 위험인자 ; 폐경, 항생제, 다른 감염, 살정제(vaginal spermicide; nonoxynol-9) 등에 의한 normal vaginal flora (e.g., H_2O_2-producing lactobacilli)의 감소
- 여성에서는 <u>성관계</u>가 감염의 주 유발요인

(2) hematogenous spread (드묾) : 만성질환자, 면역저하자에서 흔함
; tuberculosis, cortical renal abscess, perinephric abscess

(3) lymphogenous spread

(4) direct extension from other organ

■ 숙주의 방어기전

① 배뇨에 의한 세척 및 희석 효과
② 항균 효과 ; urine urea↑, osmolality↑, pH↓, prostatic secretion
③ 방광상피세포에서 cytokines & chemokines 분비 (e.g., IL-6, IL-8)
④ neutrophils (→ 소변내 세균 제거)
⑤ 국소적으로 생산되는 Ab. (역할은 확실치 않음)

원인

• UTI 발생의 위험인자

1 **구조적/기능적 이상**
여성, 임신
요도관 유치(indwelling urinary catheters), 잘못된 도관 관리
요로결석, 협착, 종양, 수술
전립선 협착(e.g., BPH, cancer)
방광요관역류(VUR)
신경인성 방광(neurogenic bladder), 요실금(incontinence)

2 **기저질환**
DM, AIDS (CD4+ T cells <200/μL)
Sickle cell anemia
Polycystic kidney diseases, Medullary sponge kidney, 신장이식

3 **기타**
성교 (성교 직후 배뇨 → UTI↓), 항문 성교
Diaphragm, cervical cap, spermicide-coated condom
포경수술 안한 어린 남성
유전적 요인 (일부 여성에서 UTI 가족력 보임)
ABH blood group antigen nonsecretors (요로상피세포와 *E. coli*의 결합↑)
Toll-like receptor 및 IL-8 receptor 등의 mutations

• UTI의 원인균

1 **Gram-negative bacilli (대부분)**
E. coli (m/c, 75~90%)
other *Enterobacteriaceae* [장내세균] (*Klebsiella pneumoniae, Proteus mirabilis, Enterobacter aerogenes, Citrobacter* species, *Serratia marcescens*) 등도 흔함
Pseudomonas aeruginosa
Acinetobacter species
Providencia stuartii and *rettgeri*

2 **Gram-positive cocci**
Coagulase (-) *Staphylococci* (e.g., *S. saprophyticus*) : 2nd m/c (5~15%)
↳ 젊은 여성에서 흔함
Staphylococcus aureus
Enterococcus spp.
Groups B and D streptococci

3 **기타**
Candida albicans, Chlamydia trachomatis, N. gonorrhea, U. urealyticum, M. hominis, HSV

* recurrent complicated UTI ; *Enterococcus faecalis, Enterococcus faecium, Klebsiella, Proteus, Providencia stuartii, Morganella morganii* 등도 흔함

* 매우 잦은 재발 or catheters (특히 항생제를 자주 사용하는 입원/요양원 환자) ; *P. aeruginosa, Acinetobacter baumannii, Serratia marcescens, Stenotrophomonas maltophilia* 등도 흔함
→ *E. coli*는 50% 미만 차지

- *Proteus, Klebsiella* → 요로 결석 형성 촉진, 결석 환자에서 호발
- Gram (+) 균 (e.g., *S. aureus*) → complicated UTI or 혈행성 전파를 의심
- *Lactobacillus*, α-hemolytic streptococci, anaerobes 등 → 오염(contamination) 가능성

임상양상

	증상 및 징후	검사소견
하부 요로감염 (Cystitis or urethritis)	배뇨통(dysuria) 빈뇨(frequency) 긴박뇨(urgency) 요실금 치골 상부 통증 (≒ 하복부 통증) Cloudy or blood-tinged urine 때때로 low-grade fever	Leukocyte esterase test (+), Nitrite test (±) Hematuria Gram stain (uncentrifuged urine) WBC (≥10/HPF) : pyuria Gram(-) rods or gram(+) cocci (≥1/HPF) Urine culture (≥10^5 CFU/mL) Low-count bacteriuria (10^2~10^4 CFU/mL)
상부 요로감염 (APN)	갑자기 **고열**(>38℃) 발생 오한(chills), 심한 피로/권태감 **측복부 통증(flank pain)** 늑골척추각 압통(CVA tenderness) 하부요로증상도 동반 가능 N/V 등의 소화기증상도 동반 가능	[위의 소견 +] Neutrophilia, ESR↑, CRP↑ (sCr은 별 영향 없음) 혈액배양 양성(~10-30%에서) 요농축능 감소, mild proteinuria WBC/RBC cast, glitter cells 요중 β_2-microglobulin ↑

진단

1. 원인균의 종류와 양 결정 (m/i)

- 소변 현미경검사 : Gram stain
  - 10^5 CFU/mL 이상 bacteriuria 환자의 90% 이상에서 세균이 발견됨 (→ 매우 specific)
  - low-count bacteriuria (10^2~10^4 CFU/mL)의 경우는 대개 발견 안됨
    → Gram stain에서 균이 안보여도 UTI를 R/O 못함!
  - pyuria : 거의 모든 bacterial UTI에서 존재 (leukocyte esterase dipstick test는 less sensitive)
    c.f.) sterile pyuria : 감염 없이 (배양 음성) pyuria가 나타나는 경우 → 1장 참조
- 소변 배양검사 : 아침 첫 소변의 중간뇨(midstream urine)가 좋다
  - 급성 방광염의 전형적 증상이 뚜렷하면 시행할 필요 없음!
    c.f.) 우리나라는 내성률이 높고(community-acquired *E. coli*의 ESBL 생성 비율 약 25%), 검사 비용도 저렴하므로 배양검사를 시행하는 것도 좋음
  - 방광염에서 소변 배양검사(& 항생제감수성검사)가 필요한 경우
    ① 방광염의 진단이 불확실한 경우(e.g., 비전형적인 증상)
    ② 상부 요로감염이 의심될 때
    ③ 치료 종료 후 2~4주 이내 증상 호전× or 재발한 경우
    ④ complicated UTI 의심 ; 남성, 임신부, 구조적/기능적 이상, 증상 있는 CAUTI, 원내감염
  - 소변 채취전 요도주위 소독은 금기 (∵ 실제 감염이 있는데도 세균 증식이 적게 나타날 수 있음)

2. Urologic evaluation

- 신장 초음파 (첫 선별검사로 적당), CT (m/g), IVP, VCUG, cystoscopy 등
  ↳ VUR 의심시 (특히 어린 나이에 UTI 반복시)
- ^{99m}Tc-DMSA sacn : APN과 scar의 진단에 도움
- 소아 및 남자 성인 UTI 환자는 반드시 urologic evaluation 시행
  (예외 ; 젊은 남자에서 성교와 관련된 cystitis, 포경수술×, AIDS 등 때에는 시행하지 않아도 됨)
- 여성 환자에서 구조적 이상에 대해 영상검사(urologic evaluation)가 필요한 경우 ★
  ① 항생제 치료 2~3일 후에도 증상 호전이 없을 때, 중증 감염
  ② 재발성 감염 or 반복성 상부 요로감염
  ③ UTO 의심시 ; 요로결석, 육안적 혈뇨, 소변량↓, 신기능 저하 등
  ④ 소아 때 UTI의 과거력

* 급성 방광염(acute cystitis)의 전형적인 증상 및 U/A 소견(pyuria)이 있는 여성의 경우에는 소변배양검사는 하지 않고 바로 치료하는 것이 practical & cost effective!!

* 생식기 병변이나 질분비가 있으면서 소변에서 세균이 검출되지 않거나 적게 검출될 때
  → *C. trachomatis, N. gonorrhoeae, Trichomonas, Candida*, HSV 등에 의한 요도염, 질염, 자궁경부염 등을 의심! (대부분 성병)

* acute focal bacterial nephritis (= acute focal PN, acute lobar nephronia) ; APN의 일종
  - US ; focal mass (hyper-, iso-, or hypoechogenicity)
  - CT ; 경계가 불분명한 wedge-shaped (or round) low-attenuated area (liquefaction은 없음)

치료

1. 무증상 세균뇨(Asymptomatic bacteriuria, ASB)

- 대부분 자연 회복되므로 치료하지 않아도 됨 (∵ 불필요한 항생제 치료는 내성균만 증가)
- 치료가 권장되는 경우 ★
  ① 임신부 (소아 및 고령은 아님!)
  ② 점막출혈이 예상되는 비뇨기과 시술/수술 전(e.g., TUR-P)
  - 기타 고려해볼 수도 있는 경우 ; neutropenia, 신장이식 (예정) 환자, urease-producing bacteria, polycystic kidney, urinary tract obstruction ...
  - 소아, 여성, 노인, 요양원, DM, HIV 감염, 방광비움의 신경학적 이상 등은 아님!
  - 건강한 recurrent UTI 병력 환자에서 발생한 ASB도 아님
- indwelling catheter, 척추 손상 환자 : 항생제 치료가 효과 없고 금기!!
  (∵ 더 resistant한 균에 의한 superinfection 증가)
  - indwelling catheter 환자에서 농뇨는 세균뇨나 UTI를 의미하지 않고, 구분 못함
  - indwelling catheter 환자에서 소변에서 냄새가 나거나 탁해도 반드시 감염은 아니며 항생제 치료의 적응도 아님
- 치료 뒤에도 bacteriuria가 지속되면 대부분 치료 없이 F/U (고위험군만 4~6주 동안 치료)

2. 여성의 급성 단순 방광염(uncomplicated/simple cystitis)

- 대부분 *E. coli*가 원인균
- 전형적인 증상 & pyuria면 (배양검사 안하고) 바로 경험적 경구 항생제 치료 시작!
  - 우리나라는 감염균의 항생제 내성률이 높아 배양검사가 권장되기도 함
  - *E. coli, S. saprophyticus, Klebsiella, Proteus* 등의 흔한 UTI 원인균은 10^5 CFU/mL 이하라도 치료해야 됨 (여성은 10^2 CFU/mL 이상이면 치료)
- 1차 추천 경험적 항생제 (→ 치료 후 증상 없으면 배양검사 F/U도 필요 없음)
  - fosfomycin trometamol (1회), nitrofurantoin (5일), or pivmecillinam (3일) 등
  - 다른 항생제만큼 효과적이면서, *E. coli* 내성 거의 없고, collateral damage 적음 (collateral damage : fecal normal flora는 죽고, 내성균이 선택적으로 증가되는 현상)
- 기타 항생제
  - fluoroquinolone (ciprofloxacin, levofloxacin: **3일**) ; TMP-SMX 대신 많이 사용했음, 최근에는 내성률이 높아졌지만(20~30%) 아직 많이 사용 (∵ 주로 신장으로 배설되어 소변에서 고농도) c.f.) 미국/유럽은 내성균 확대 및 부작용 위험으로 권장 안함
  - TMP-SMX (3일) ; 과거 1st choice였지만 (∵ fluoroquinolone 만큼 효과적이면서 저렴), 내성률이 높아(35~40%) 권장× → 감수성 결과 확인 후 감수성이면 사용 가능
  - β-lactams (cefpodoxime 5일, cefixime 3일, amoxicillin-clavulanate 7일) ; TMP-SMX에 내성이면 β-lactams에도 내성인 경우가 많으므로, 감수성 결과 확인 후 사용 가능
- **3~5일**의 단기치료 권장 (∵ 효과 우수하면서 부작용↓, 7일 이상 사용해도 재발 감소 효과 無)
- 7일 요법이 필요한 경우 ; ≥65세, 임신부, DM, 7일 이상의 증상, 최근의 UTI, diaphragm 사용 등 complicated UTI의 가능성이 있는 경우

* 남성의 acute simple cystitis → 여성의 1차 추천 경험적 항생제와 동일 (치료기간은 7일 이상)
c.f.) 급성 세균성 전립선염 : fever 동반시 의심 (급성 중증 질환 → 입원 & 항생제 주사)
↳ 3세대 cepha., 광범위 β-lactam/β-lactamase inhibitor, carbapenem 등 (~2-4주)

3. 여성의 단순 신우신염(acute pyelonephritis, APN)

- 대부분 방광내 세균이 요관을 통해 신장을 침범하여 발생, *E. coli*가 56~85% 차지
- 모든 환자에서 소변 배양검사 실시!
- 초기 경험적 항생제로 시작 후, 항생제감수성 결과에 따라 재조정해야 됨

	입원이 필요 없는 경우 (대부분)	입원이 필요한 경우* (약 7%)
초기 경험적 항생제	Ceftriaxone, Amikacin, *or* Fluoroquinolone을 1회 IV 이후 Oral fluoroquinolone을 감수성 결과 전까지 투여	Fluoroquinolone (ciprofloxacin, levofloxacin), Cepha. (cefuroxime, ceftriaxone, cefepime), AG ± ampicillin, AG ± β-lactam, β-lactam/β-lactamase inhibitor ± AG**, *or* **Carbapenem** (meropenem, imipenem, ertapenem)** 등을 열이 떨어질 때까지 IV로 투여
그 이후 (배양/감수성 결과에 따라)	Fluoroquinolone, Cefpodoxime, Ceftibuten, *or* TMP-SMX 등	임상적으로 호전되고(e.g., 해열) 경구 섭취가 가능하면.. 감수성이 있는 경구 항생제로 변경

* 입원이 필요한 경우 ; 지속적인 구토, 탈수, 병의 진행, 패혈증 의심, 외래 치료로 회복× 등
** complicated PN 의심되는 병력, 이전의 PN 병력, 항생제 내성 의심, 최근의 요로계 시술 등 때 고려

- 치료기간은 7~14일
- cystitis에 사용하는 fosfomycin trometamol, nitrofurantoin, pivmecillinam은 APN에는 사용×
- 영상검사 : 항생제 치료 3일 이후에도 호전 안 되거나, 합병증(e.g., sepsis) 의심시 CT 시행

* APN의 적절한 치료 뒤에도 fever, leukocytosis, flank pain 등이 지속되면
다른 합병증이나 질환을 의심해야 됨
⇨ emphysematous PN (특히 DM 환자), renal papillary necrosis, renal carbuncle, perinephric abscess, xanthogranulomatous PN, vertebrae의 metastatic abscess

* APN의 회복기에도(pyuria 호전된 뒤에도) hematuria가 지속되면 ⇨ 결석, 종양, 결핵 등 의심

4. 재발성 요로감염(recurrent UTI, rUTI)

- rUTI의 정의 : 1년에 3회 or 6개월에 2회 이상 UTI 발생 (전체 여성의 4~10%)
- 대부분 acute simple cystitis, 젊은 여성에서 흔함, 대부분은 재감염(reinfection)임

┌ 치료 종료 후 2주 이내 발생 → 대개 동일 균에 의한 재발(relapse) (∵ 치료 실패) = 지속 세균뇨
└ 치료 종료 후 2주 이후 발생 → 대개 (동일 균이라도) 새로운 균에 의한 재감염(reinfection)

여성에서 rUTI의 위험인자

폐경 전	폐경 이후 & 노인
성교 (m/i) 살정제(殺精劑) 사용 새로운 성관계 대상 어머니의 UTI 병력 소아 때 UTI 병력 Blood group Ag secretor	폐경 전 UTI 병력 요실금(urinary incontinence) (m/i) Estrogen 결핍에 의한 위축성 질염 방광탈출증(cystocele) 배뇨 후 방광 내 잔뇨 증가 Blood group Ag secretor Urine catheterisation 장기 요양원 생활에 따른 퇴행

- 재발시 소변 배양 & 항생제감수성 검사는 필수
- 위험인자가 없는 40세 이하 여성은 추가적인 영상검사(e.g., cystoscopy, US)는 불필요함
- rUTI의 예방
  - 생활습관개선 ; 충분한 수분 섭취, 소변 참지×, 성교 직후 배뇨, 배변 후 앞에서 뒤로 닦기 등
  - 비항생제 요법 ; 폐경 후 질내 estrogen 투여, probiotics (*Lactobacillus* spp.), 크랜베리 등
  - 항생제 요법 ; continuous low-dose antimicrobial prophylaxis, post-coital antimicrobial prophylaxis, self-diagnosis & self-treatment 등
  - 면역강화 예방 ; OM-89 (Uro-Vaxom®)권장!, vaginal vaccine (Urovac®)
    ↳ 18가지 *E. coli*의 lysates (동결건조균체 용해물), 가장 효과적(UTI 35% 감소)

5. 복잡성 요로감염(complicated UTI, cUTI)

- 기구, catheter, 요로의 구조적/기능적 이상(폐쇄, 결석 등), DM, 신장이식, 면역저하, 원내감염 등의 상황 하에서 발생한 UTI (넓게는 폐경전 여성의 방광염을 제외한 남성, 노인, 임산부 UTI도 포함)
- 환자군이 너무 다양하고 임상적 기준이 불명확하여 확립된 지침은 없음
- 증상이 심하면 경험적 항생제 치료 전 소변 & 혈액 배양검사 실시

- mild~moderate Sx. (N/V 등 없음) … 입원이 필요한 APN의 치료와 비슷함 (앞부분 표 참조)
  - piperacillin-tazobactam, 3~4세대 cepha., amikacin, carbapenem (e.g., ertapenem) 등이 권장됨
    (∵ 우리나라는 *E. coli*의 fluoroquinolone, ampicillin/sulbactam, GM 등의 내성률 높음)
  - MDR G(-) 감염 위험인자 有 → ertapenem IV 이후 oral ertapenem 등

MDR G(-) 감염 위험인자
소변에서 MDR (multidrug-resistant) gram(-) 감염균 분리 병원, 요양병원, 양로원 등에 장기 거주 Fluoroquinolone, TMP-SMX, or 광범위 β-lactam (e.g., 3세대 이상의 cepha.) 항생제 사용 MDR 유병률이 높은 지역으로의 여행

- sepsis가 의심되는 중증 감염 or 원내감염 등
  ⇨ antipseudomonal carbapenem (doripenem, imipenem, meropenem) + vancomycin
- 항생제감수성 결과가 나오면 더 특이적인 항생제로 전환
- 치료기간 : UTO 유발요인이 교정되고, 추가적인 위험인자가 없으면 **7~14일**
  (원인 질환의 치료, 증상 호전, UTO 교정 등이 불충분하면 21일 이상으로 연장)

6. 임신과 UTI

- 임신 중에는 UTI가 호발 (2~8%), 모든 임신부에서 12~16주에 반드시 bacteriuria 선별검사!
  - UTI (특히 upper) or asymptomatic bacteriuria → 저체중아, 조산, 신생아 사망률 증가
  - asymptomatic bacteriuria 환자의 20~30%에서 PN (pyelonephritis) 발생 위험
- upper UTI의 호발 원인
  ① ureteral tone 감소
  ② ureteral peristalsis 감소
  ③ 일시적인 vesicoureteral valves의 incompetence
- ASB : 감수성 결과 이후에 항생제 치료 (3~7일) & 배양검사 F/U (분만 때까지 매달)
- acute cystitis : amoxicillin/clavulanate, 3세대 cepha. (e.g., cefixime, cefpodoxime, cefotaxime), nitrofurantoin (2nd~3rd trimeter), fosfomycin 등이 임신 때 안전 (→ 3~7일 치료 & F/U 배양)
  * TMP-SMX (1st trimester 때 기형 위험), fluoroquinolone (태아 연골 독성)은 금기!
- APN : 입원하여 주사제로 치료 (β-lactam ± AG) (→ 7~14일 치료 & F/U 배양)
- recurrent UTI (임신 중 3회 이상) : low-dose nitrofurantoin or cephalexin (지속적 or 성교 후)

7. Funguria

- 대부분 *Candida* species가 원인 (*Candida albicans*는 50% 미만)
- catheterization 입원 환자에서 호발 (특히 ICU, 고령, DM, 광범위항생제 사용, 장기입원 등에서)
- 대부분 무증상 (단순 colonization) / 드물게 pyelonephritis, sepsis도 가능
  ↳ catheter 제거시 1/3 이상에서 호전됨
- 항진균제 치료의 적응
  ① symptomatic candiduria
  ② disseminated dz.의 고위험군 ; neutropenia, 비뇨기과시술, 저체중출생아(<1.5 kg), 불안정

- 항진균제 ; fluconazole이 choice (∵ 소변내 농도 높음)
  - fluconazole에 내성인 경우 → IV amphotericin B ± oral flucytosine
  - newer azoles이나 echinocandins은 권장× (∵ 소변내 농도 낮음)
  - amphotericin B로 bladder irrigation도 권장× (∵ 효과가 일시적)

8. Catheter-associated UTI (CA-UTI) or aSx. bacteriuria (CA-ASB)

- 정의 : catheter 유치 중 or 제거 후 48시간 이내에 발생한 bacteriuria or UTI
- 도관 유치 입원환자의 10~15%에서 bacteriuria 발생
  - 건강한 사람은 한번의 catheterization 뒤에 1~2%에서 persistent bacteriuria 발생
  - 도관 유치시 bacteriuria 발생률 3~7%/day, 이중 10~25%에서 symptomatic UTI 발생
- 발생 위험인자 ; 6일 이상이 도관 유치 (m/i), open indwelling catheter drainage, 여성, 심한 기저질환, 잘못된 도관 관리(e.g., 도관과 배액관의 분리, 도관이 bag보다 아래에 위치), 불충분한 전신항생제 요법 ...
- 원인균 ; *E. coli* (m/c), *Proteus*, enterococci, *Pseudomonas*, *Klebsiella*, *Serratia*, *Staphylococcus*, *Candida* .. (community-acquired UTI에 비해 MDR 내성균인 경우가 많음)
- 대부분 증상은 경미하며 열은 없음, 1~2%에서는 G(-) bacteremia 발생
  → 입원환자에서 G(-) bacteremia의 가장 흔한 원인 (~30%)
- 진단 : 단일 catheter urine 검체 or catheter 제거 후 48시간 이내의 배뇨 검체에서 ≥10^3 CFU/mL
  - 증상이 있을 때에만 배양검사 시행 권장
  - pyuria는 의미 없음 (증상이 없으면 pyuria/냄새/혼탁이 있어도 CA-UTI 아님 → 치료 필요×)
  - urine bag의 소변, catheter tip의 배양은 진단에 부적합함
- 예방법
  ① 불필요한 catheterization은 피하고, 필요 없으면 빨리 제거 (m/i)
  ② 도관 삽입 및 관리시 sterile technique
  ③ sterile closed collecting system 사용
  ④ preconnected catheter-drainage tube unit 사용, drainage bag에 항생제 첨가
  ⑤ antimicrobial-coated catheter (e.g., 항생제, 은나노) → ASB↓ (UTI는 별로 감소 안됨)
  - suprapubic catheters or condom catheters는 근거 부족
  - 예방적 항생제는 CA-UTI 감소 효과 없어 권장 안됨
    (└ 권장되는 경우 ; 임신부, 요로계 시술 예정자, 신장이식 환자, 면역저하자 등)
- 예방조치에도 불구하고 2주 이상 도관 유치시에는 대부분 UTI 발생
  → 가능하면 intermittent catheterization
- 치료 : 증상 없으면(CA-ASB) 치료할 필요 없음, 도관을 제거하면 자연 치유 흔함!
  (∵ 항생제 치료가 bacteremia 합병증을 감소시키지 못하며, 오히려 내성균↑ 위험)
  - 증상 있을 때만(CA-UTI) catheter 제거/교환 이후, 항생제 (complicated UTI처럼) 치료
  - 증상 없어도 치료 권장 ; 비뇨기계 시술(e.g., TUR-P) 전, 여성 노인
  - irrigation : clot 등으로 도관이 막혔을 때만 시행 (감염의 예방/치료에는 효과 없음)

■ **예방적 항생제요법(preventive antibiotics)이 필요한 경우**
: low-dose TMP-SMX, TMP, nitrofurantoin, fluoroquinolones 등

① 1년에 3회 이상 UTI가 발생하는 여성
(spermicide 사용 금지, 성교 직후 배뇨 권장, 성교와 특히 관련된 경우 성교 뒤 항생제 투여)
② chronic prostatitis 남성
③ prostatectomy를 시행 받을 환자
④ asymptomatic bacteriuria를 보이는 임산부

신장/요로 결핵

1. 임상양상

• 폐외결핵의 20%를 차지
• 대개 primary site에서의 혈행성 전파로 인해 발생
• 증상 ; frequency, nocturia, dysuria (무증상도 흔함)
- 생식기 결핵 동반시엔 infertility만 나타날 수도 있음
• 전형적인 결핵의 증상(열, 체중감소, 발한 등)은 20% 이하에서만 나타남

2. 진단

• U/A ; 거의 90% 이상에서 sterile pyuria, hematuria → m/g screening test
• AFB 염색 & TB 배양 (90% 진단 가능) : 아침 첫 소변으로
• 복부 X선 ; 50% 이상에서 석회화 관찰됨
• US, CT ; 신실질의 종괴, 흔히 석회화 동반, 주위 신실질의 위축
• IVP 소견
- 신배가 파괴되어 불규칙하고 좀 먹은 모양 (destructive lesion)
- 요관의 다발성 협착 또는 확장 (염주 모양)
- 만성적인 신우의 협착 → 신배/신우 확장 → 수신증 → 기능소실, 석회화 (autonephrectomy)
• 기타 ; 방광경, CXR (활동성 신결핵 환자의 50~75%에서 폐결핵 소견 보임)

3. 치료

• 약물치료가 원칙 (항결핵제) : 9~24개월
• 해부학적 이상시엔 수술 (e.g., 요관 협착)

*** 생식기 결핵 (여 > 남)**

- 여자 ; infertility, pelvic pain, 생리 이상
- 남자 ; epididymitis (→ infertility), orchitis, prostatitis

- 50~80%에서는 신결핵 동반, 30~50%는 폐결핵 동반
- 부고환 : 남성에서 비뇨생식기 중 신장 다음으로 결핵이 호발하는 부위

→ 감염내과 I-7장 참조

유두부 괴사(papillary necrosis)

- 원인질환 ; renal pyramids의 감염, 진통제, 신장의 vascular dz., UTO, DM, sickle cell dz., chronic alcoholism ...
- 임상양상 : 혈뇨, 요통 or 복통, fever/chilling, AKI (anuria or oliguria)
- DM or chronic UTI 환자에서 신기능이 급격히 감소되면 반드시 의심
- 진단 : 소변내 괴사조직(pyramid) 딱지의 존재, pyelography에서 "ring shadow"
- 치료 : 양측성은 보존적 치료, 일측성의 심한 감염은 신절제

→ 9장 세뇨관간질성 신질환 편도 참조

기종성 신우신염(emphysematous pyelonephritis)

- 신장 실질을(일부는 신장 주위 조직도) 침범한 gas-producing, necrotizing infection (emphysematous pyelitis : renal pelvis[신우]만 침범한 것)
- 거의 대부분 DM 환자에서 UTO, chronic UTI 동반시 발생 (DM 동반 : emphysematous pyelonephritis >80%, ~pyelitis >50%, ~cystitis 60~70%에서)
- 대부분 *E. coli*가 원인균
- 임상경과가 빠르고 고열, leukocytosis, 신실질의 괴사, 신장 및 주위조직 내에 발효성 가스가 축적됨
- 진단 : X-ray or CT에서 조직내 가스 확인
- 치료 : percutaneous catheter drainage & 항생제 → 호전 없으면 elective nephrectomy

* emphysematous cystitis : 증상이 덜 심하고 진행도 덜 빠름 → 항생제로 치료 (실패시 cystectomy)

신장 & 신장주위 농양(renal/perinephric abscess)

- 드묾, 75% 이상이 UTI로부터의 ascending infection 때문
- 위험인자 ; 신결석 동반, 구조적 이상, 비뇨기계 시술/수술, 외상, DM (perinephric abscess의 m/i 위험인자는 소변흐름 폐쇄를 동반한 nephrolithiasis)

- *E. coli, Proteus, Klebsiella* 등이 흔한 원인균
- 임상양상 ; flank pain, abdominal pain (→ 다리, 사타구니로 전파), fever
- pyelonephritis의 임상양상을 보이지만 4~5일의 항생제 치료에도 fever 지속되면 의심!
- 진단 ; renal US, CT (진단시 renal stone도 찾아봐야 됨)
- 치료
  ① 배농 ; perinephric abscess의 경우는 percutaneous drainage도 좋음
  ② 항생제 (severe complicated UTI에 준해 치료)

14
요로 폐쇄(Urinary tract obstruction, UTO)

개요

1. 정의/역학

- 요로폐쇄(urinary tract obstruction, UTO) : 구조적/기능적 원인에 의한 정상적인 소변 배출의 장애로 나타나는 현상 (= obstructive uropathy)
- 폐쇄의 호발 부위 ; ureteropelvic junction (UPJ), ureterovesical junction (UVJ), bladder neck, urethral meatus (valve)
- 방광 이하의 폐쇄는 bilateral hydroureter/hydronephrosis를 일으킴
- bimodal distribution : 소아와 노인에서 호발 (소아 때는 선천적 조조 이상이 주원인)
- 남≒여, 노인에서는 남자가 많고(∵ 전립선 질환), 20~60세는 여자가 많음(∵ 임신, 부인과 질환)
- 초기에 잘 치료하면 대부분 신손상을 예방할 수 있으나, 방치되면 비가역적인 신손상 초래 가능

2. 원인

상부 요로폐쇄 (요관)	하부 요로폐쇄 (방광, 요도)
내인성(intrinsic) 1. Intraluminal ; 결석, 혈괴, 신유두괴사, 신석증, fungus ball 2. Intramural ; UPJ or UVJ의 기능장애 (e.g., VUR), 요관 판막/폴립/종양, 요관 협착 (결핵, schistosomiasis, scar, NSAIDs) 외인성(extrinsic) 1. 혈관계 ; 동맥류(복부 대동맥, 장골혈관), 변형 혈관(UPJ), 정맥(retrocaval ureter) 2. 생식기 ; 자궁(임신, 종양, 탈출, endometriosis), 난소(종양, 농양), Gartner's duct cyst, 난관난소농양 3. 소화기 ; CD, 게실염, 농양, 대장암, 췌장암/낭종 4. 후복강 질환 ; 섬유화, 결핵, sarcoidosis, 혈종, lymphoma, sarcoma, 전이암, lymphocele, lipomatosis	1. 포경(phimosis), 감돈포경(paraphimosis), 요도구 협착(meatal stenosis) 2. 요도 ; 협착, 결석, 게실, 판막, 농양, 수술, post/ant urethral valves 3. 전립선 ; 양성증식(BPH), 농양, 암 4. 방광 ; 종양, 결석, 신경인성 방광(척추장애, 외상, DM, 다발성 경화증, CVA, Parkinson's dz.), 요관낭종(ureterocele) 5. 외상 ; 기마성 손상, 골반 골절 6. **약물** ; sympathomimetics, anticholinergics, ↳ 종합감기약 (노인에서 주의!) antihistamines, smooth muscle relaxants, 항우울제, 항부정맥제, 척추마취, opiates ...

*신우/신배의 폐쇄 ; staghorn calculi, papillary necrosis, acute uric acid nephropathy (tumor lysis syndrome), sulfonamide 침착, acyclovir/indinavir 침착, multiple myeloma

- 성인에서는 골반종양, 결석, 요도협착, 수술중 요관 손상/결찰 등이 흔한 원인
- 임신 중 hydronephrosis가 흔한 이유 ; 자궁에 의한 ureter 압박, progesterone에 의한 기능 장애

- 기능성(functional) 요로폐쇄의 원인
  - ① neurogenic bladder : adynamic ureter 동반 흔함
  - ② VUR (vesicoureteral reflux) : 소아에서 호발, UVJ 이상이 m/c 원인
  - ③ dehydration, UTI, sympathomimetics & anticholinergics (노인에서 소변 정체 유발) ...

3. 병태생리

(1) 신장 내압의 증가 → 신우와 신배가 확장 : 수신증(hydronephrosis)

(2) trans-glomerular pressure gradient 감소 → GFR↓
 (renal blood flow는 급성에서는↑, 만성에서는↓)

(3) tubular dysfunction (∵ renal tubule에 미치는 back-pressure의 증가로)
- 요농축, Na^+ & water 재흡수, H^+ & K^+ 분비 등 세뇨관 기능의 대부분이 지장을 받게 됨
- 급성에서는 sodium 재흡수↑ & FE_{Na}↓, 만성에서는 sodium 재흡수↓ & FE_{Na}↑
 → 소변 농축 능력↓, 소변 희석, natriuresis, hyperkalemic hyperchloremic acidosis

(4) 수신성 신위축(hydronephrotic renal atrophy)로 진행

- 완전 폐쇄된 신장에서도 요의 분비는 계속됨 (→ 수신증 발생)
- 일측성 수신증시 발생하는 기능장애가 양측성보다 더 크고, 빨리 발생함

임상양상

1. 급성 상부 요로폐쇄

- acute bilateral UTO에서는 AKI (anuria) 발생 가능
- renal colic (m/c), gross hematuria, anuria or oliguria, uremic Sx.
- renin-dependent HTN (급성/아급성 편측성 폐쇄시)

2. 만성 요로폐쇄

- 무증상 or 간헐적인 동통 (c.f., 배뇨시에만 flank pain 발생 → VUR의 특징)
- 양측성 폐쇄시 → 신질질 손상 → 신부전 (BUN, Cr ↑)
- fluctuating urinary output, frequency, polyuria, nocturia (partial UTO에서는 urine output↑)
- partial bilateral UTO ⇨ chronic tubulointerstitial damage ; type 4 RTA, hyponatremia
- volume-dependent HTN (만성 양측성 폐쇄시) / recurrent UTI or 요로 결석 호발 및 치료 어려움

3. 하부 요로폐쇄

- acute urinary retention (AUR), 소변 흐름의 세기와 직경 감소
- palpable mass (suprapubic)
- hesitancy, urgency, nocturia, incontinence, post-void dribbling
- alternating urine volume, polyuria → intermittent or partial UTO

4. 합병증

; UTI~sepsis, HTN, renal failure, urinary stone, papillary necrosis, erythrocytosis (∵ EPO↑)

진단

1. 진단적 접근

- 가역적인 병변이므로 조속한 진단과 치료가 중요
  - Sx, P/Ex (e.g., rectal exam, 성기 주변 관찰)
  - U/A : 정상 or hematuria, proteinuria, pyuria, pH >7.5 (결석, 감염), 요침사는 정상
  - 혈액검사 : BUN↑, Cr↑, BUN/Cr↑, leukocytosis
- 설명할 수 없는 신기능 저하 및 요로폐쇄의 증상
  → 우선 bladder catheterization 시행!
    - diuresis 발생 → 하부 (bladder neck 이하) 요로폐쇄
    - diuresis 없음 → 상부 요로폐쇄 의심 → renal US 등 시행

2. 상부 요로폐쇄

- US : hydronephrosis or hydroureter ··· 초기 선별검사로 m/g
- KUB : radiopaque stone
- IVP : 자세한 요로폐쇄의 위치와 정도(형태) 확인 가능
- renal scan : 폐쇄와 기능적인 면을 동시에 평가 가능 (but, US나 IVP보다는 해상도 낮음)
  - 동위원소(^{99m}Tc-DTPA, ^{99m}Tc-MAG) : 사구체/세뇨관에서 배설된 후 재흡수 안됨
    → GFR 측정 및 요로폐쇄의 진단에 유용 (폐쇄된 쪽 신장의 동위원소 배설↓)
  - diuretic renal scan : 이뇨제 투여로 소변양이 많아지면 폐쇄된 쪽 동위원소 배설이 크게 감소됨 (lasix ^{99m}Tc-DTPA), 구조적/기능성 폐쇄를 감별 가능
    → hydronephrosis (특히 UPJ 폐쇄 의심시) 환자에 널리 이용됨
- retrograde (or antegrade) urogram
  ① 위의 검사로도 요로계 확장의 원인이 발견되지 않는 경우
  ② 조영제를 사용하기 어려운 경우 ; 신부전(sCr >3 mg/dL), 단백뇨, DM, MM, 탈수 등
- CT, MRI : 복강/후복강의 특정 원인 질환 진단에 유용 (e.g., spiral CT → 결석)
- pressure-flow study (Whitaker test) : 조영제 주사 후 신우/방광 압력 측정, 침습적이라 잘 안쓰임

* 요로폐쇄가 있음에도 hydronephrosis가 관찰되지 않는 경우 : false (-)
  ① 요로가 확장되기 전의 초기(1~3일) 요로폐쇄
  ② retroperitoneal fibrosis or tumor 등에 의한 요로계 압박
  ③ staghorn 결석, 침윤성 신장 질환
  ④ 경미한 요로폐쇄, 탈수(volume depletion) ...

3. 하부 요로폐쇄

- VCUG : vesicoureteral reflux, 하부요로 폐쇄 진단시 유용
- cystoscopy
- retrograde urethrography : anterior urethra
- retrograde or excretory cystogram : posterior urethra
- urodynamic studies : debimetry, cystometrography, EMG, urethral pressure profile (neurogenic bladder가 원인인 경우 필수)

치료

1. 급성 완전 폐쇄(acute complete obstruction)

- 상부 요로 폐쇄 ; retrograde ureteral catheter, percutaneous nephrostomy (PCN)
- 방광 하부 폐쇄 ; urethral catheter replacement, suprapubic cystostomy
- UTI, generalized sepsis시 → 즉시 obstruction 해소 & 항생제 치료
- 폐쇄가 호전되면 1~2주 이내에 GFR 일부 호전됨 (폐쇄가 8주 이상 지속되면 호전 가능성 희박)

* 급성 부분 폐쇄(acute partial obstruction) : stone이 가장 흔한 원인 → 12장 참조

2. 만성 부분 폐쇄(chronic partial obstruction)

- surgical Tx.는 몇 주~몇 달 연기될 수 있음
- 즉시 치료가 필요한 경우
  ① 반복되는 UTI episodes
  ② 심한 Sx. (dysuria, voiding dysfunction, flank pain)
  ③ urinary retention 존재
  ④ recurrent or progressive renal damage

3. 하부 요로폐쇄

- vesicoureteral reflux : ureteroneocystostomy
- BPH ; α-blocker, 5α-reductase inhibitor, TUR
- urethral stricture : dilatation or internal urethrotomy, meatomy
- neurogenic bladder : frequent voiding + cholinergic drugs

폐쇄 교정 이후의 이뇨 (postobstructive diuresis)

- 양측성 완전 폐쇄(bilateral complete UTO)의 교정 이후에 polyuria (natriuresis, diuresis)가 나타나는 것 (정상임, self-limited), 보통 250 mL/hr
- 원인
  ① 폐쇄 당시 축적된 salt와 water의 배설
  ② 축적된 urea의 배설 (→ osmotic diuresis 유발)
  ③ 축적된 urea 이외의 natriuretic factors의 배설
  ④ intratubular pr. 증가로 인한 NaCl 재흡수의 장애
  ⑤ iatrogenic ECF volume expansion ; 과도한 fluid 투여
  ⑥ 드물게 세뇨관 재흡수 기능의 결함으로 심한 salt & water loss도 가능
- 보통 hypotonic urine이 나오며, NaCl 등의 solutes를 다량 함유할 수도 있음
- collecting duct의 장애(bicarbonate loss)로 인한 urine acidification 장애도 가능
- 수액 공급 : 대개 0.45% saline (나오는 소변양의 2/3 이하만 투여하는 것이 효과적)
- 약 5%에서는 일시적인 salt-wasting syndrome (e.g., hypovolemia, hypotension)이 발생 가능
  → 혈압 유지를 위해 normal saline IV 필요
- 지속적인 polyuria를 보이는 경우는 대개 요량에 비해 지나친 수액을 공급한 경우임
  (solute diuresis 지속)

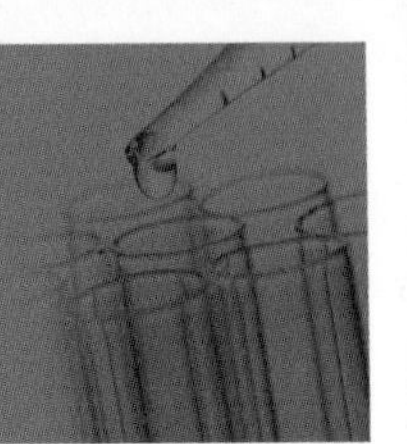

15
신장 및 요로 종양

신세포암/콩팥세포암종 (Renal cell carcinoma, RCC)

1. 개요

- 50~70세에 호발, 남:여 = 2.4:1, 증가 추세
  (US/CT 검사 중 우연히 발견↑ → 진단시 크기↓ → 5YSR↑)
- 신장 악성종양의 90~95% 차지 (신장암 - 성인 암의 약 3% 차지)
- 대부분 proxmial tubule의 epithelial cells에서 발생 (adenocarcinoma의 일종)
- 대부분 solitary, sporadic / 드물지만 자연 치유도 가능!
- 조직형 ; clear cell RCC (65~70%), papillary RCC (15~20%), chromophobe RCC (5~10%), oncocytomas (3~7%), collecting duct (Bellini duct) carcinoma[CDC] (<1%) 등
  (c.f., renal medullary carcinoma[RMC] : CDC 비슷하지만, 주로 sickle cell trait와 관련, 드묾)
- 유전자 이상
  - clear cell ; 3번 염색체 이상이 m/c (-3p21~26 [*VHL* gene][m/c], *PBRM1, SETD2, BAP1*)
  - papillary ; 7번 염색체 이상이 m/c (+7 [*MET* gene])

* 신장에서 발생하는 종양 ; RCC (85%), TCC (urothelial carcinoma, 약 8%), nephroblastoma (Wilms' tumor, 5~6%), sarcomas ...

2. 위험인자

- <u>흡연</u> (20~30%에서 관련), obesity, HTN
- 투석, 신장이식, ESRD와 관련된 acquired cystic kidney dz. (만성 투석 환자의 35~50%에서 발생)
  ↳ 약 6%에서 RCC 발생 (일반인의 ~30배)
- 직업적인 노출 : asbestos, cadmium, leather tanning, petroleum products
- 장기간의 진통제 복용 (e.g., AAP, phenacetin)
- familial (약 4%)
  - VHL (von Hippel-Lindau) dz. : AD 유전, *VHL* 종양억제유전자의 변이
    ; bilateral clear cell RCC (약 35%), hemangioblastomas (m/c[60~84%]; retina, 소뇌, 뇌간, 척수), pheochromocytoma (paraganglioma), NET, testicular cysts ...
  - ADPKD (드묾) : ESRD와 관련된 acquired renal cyst가 훨씬 더 위험함
  - tuberous sclerosis complex (TSC) 및 Birt-Hogg-Dubé syndrome : 드묾, oncocytoma와 관련

3. 임상양상

- US/CT 검사 중 우연히 발견되는 경우가 m/c!, 암이 진행될 때까지는 무증상인 경우가 많음
- classic triad (약 9%에서만 나타남) ; hematuria, flank pain, 복부종괴 (<5%)
  → locally advanced dz.를 시사
- 기타 ; anemia (52%), scrotal varicocele (~11%), fever, fatigue, 체중감소(23%)...
- IVC 침범시 ; 하지 부종, 복수, hepatic dysfunction, pulmonary emboli
- 신기능 저하는 동반하지 않는 경우가 많음
- paraneoplastic syndrome (3~10%)
  ① erythropoietin-like substance 분비 → erythrocytosis (~3%)
  ② parathyroid hormone-related protein (PTHrP) 분비 → hypercalcemia
    * hypercalcemia (advanced RCC의 ~15%) ; 뼈 전이, PTHrP 및 IL-6↑, PG↑ 등 때문
  ③ renin↑ → HTN (~20%)
  ④ gonadotropins → feminization or muscularization
  ⑤ ACTH-like substance → Cushing's syndrome
  ⑥ nonmetastatic hepatic dysfunction (Stauffer's syndrome) ; fever, fatigue, 체중↓ → poor Px
    (∵ GM-CSF, IL-6 등의 cytokines 분비 때문)
  ⑦ dysfibrinogenemia
- 전이 (진단시 15~30%는 stage Ⅳ)
  ① distant metastasis ; lung (50%), bone (49%), skin (11%), liver (8%), brain (3%)
  ② 신장으로 전이되는 종양 : lung cancer (m/c) → 흔히 multiple

4. 진단

- US : solid (→ 악성 가능성 높음) / cyst 구분 (simple cyst를 R/O하는데 98% 정확)
  - cyst aspiration : 혈성 흡인액은 악성을 강력히 시사
- CT : 진단 및 병기 판정에 가장 유용
- MRI : US/CT에서 불확실할 때 시행, 혈관(e.g., IVC) 침범을 보는데 유용
- renal angiography : nephron-sparing surgery 전 시행했었으나, CT/MR angiography로 대치됨
- 원격전이 평가 ; chest CT, MRI, PET-CT, bone scan (bone pain, ALP↑ 시에만)

Stage (AJCC 8th)		5YSR
I	종양 직경 7 cm 미만 (**T1a** ≤4 cm, **T1b** 4~7 cm), 신장에 국한	>90%
II	종양 직경 7 cm 이상 (**T2a** 7~10 cm, **T2b** >10 cm), 신장에 국한	85%
III	T1/T2 & N1 (국소 림프절 침범) *or* T3 & N0/N1 ↳ 주요 정맥, 신장주위조직 등을 침범했지만 Gerota's fascia 내에 국한	60%
Ⅳ	**T4** : Gerota's fascia를 넘어 주변 침범 (동측 부신 침범 포함) *or* M1 (원격전이)	10%

조기 발견 및 치료의 발전으로 사망률 감소 추세 (5YSR 약 80%)

5. 치료

(1) localized RCC (stage Ⅰ, Ⅱ, 일부 Ⅲ)

- partial nephrectomy (nephron-sparing surgery)가 가능하면 선호됨
  - 종양만 제거하고 나머지 정상 신장은 남겨 놓는 것, 대개 복강경 or robot으로 시행
  - radical nephrectomy에 비해 수술 후 신기능이 잘 보존되고, CVD 이환율과 전체 사망률 감소
  - 전통적 적응 ; bilateral RCC, solitary functioning kidney의 RCC, 신기능 저하 등
- radical nephrectomy : Gerota's fascia 및 내용물(신장 ± 부신 ± hilar LN)을 제거
- nephrectomy 이후의 CTx or RTx는 효과 없음

(2) metastatic RCC (stage Ⅳ, 일부 Ⅲ)

- 효과적인 치료법이 없고, 예후 매우 나쁨 (5YSR <10%, 평균 13개월 생존)
  (→ 무증상 환자는 병이 진행하거나 증상이 나타날 때까지 경과관찰을 고려할 수도 있음)
- nephrectomy는 도움 안 됨 (유일한 Ix ; 심한 통증, 육안적 혈뇨)
  - systemic Tx. 전의 cytoreductive nephrectomy는 일부에서 도움
  - nephrectomy 이후 한 곳에서만 원격전이 발생 (특히 폐, 뼈) → 수술이 survival 향상에 도움
- CTx.와 hormonal therapy는 거의 효과 없음
- immunotherapy
  ① cytokines (IFN-α, IL-2) ; 10~20%에서 반응하지만, 대부분 장기 효과는 없음
  ② immune checkpoint inhibitors ; nivolumab (anti-PD-1 Ab) + ipilimumab (anti-CTLA-4 Ab)
  → TKI (sunitinib)보다 생존율 훨씬 향상 (high-risk에서 1st, or 2nd/3rd-line Tx.로 사용)
- molecular targeted therapy
  ① anti-angiogenic TKIs ; sorafenib, sunitinib, pazopanib → low-risk에서 1st-line Tx.
    - sunitinib : 수술 뒤 재발 위험이 높은 경우에 adjuvant Tx.로도 가능
    - axitinib : pembrolizumab (anti-PD-1 Ab)와 병합으로 high-risk에서 1st-line Tx.로 사용
  ② multi-target TKIs ; cabozantinib, lenvatinib → 대개 2nd or 3rd line Tx.로 사용
  ③ VEGF mAbs (bevacizumab) ; IFN-α와 병합요법으로 1st-line Tx.로 사용 가능
  ④ mammalian target of rapamycin [mTOR] inhibitor
    - temsirolimus (IV) : poor-risk RCC (non-clear cell type)에서 1st-line Tx.로 사용
    - everolimus (oral) : angiogenesis inhibitors (①~③)에 실패한 경우 2rd-line Tx.로 사용

6. 예후

International Metastatic RCC Database Consortium (IMDC) prognostic model	
Karnofsky performance status (KPS) <80% 처음 진단된 후 1년 이내 (빠른 진행) Hb < LNL (lower normal limit) Neutrophil > UNL (upper normal limit) Platelet > UNL serum Calcium > UNL	Good risk : 0개 Intermediate risk : 1~2개 Poor risk : 3개 이상

- 평균 생존기간 ; risk factor 0 = 24개월, 1~2개 = 12개월, 3개 이상 = 5개월

c.f.) incidental renal mass (무증상, ≤4 cm)
- 대부분은 benign cyst (나이에 따라 증가, CT에서 ~40%까지도 발견) → 10장 신낭종 부분 참조!
- solid renal mass ; 악성이 양성보다 많음, 상당수가 RCC
  - 악성 가능성이 높은 경우 ; 크기(<1 cm은 60%, 1~4 cm은 80%, >4 cm은 90% 이상), 남성, mass 주위 halo, mass 내부의 작은 cysts, mass 내부의 조영증강, 신정맥내 혈전 ...
  - 영상검사에서 악성/양성 감별이 어려우면 biopsy 시행 (biopsy로 암 파종 가능성은 없음)
  - 치료 : 크지 않은 mass는 가능하면 partial nephrectomy 권장 (수술 위험이 높은 T1a의 경우는 cryoablation or RFA도 가능)
  - 능동감시(active surveillance) : 수술/마취 고위험군, 기대수명 5년 이하인 경우 (기대수명 10년 이하, 크기 1~2 cm 이하, 수술 후 ESRD로 진행 위험 등도 고려 가능)

■ 신혈관근지방종(renal angiomyolipoma[AML])

- smooth-muscle-like cells, adipocyte-like cells, epithelioid cells 들로 구성된 양성 종양
- 드묾, sporadic *or* <u>tuberous sclerosis</u>[TS]와 동반 (약 50%)
  ↳ TS 환자의 약 80%에서 renal AML 동반 (대개 다발성, 양측성)
- classic variant (대부분) : epithelioid cells 드묾(<10%), locally invasive 가능
- epithelioid variant : epithelioid cells ≥10%, 때대로 악성화 (원격전이도 가능)
  - 악성화↑ ; epithelioid cells ≥70%, size >7 cm, 혈관 침범, mitotic figures↑, necrosis
- Sx ; 대부분은 무증상, flank pain, gross hematuria (2%는 spontaneous rupture도 가능)
- Dx (US/CT/MRI) ; 종괴 내에 <u>fat</u> tissue 존재 (but, 약 5%는 fat 無; 특히 epithelioid variant)
- Tx ; 4 cm 미만은 대개 US로 F/U (<2 cm은 3~4년마다, 2~4 cm은 매년)
  - 급성 대량 출혈 → selective renal artery embolization
  - 크기 >4 cm (특히 high vascularity, aneurysm ≥5 mm) → 수술 or embolization
  - multiple bilateral AMLs (>4 cm & 성장 ≥5 mm/yr) → mTOR inhibitor (everolimus)

요로상피세포암 (Urothelial carcinoma)

1. 개요

- 정의 : urinary tracts의 urothelium (transitional cell lining)에서 유래하는 종양
- renal calix/pelvis ~ ureter ~ bladder ~ urethra (proximal 2/3) 모두에서 발생 가능
  ⇨ <u>bladder</u> (90%), renal pelvis (8%), ureter/urethra (2%)
- 95% 이상이 transitional cell carcinoma (TCC)
- 위험인자 ; 고령(평균 73세), 남:여 = 4:1
  - <u>흡연</u> (m/i) : 2~4배 발생↑ (방광암 환자의의 90%가 현재/과거 흡연자)
  - 화학물질 ; aromatic amines (e.g., 2-naphthylamine, benzidine), aniline dyes, benzene ...
  - cyclophosphamide 등의 alkylating agents 장기간 투여
  - phenacetin analgesics 장기 과다 복용 (→ renal pelvis와 ureters의 TCC↑) ; 1983년 금지됨
  - *Schistosoma haematobium* 감염 (N-nitroso compounds↑ → bladder의 SCC 및 TCC↑)

2. 분류

- staging : invasion 양상에 따라 분류 (bladder cancer의 예)

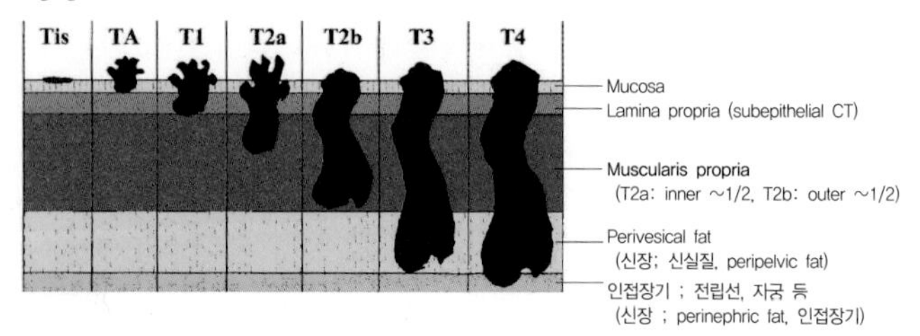

- 대부분 transitional cell layer에 국한
  - superficial (75%) : Ta, T1 ··· non-muscle-invasive bladder cancer (NMIBC)
  - 근육층 침범 (18%) : T2 ··· muscle-invasive bladder cancer (MIBC)
  - 원격전이 (3%) : 폐, 간, 뼈에 흔히 전이
- grading : differentiation 정도에 따라 분류 ⇨ low or high
  - low grade는 대개 stage가 낮고 (superficial), high grade는 높은 stage로 진행을 잘 함
- growth pattern ⇨ solid or papillary

  - low-grade papillary lesions이 m/c ; 출혈이 흔하고, 재발률이 높고, invasive dz.로 진행 드묾
  - CIS (flat lesion) ; high-grade, invasive dz.의 전단계로 생각됨

3. 방광암 (Bladder cancer)

(1) 임상양상

- gross/microscopic, chronic/intermittent "painless hematuria" (m/c, 80~90%)
  (c.f., microscopic hematuria는 전립선암에서 더 흔함, 방광암은 대개 gross hematuria)
- irritative voiding Sx. : frequency, urgency, dysuria
- pain ; flank (∵ UTO), suprapubic (∵ locally advanced), RUQ or bone (∵ metastases)

(2) 진단

- urine cytology : high grade/stage에서는 매우 sensitive (80~90%)
- IVP, US, CT, MRI : bladder 내의 filling defect 등
- cystoscopy & biopsy (확진)

(3) 치료

- superficial dz. (NMIBC) : TURB ± intravesical Tx.
  - transurethral endoscopic resection of the bladder tumor (TURB)
  - 최대 50%에서 재발 → 이중 5~20%는 더 높은 stage로 진행
    (재발은 urothelial tract 어느 곳에서도 가능)
  - TURB 이후 intravesical therapy 필요

Risk	Criteria	TURB 이후 intravesical therapy
Low	Solitary, low-grade, Ta, <3 cm, CIS 無 모두 만족	CTx (mitomycin C, epirubicin, gemcitabine) 1회
Intermediate	Low or High가 아닌 경우	CTx 1회 이후, 1년 BCG or CTx 유지요법
High	다음 중 하나 이상 T1, CIS, high-grade, or low-grade Ta이면서 multiple & >3 cm	매주 1회 BCG (~6주 동안) F/U TURB 시행 (cystectomy 필요하면 시행*) 3년 BCG (or CTx) 유지요법

* Cystectomy의 적응 ; lymphovascular invasion, variant 조직형, 불완전 절제된 T1 grade 3, prostatic duct/acinar CIS, 여성의 bladder neck and/or urethra CIS

- muscle-invasive dz. (MIBC, ≥T2) : radical cystectomy & bilateral pelvic lymphadenectomy
  - neoadjuvant chemotherapy (필수) → survival 향상
    ; cisplatin-based combination CTx.
      - MVAC (methotrexate + vinblastine + doxorubicin + cisplatin)
      - dose-dense MVAC : 부작용 적고, survival 약간 더 증가
      - GC (gemcitabine + cisplatin) : MVAC을 견딜 수 없는 노인에서 고려
  - adjuvant chemotherapy의 역할은 아직 불확실함
  - radical cystectomy가 불가능한 경우에는 bladder-sparing therapy [(maximal TURB + RTx + CTx), radical TURB, or partial cystectomy 등] 고려
- metastatic dz. → CTx. (MVAC, dose-dense MVAC, or GC)가 표준
  - vinflunine : microtubule inhibitor, 유럽에서 2nd-line으로 허가 (효과는 그다지..)
  - immune checkpoint inhibitors : 기존의 CTx.보다 훨씬 효과적
    - anti-PD-1 Ab ; pembrolizumab, nivolumab
    - anti-PD-L1 Ab ; atezolizumab, avelumab, durvalumab

4. 신우/요관의 이행세포암, 상부 요로상피암 (TCC of the renal pelvis & ureter)

- 신우와 요관의 암은 거의 대부분 transitional cell ca., 모든 요로계 종양의 5% 차지 (드묾)
- Sx ; painless hematuria (m/c, 70~80%), flank pain (20~40%, ureter or UPJ의 폐쇄 때문)
- Dx ; CT urography (IVP를 대체), MRI, RGP, flexible ureteroscopy, urine cytology 등
- 치료
  - radical nephroureterectomy & ureteral orifice를 포함한 bladder cuff 제거가 표준 치료법
  - low-grade, limited-stage → endourologic surgery (endoscopic resection)도 가능
  - low-grade distal tumor → distal ureterectomy & reimplantation of the ureter
  - metastatic dz. → metastatic bladder ca.와 동일하게 치료

c.f.) 초음파에서 renal mass처럼 보일 수 있는 anatomic variants ("pseudotomors")

① column of Bertin의 비후

② fetal lobation의 존속

③ dromedary or splenic hump

MEMO